W0005549

dtv

John Williams

Stoner

Roman

Aus dem Amerikanischen
von Bernhard Robben

Deutscher Taschenbuch Verlag

Der Verlag dankt Michael Mertes für die Zustimmung zum Abdruck seiner Übertragung des 73. Sonetts von Shakespeare in ›Du meine Rose, bist das All für mich. Die Sonette von William Shakespeare‹, Bonn 2006

Deutsche Erstausgabe 2013
6. Auflage 2014
Deutscher Taschenbuch Verlag GmbH & Co. KG,
München

Titel der amerikanischen Originalausgabe:
›Stoner‹
2006 erschien die Neuausgabe
in der Reihe NYRB *Classics*

Umschlagkonzept: Balk & Brumshagen
Umschlaggestaltung: Lisa Höfner unter Verwendung
eines Fotos von Trevillion Images / Mark Owen
Gesetzt aus der Fairfield 10,45/14˙
Satz: Greiner & Reichel, Köln
Druck und Bindung: CPI – Ebner & Spiegel, Ulm
Gedruckt auf säurefreiem, chlorfrei gebleichtem Papier
Printed in Germany · ISBN 978-3-423-28015-0

Dieses Buch ist meinen Freunden und früheren Kollegen am Fachbereich Englisch der Universität Missouri gewidmet. Sie werden ohne Weiteres erkennen, dass es sich hierbei um ein Werk der Fiktion handelt, dass keine der darin vorkommenden Personen noch lebende oder bereits gestorbene Vorbilder haben und dass kein Ereignis seinen Widerpart in jener Wirklichkeit findet, wie wir sie an der Universität Missouri kannten. Sie werden ebenfalls bemerken, dass ich mir mit der Universität Missouri gewisse Freiheiten sowohl in räumlicher wie in historischer Hinsicht erlaubt habe, weshalb auch sie letztlich ein fiktiver Ort ist.

I

WILLIAM STONER BEGANN 1910, im Alter von neunzehn Jahren, an der Universität von Missouri zu studieren. Acht Jahre später, gegen Ende des Ersten Weltkriegs, machte er seinen Doktor der Philosophie und übernahm einen Lehrauftrag an jenem Institut, an dem er bis zu seinem Tode im Jahre 1956 unterrichten sollte. Er brachte es nicht weiter als bis zum Assistenzprofessor, und nur wenige Studenten, die an seinen Kursen teilnahmen, erinnern sich überhaupt mit einiger Deutlichkeit an ihn. Als er starb, spendeten seine Kollegen der Universitätsbibliothek ihm zu Ehren ein mittelalterliches Manuskript, das man dort vermutlich noch heute in der Abteilung für seltene Bücher findet. Es enthält die Widmung: ›Der Bibliothek der Universität Missouri überreicht zur Erinnerung an William Stoner, Fachbereich Englisch. Von seinen Kollegen.‹

Der ein oder andere Student, der den Namen William Stoner liest, mag sich fragen, wer er war, doch geht die Neugier selten über müßige Spekulationen hinaus. Stoners Kollegen, die ihn zu seinen Lebzeiten nicht besonders schätzten, erwähnen ihn heutzutage nur noch selten: Den Älteren bedeutet sein Name eine Erinnerung an das Ende, das sie alle erwartet, für die Jüngeren ist er bloß ein Klang, der ihnen weder die Vergangenheit näherbringt noch eine

Person, die sich mit ihnen oder ihrer Karriere verbinden ließe.

*

Er wurde 1891 auf einer kleinen Farm im tiefsten Missouri unweit des Dorfes Booneville geboren, etwa sechzig Kilometer außerhalb der Universitätsstadt Columbia. Obwohl die Eltern bei seiner Geburt noch jung waren – der Vater fünfundzwanzig, die Mutter kaum zwanzig –, fand Stoner sie auch als kleiner Junge schon alt. Mit dreißig wirkte sein Vater wie fünfzig und blickte, von der Arbeit gebeugt, ohne Hoffnung über den kargen Flecken Land, der seine Familie von einem aufs andere Jahr ernährte. Die Mutter nahm ihr Leben so geduldig hin, als währte es nur eine kurze Spanne, die sie durchzustehen hatte. Ihre Augen waren blass und trüb, und die winzigen Falten ringsherum wurden vom dünnen, ergrauenden Haar noch betont, das straff am Schädel anlag und im Nacken zu einem Knoten zusammengefasst war.

Solange William Stoner sich erinnern konnte, hatte er Pflichten zu erledigen. Mit sechs Jahren melkte er die mageren Kühe, fütterte die Schweine im wenige Meter vom Haus entfernten Stall und sammelte die kleinen Eier einer Schar dürrer Hühner ein. Auch als er anfing, in die zwölf Kilometer entfernte Landschule zu gehen, bestimmten seinen Tag die unterschiedlichsten Tätigkeiten, vom Morgengrauen bis nach Sonnenuntergang. Und bereits mit siebzehn begannen seine Schultern, sich unter der Last dieser Mühen zu beugen.

Es war ein einsamer Hof, auf dem er das einzige Kind blieb, doch die Not der täglichen Plackerei hielt den Haushalt zusammen. Abends saßen die drei beim Licht der Petroleumlampe und starrten in die gelbe Flamme; der einzige Laut, den man in der knappen Stunde zwischen Abendbrot und Bett hören konnte, war meist nur das Räkeln eines müden Körpers auf einem harten Stuhl oder das leise Knarren eines Pfostens, der sacht unter dem Alter des Mauerwerks nachgab.

Das Haus war etwa im Quadrat gebaut, und das rohe Gebälk, das auf der Veranda und an den Türen schon ein wenig durchhing, hatte mit den Jahren die Farben der ausgelaugten Felder angenommen – grau und braun mit weißlichen Streifen. Auf der einen Seite war das langgezogene Wohnzimmer, spärlich möbliert mit geradlehnigen Stühlen und einigen grob behauenen Tischen, außerdem die Küche, in der die Familie gewöhnlich ihre wenige gemeinsame Zeit verbrachte. Auf der anderen Seite lagen zwei Schlafzimmer, in denen jeweils ein eisernes, weiß emailliertes Bettgestell, ein einzelner Stuhl und ein Tisch mit Lampe und Waschschüssel standen. Der Boden war aus blanken, ungleich verlegten, altersrissigen Dielen, durch die ständig Staub drang, der von Stoners Mutter Tag für Tag wieder nach draußen gefegt wurde.

In der Schule erledigte William Stoner seine Aufgaben, als zählten sie zu seinen täglichen Pflichten, auch wenn sie nicht ganz so anstrengend waren wie die auf der Farm. Im Frühjahr 1910 schloss er die Highschool ab und nahm an, auf der Farm nun weitere Arbeiten übernehmen zu müssen; es schien ihm, als sei der Vater in letzter Zeit immer schwerfälliger und müder geworden.

Eines Abends im späten Frühling aber, nachdem die beiden Männer den ganzen Tag lang Mais gehackt hatten, richtete sein Vater, sobald das Abendbrot abgeräumt worden war, in der Küche das Wort an ihn.

»Der Viehhändler kam letzte Woche.«

William blickte von dem ordentlich mit einem rot-weiß karierten Wachstuch bedeckten runden Küchentisch auf, sagte aber nichts.

»Angeblich gibt's ein neues Institut an der Universität in Columbia. Heißt Landwirtschaftscollege. Meinte, du solltest hin. Dauert vier Jahre.«

»Vier Jahre«, sagte William. »Kostet das was?«

»Für Kost und Logis kannst du arbeiten«, erwiderte sein Vater. »Deine Ma hat einen Vetter, dem gehört bei Columbia ein Hof. Und dann wären da noch Bücher und so Sachen, aber ich würde dir jeden Monat zwei, drei Dollar schicken.«

William spreizte die Hände auf dem im Licht der Lampe matt schimmernden Tischtuch. Er war nie weiter fort als im fünfzehn Meilen entfernten Booneville gewesen und musste schlucken, ehe er mit ruhiger Stimme fragen konnte:

»Glaubst du denn, du kommst hier allein zurecht?«

»Deine Ma und ich, wir schaffen das schon. Ich könnte auf den oberen zwanzig Morgen Weizen anpflanzen, macht weniger Arbeit.«

William sah zu seiner Mutter hinüber. »Ma?«, fragte er.

Mit tonloser Stimme antwortete sie: »Du tust, was dein Pa dir sagt.«

»Ihr wollt das wirklich?«, fragte er, als rechne er halb damit, dass sie es sich anders überlegten. »Ihr wollt wirklich, dass ich das mache?«

Sein Vater verlagerte sein Gewicht auf dem Stuhl und betrachtete die dicken, schwieligen Finger, in deren Risse die Erde so tief eingedrungen war, dass sie sich nicht mehr herauswaschen ließ. Dann verschränkte er die Hände und hielt sie über dem Tisch, als wollte er beten.

»War nicht viel, was ich an Schule hatte«, sagte er, den Blick noch auf die Hände gerichtet. »Hab auf dem Hof angefangen, sobald ich mit der sechsten Klasse fertig war. Hielt auch nicht viel von der Schule, als ich noch jung war, aber heute? Ich weiß nicht. Kommt mir vor, als würde das Land von Jahr zu Jahr trockener und der Boden schwerer zu bearbeiten, dabei war es schon kein guter Boden, als ich noch klein war. Der Viehhändler sagt, es gibt neue Ideen, neue Methoden, die sie einem an der Universität beibringen. Vielleicht hat er recht. Manchmal, auf dem Acker, da mache ich mir so meine Gedanken.« Er schwieg. Die Finger pressten sich fester aneinander, die verschlungenen Hände sanken auf den Tisch. »... so meine Gedanken.« Stirnrunzelnd betrachtete er seine Hände und schüttelte den Kopf. »Kommenden Herbst gehst du zur Universität. Und deine Ma und ich, wir schaffen das schon.«

Es war die längste Rede, die ihm sein Vater je gehalten hatte. Also fuhr er im Herbst nach Columbia und schrieb sich am Kolleg für Agrarwirtschaft ein.

*

Mit einem neuen Anzug aus feinem schwarzen Tuch, bestellt aus dem Katalog von Sears & Roebuck und bezahlt mit Mutters Eiergeld, sowie einem gebrauchten Mantel vom Vater, einer Hose aus blauer Serge, die er bislang nur einmal im Monat zum Besuch der Methodistenkirche in Booneville getragen hatte, sowie mit zwei weißen Hemden, Arbeitssachen zum Wechseln und fünfundzwanzig Dollar in bar, die sich sein Vater vom Nachbarn auf den Herbstweizen geliehen hatte, machte er sich auf den Weg nach Columbia. Von Booneville aus, wohin ihn Vater und Mutter am frühen Morgen mit dem von ihrem Esel gezogenen, flachen Hofkarren gebracht hatten, ging er zu Fuß.

Es war ein warmer Herbsttag, der Weg von Booneville nach Columbia staubig und Stoner schon gut eine Stunde unterwegs, als neben ihm ein Lieferwagen hielt. Der Fahrer fragte, ob er aufsteigen wolle, woraufhin Stoner nickte und sich auf den Kutschbock setzte. Bis hinauf zu den Knien war die Sergehose rot vom Staub, das von Sonne und Wind gegerbte Gesicht sandverkrustet, wo sich Straßenstaub und Schweiß vermischt hatten. Während der langen Fahrt klopfte er immer wieder mit verlegener Geste die Hosenbeine ab und fuhr sich mit den Fingern durchs glatte hellbraune Haar, das einfach nicht flach anliegen wollte.

Sie erreichten Columbia am späten Nachmittag. Der Fahrer ließ Stoner am Stadtrand absteigen und zeigte auf eine Gruppe von hohen Ulmen überschatteter Bauten. »Das ist die Universität«, sagte er. »Da werden Sie studieren.«

Noch mehrere Minuten, nachdem der Mann weitergefahren war, stand Stoner reglos da und starrte zu dem Gebäudekomplex hinüber. Nie zuvor hatte er etwas so Imposantes gesehen. Die roten Ziegelsteinbauten ragten aus einer weiten, allein von Steinmauern und kleinen Gärten unterbrochenen Grünanlage auf. In der Ehrfurcht, die er empfand, schwang ein überraschendes Gefühl der Sicherheit und Gelassenheit mit, wie er es nie zuvor empfunden hatte. Und obwohl es schon spät war, wanderte er viele Minuten lang am Rand des Universitätsgeländes auf und ab und schaute, als wäre ihm das Betreten nicht gestattet.

Es war schon fast dunkel, als er einen Passanten nach Ashland Gravel fragte, jener Straße, die zur Farm von Jim Foote führte, dem Vetter seiner Mutter, für den er arbeiten sollte; und es war längst dunkel, als er zu dem weißen zweistöckigen Holzhaus kam, in dem er von nun an wohnen würde. Er kannte die Footes noch nicht, und es kam ihm seltsam vor, sie so spät abends aufzusuchen.

Sie begrüßten ihn mit einem Kopfnicken, um ihn dann aufmerksam zu begutachten. Nach einer Weile, in der Stoner verlegen in der Tür stehen blieb, bedeutete ihm Jim Foote, in ein kleines, düsteres, mit Möbeln und Nippes auf matt glänzenden Tischen vollgestelltes Wohnzimmer zu treten. Er setzte sich nicht.

»Zu Abend gegessen?«, fragte Foote.

»Nein, Sir«, antwortete Stoner.

Mrs Foote lockte ihn mit gekrümmtem Zeigefinger und tappte davon. Stoner folgte ihr durch mehrere Zimmer in eine Küche, wo sie ihn anwies, sich an den Tisch zu setzen, um dann einen Krug Milch und mehrere Kanten kaltes Maisbrot vor ihn hinzustellen. Er nippte an der Milch, bekam aber mit seinem vor Aufregung trockenen Mund keinen Bissen hinunter.

Foote kam herein und stellte sich neben seine Frau. Er war ein kleiner Mann, kaum eins sechzig groß, mit hagerem Gesicht und kantiger Nase. Seine Frau war zehn Zentimeter größer; eine dicke, randlose Brille verdeckte ihre Augen, und die dünnen Lippen hielt sie zusammengepresst. Beide Eheleute sahen gierig zu, wie er an seiner Milch nippte.

»Morgens Vieh füttern und tränken, Schweinetröge auffüllen«, brach es aus Foote heraus.

Stoner blickte ihn verständnislos an. »Was?«

»Das machst du morgens«, sagte Foote, »vor der Universität. Abends fütterst du wieder das Vieh, füllst noch einmal die Tröge auf, sammelst Eier ein und melkst die Kühe. Falls du dann noch Zeit hast, kümmerst du dich ums Feuerholz. Und an Wochenenden hilfst du mir bei meiner Arbeit.«

»Ja, Sir«, antwortete Stoner.

Foote musterte ihn einen Moment lang. »College«, sagte er dann und schüttelte den Kopf.

Um sich neun Monate im Jahr Kost und Logis zu verdienen, fütterte und tränkte er also das Vieh, füllte die Schweinetröge, sammelte Eier, melkte Kühe und hackte Holz. Außerdem pflügte und eggte er die Felder, grub Baumstümpfe aus (wobei er sich im Winter durch zehn Zentimeter gefrorenen Boden arbeiten musste) und schlug Butter für Mrs Foote, die mit im Takt nickendem Kopf und grimmiger Zustimmung dabei zusah, wie der Holzstampfer durch den Rahm platschte.

Stoner wurde im oberen Stock untergebracht, in einem ehemaligen Vorratsraum, dessen Mobiliar allein aus einem eisernen schwarzen Bettgestell mit durchhängendem Rost bestand, auf dem eine dünne Federmatratze lag, sowie einem wackligen Tisch mit Petroleumlampe, einem harten Stuhl auf unebenem Boden und einer großen Kiste, auf der er schrieb. Im Winter wärmte ihn nur die aufgeheizte Luft, die von den unteren Räumen durch den Boden aufstieg; er wickelte sich in zerlumpte Flickendecken, dazu in die ihm zugeteilten Wolldecken und blies sich in die Hände, damit er die Seiten der Bücher umblättern konnte, ohne sie zu zerreißen.

Seine Arbeit für die Universität erledigte er wie die Arbeit auf der Farm – gründlich, gewissenhaft, weder gern noch widerwillig. Am Ende des ersten Jahres lag sein Notenschnitt bei Zwei minus, und es freute ihn, dass er nicht schlechter abgeschnitten hatte; dass er nicht besser war, kümmerte ihn kaum. Er wusste, dass er Sachen lernte, von denen er zuvor nichts geahnt hatte, doch war für ihn nur wichtig, dass er sich im zweiten Jahr hoffentlich ebenso gut halten würde wie im ersten.

Im Sommer nach dem ersten Studienjahr kehrte er nach Hause zurück und half bei der Ernte. Einmal fragte ihn der Vater, wie es ihm an der Universität gefalle, und er antwortete, es gefalle ihm gut. Sein Vater nickte und kam mit keinem Wort mehr darauf zurück.

Erst in seinem zweiten Jahr sollte William Stoner erfahren, warum er ans College gekommen war.

*

Im zweiten Jahr war er auf dem Campus eine vertraute Gestalt. Bei jedem Wetter trug er denselben Anzug aus schwarzem Tuch, dazu ein weißes Hemd mit schmaler Krawatte, die Handgelenke ragten aus den Jackenärmeln hervor, und die Hose schlotterte ihm um die Beine, als gehörte sie zu einer Uniform, die zuvor von jemand anderem getragen worden war.

Mit der zunehmenden Gleichgültigkeit seiner Verwandten wuchs die Zahl seiner Tätigkeiten auf der Farm; außerdem verbrachte er lange Abende auf dem Zimmer damit, seine Universitätsaufgaben methodisch abzuarbeiten. Er hatte den Studiengang begonnen, der mit einem Bakkalaureat in Naturwissenschaften abgeschlossen wurde, und musste während des ersten Semesters seines zweiten Studienjahres zwei Grundkurse in Naturwissenschaft belegen, einen Kurs in landwirtschaftlicher Bodenanalyse sowie einen Kurs, der für alle Studenten vorgeschrieben war, obwohl ihm keine besondere Bedeutung beigemessen wurde – eine Einführung in die englische Literatur.

Schon nach wenigen Wochen hatte er mit den Kursen in Naturwissenschaft kaum noch Probleme, obwohl es so viel zu tun gab, so vieles, was er sich merken musste. Der Kurs in landwirtschaftlicher Bodenanalyse weckte auf eine eher allgemeine Weise sein Interesse, da ihm noch nie der Gedanke gekommen war, dass jene bräunlichen Klumpen, die er nahezu sein Leben lang bearbeitet hatte, etwas anderes als das sein könnten, was sie allem Anschein nach waren, und er begann zu ahnen, wie seine wachsende Kenntnis von Nutzen sein würde, wenn er denn erst einmal zur Farm des Vaters zurückgekehrt war. Nur der vorgeschriebene Einführungskurs in die englische Literatur verstörte und beunruhigte ihn auf eine Weise wie nichts zuvor.

Der Dozent, ein Mann gesetzteren Alters, Anfang fünfzig, Archer Sloane mit Namen, ging seinem Lehrauftrag offenbar nur widerwillig und mit scheinbarer Geringschätzung nach, so als registriere er zwischen seinem Wissen und dem, was er vermitteln konnte, eine derart profunde Kluft, dass sich keinerlei Mühe lohnte, sie schließen zu wollen. Bei den meisten seiner Studenten war er gleichermaßen gefürchtet und unbeliebt, worauf er amüsiert und mit ironischer Distanz reagierte. Archer Sloane war ein Mann mittlerer Größe mit langem, zerfurchtem, glatt rasiertem Gesicht, der die Angewohnheit besaß, sich mit den Fingern ungeduldig durch die graue, lockige Haarmähne zu fahren. Seine Stimme klang flach und trocken, drang über sich kaum bewegende Lippen, die ihr weder Gefühl noch Betonung verliehen, doch die langen, schlanken Finger bewegten sich mit einer Anmut und Überzeugung, als wollten sie den Worten zu einer Ausdruckskraft verhelfen, die seine Stimme ihnen nicht geben konnte.

Wenn Stoner seinen Pflichten auf der Farm nachging oder in der fensterlosen Dachkammer im Dämmerlicht der Lampe blinzelnd seine Bücher studierte, gewahrte er oft, wie das Bild dieses Mannes vor seinem inneren Auge auftauchte. Obwohl es ihm keineswegs leichtfiel, das Gesicht eines anderen Dozenten aufzurufen oder sich an etwas Besonderes aus einem der übrigen Seminare zu erinnern, wartete an der Schwelle seiner Wahrnehmung stets die Gestalt von Archer Sloane auf ihn, seine trockene Stimme und seine so verächtlich wie beiläufig vorgebrachten Worte über irgendeinen Passus in *Beowulf* oder über einige Verse von Chaucer.

Er spürte, dass er mit dem Einführungskurs nicht wie mit den anderen Kursen zurechtkam. Obwohl er sich an die Autoren und ihre Werke erinnerte, an Daten und Einflüsse, hätte er den ersten Test fast verpatzt, auch mit dem zweiten erging es ihm nicht viel besser. Er las die Bücher, die auf der Leseliste standen, und las sie so oft wieder, dass die Arbeit für die übrigen Kurse darunter zu leiden begann, dennoch blieben, was er las, nur Worte auf dem Papier, und er begriff nicht, welchen Sinn sein Tun hatte.

Also grübelte er über das, was Archer Sloane im Unterricht sagte, als könnte er hinter den im flachen, trockenen Ton vorgebrachten Worten einen Hinweis entdecken, der ihn dorthin führte, wohin er zu gehen hatte. Stoner beugte sich über das Pult seines Schreibstuhls, der zu klein für ihn war, um bequem darauf sitzen zu können, und umklammerte die Tischkanten mit so kräftigem Griff, dass die Knöchel weiß unter der braunen, ledrigen Haut hervortraten; dabei runzelte er konzentriert die Stirn und biss sich auf die Unterlippe. Doch je verzweifelter Stoner und dessen Mitstudenten sich anstrengten, desto erbarmungsloser wurde Archer Sloanes Verachtung. Einmal aber steigerte sich diese Verachtung zu heller Wut und richtete sich allein gegen William Stoner.

Im Seminar hatten sie zwei Stücke von Shakespeare gelesen, und die Woche endete mit dem Studium seiner Sonette. Die Studenten waren gereizt und verwirrt, fast verängstigt von der wachsenden Spannung zwischen ihnen und jener gebeugten Gestalt, die sie hinter dem Rednerpult hervor ansah. Sloane hatte ihnen das dreiundsiebzigste Sonett laut vorgelesen; und nun schweifte sein Blick durch den Raum, die Lippen zu humorlosem Lächeln zusammengepresst.

»Was bedeutet dieses Sonett?«, fragte er abrupt, schwieg wieder und suchte den Raum mit einer grimmigen, beinahe freudigen Hoffnungslosigkeit ab. »Mr Wilbur?« Keine Antwort. »Mr Schmidt?« Jemand hustete. Sloane drehte sich mit dunkel blitzenden Augen zu Stoner um. »Mr Stoner, was bedeutet das Sonett?«

Stoner schluckte und versuchte, den Mund zu öffnen.

»Es ist ein Sonett, Mr Stoner«, erklärte Sloane trocken, »eine lyrische Komposition aus vierzehn Zeilen in einer bestimmten Anordnung, die Sie fraglos auswendig gelernt haben. Es wurde in der englischen Sprache geschrieben, die Sie, wenn ich nicht irre, bereits seit einigen Jahren beherrschen. Der Verfasser heißt William Shakespeare, ein Dichter, der zwar schon tot ist, aber in den Köpfen nicht weniger Menschen dennoch einen Platz von einiger Bedeutung einnimmt.« Er blickte Stoner noch einen Moment an, dann wurde der Blick ausdruckslos, während die Augen einen unsichtbaren Punkt außerhalb des Seminars fixierten. Ohne ins Buch zu schauen, trug er das Gedicht erneut vor, wobei seine Stimme tiefer und weicher klang, so als wären Wort, Ton und Rhythmus einen Moment lang er selbst geworden:

Den späten Herbst kannst Du in mir besehen:
Die letzten gelben Blätter eingegangen
An Zweigen, die dem Frost kaum widerstehen,
Und Chorruinen, wo einst Vögel sangen.
In mir siehst Du den späten Tag sich neigen,
Das Dunkel in die graue Dämmrung dringen,
Die Nacht mit ihrer Schwärze langsam steigen
Und Todes Bruder, Schlaf, die Welt umschlingen.
In mir siehst Du die Glut von alten Bränden,
Gebettet auf die Asche bessrer Zeiten –
Ein Sterbelager, wo sie muss verenden,
Verzehrt vom Brennstoff eigner Lustbarkeiten.
Siehst Du all dies, wird's Deine Liebe steigern:
Denn was Du liebst, wird Tod Dir bald verweigern.

In einem Augenblick der Stille räusperte sich jemand. Sloane wiederholte die letzten Zeilen, und seine Stimme wurde flach, er wieder er selbst.

Siehst Du all dies, wird's Deine Liebe steigern:
Denn was Du liebst, wird Tod Dir bald verweigern.

Sloanes Augen richteten sich wieder auf William Stoner, und er meinte trocken: »Über drei Jahrhunderte hinweg redet Mr Shakespeare mit Ihnen, Mr Stoner. Können Sie ihn hören?«

William Stoner fiel auf, dass er mehrere Sekunden lang die Luft angehalten hatte. Behutsam atmete er nun weiter und war sich bis ins Detail bewusst, wie die Kleidung über seinen Leib glitt, als ihm der Atem aus den Lungen fuhr. Er wandte den Blick von Sloane ab und ließ ihn durch den Raum wandern. Licht fiel schräg durch die Fenster auf die Gesichter seiner Mitstudenten, doch so, als leuchtete die Helligkeit aus ihnen heraus in die frühe Dämmerung; ein Student blinzelte, und ein dünner Schatten fiel auf eine Wange, in deren Härchen sich Sonnenschein verfing. Stoner spürte, wie sich der feste Griff lockerte, mit dem seine Finger das Schreibpult umklammerten. Er drehte die Hände vor den Augen und staunte, wie braun sie waren, wie passend die Nägel in stumpfen Fingerkuppen ausliefen, und meinte, das unsichtbare Blut durch die winzigen Adern und Arterien strömen, es zart und schutzlos von den Fingerspitzen durch den Körper pochen zu spüren.

Sloane redete wieder. »Was sagt er Ihnen, Mr Stoner? Was bedeutet das Sonett?«

Stoner hob langsam und zögerlich den Blick. »Es bedeutet«, sagte er und streckte mit vager Bewegung die Hände in die Höhe, wobei er spürte, wie sein Blick die Gestalt von Archer Sloane suchte und zugleich glasig wurde. »Es bedeutet«, sagte er noch einmal, konnte aber nicht beenden, was er zu sagen begonnen hatte.

Sloane sah ihn neugierig an. Dann nickte er abrupt, sagte: »Der Unterricht ist beendet« und verließ, ohne jemanden anzusehen, den Raum.

William Stoner war sich der Studenten kaum bewusst, die um ihn herum murmelnd und murrend von den Plätzen aufstanden und nach draußen drängten. Noch mehrere Minuten, nachdem sie gegangen waren, saß er da, ohne sich zu rühren, und starrte vor sich auf die schmalen Bodendielen, deren Lack von den ruhelosen Füßen so vieler Studenten abgetragen worden war, von Menschen, die er nie sehen oder kennenlernen würde. Er ließ die eigenen Füße über den Boden gleiten, hörte das trockene Scharren der Schuhsohlen und konnte das raue Holz durch das Leder spüren. Dann stand er auf und ging langsam nach draußen.

Die leichte Kühle des späten Herbsttages drang durch seine Kleider. Er schaute sich um und sah die kahlen, knorrigen Äste der Bäume, wie sie sich in den fahlen Himmel rankten und wanden. Über den Campus zu ihren Seminaren hastende Studenten rempelten ihn an; und er hörte das Gemurmel ihrer Stimmen, das Klappern der Schuhe auf den Wegen, sah die vor Kälte geröteten Gesichter, die gegen den aufkommenden Wind gesenkten Köpfe. Er musterte sie so neugierig, als hätte er sie nie zuvor gesehen, und fühlte sich ihnen zugleich fern und nah. Er behielt dieses Gefühl, als er zur nächsten Unterrichtsstunde eilte, behielt es auch während der Vorlesung seines Professors für Bodenanalyse, behielt es trotz der monotonen Stimme, die vortrug, was in Notizbücher niedergeschrieben und gelernt werden sollte, eine mühselige Plackerei, die ihm jetzt schon fremd zu werden begann.

Im zweiten Semester dieses Studienjahres meldete sich William Stoner aus beiden Grundkursen Naturwissenschaft ab und schied auch aus dem Studiengang Agrarwirtschaft aus, stattdessen belegte er Einführungskurse in Philosophie und Frühgeschichte sowie zwei Kurse in englischer Literatur. Im Sommer kehrte er wieder auf die Farm seiner Eltern zurück und half dem Vater bei der Ernte; sein Studium an der Universität erwähnte er mit keinem Wort.

*

Wenn er, bereits viel älter, auf diese letzten beiden Studienjahre zurückblickte, kamen sie ihm vor wie eine unwirkliche Zeit, die zu jemand anderem zu gehören schien, eine Zeit, die nicht im gewohnten steten Fluss vergangen war, sondern in Brüchen und Sprüngen. Ein Augenblick folgte dem nächsten und war doch von ihm getrennt, wodurch Stoner meinte, der Zeit enthoben zu sein, ihr dabei zusehen zu können, wie sie vor ihm gleich einem großen, sich unstet drehenden Diorama ablief.

Er wurde sich in einem zuvor ungekannten Maße seiner selbst bewusst. Manchmal betrachtete er sich im Spiegel, das lange Gesicht mit dem Schopf brauner, spröder Haare, berührte die ausgeprägten Wangenknochen, sah die dürren Handgelenke zentimeterweit aus den Mantelärmeln lugen und fragte sich, ob ihn die anderen ebenso lächerlich fanden, wie er es in seinen Augen war.

Er hatte keine Pläne für die Zukunft, redete aber mit niemandem über diese Ungewissheit und verdiente sich weiterhin bei den Footes Kost und Logis, wenn er auch nicht mehr so lange arbeitete wie noch in den ersten beiden Studienjahren. Drei Stunden am Nachmittag und einen halben Tag am Wochenende ließ er sich von Jim und Serena Foote nach deren Gutdünken ausnutzen; die übrige Zeit beanspruchte er für sich.

Einen Teil davon verbrachte er in seiner kleinen Dachkammer im Haus der Footes, doch sooft er konnte, kehrte er nach Erledigung der Hausaufgaben und der Farmarbeit zur Universität zurück. Abends spazierte er dann gern über den langgezogenen offenen Vorplatz unter den dort schlendernden, leise miteinander murmelnden Paaren und fühlte sich ihnen verbunden, obwohl er keinen Menschen kannte und mit niemandem redete. Manchmal blieb er in der Mitte des Platzes stehen und schaute auf die fünf riesigen, aus kühlem Gras in die Nacht aufragenden Säulen vor Jesse Hall, die, wie er wusste, Überreste des ursprünglichen, vor vielen Jahren durch einen Brand zerstörten Universitätsgebäudes waren. Grausilbern im Mondlicht, klar und rein, schienen sie ihm ein Sinnbild des Lebensweges zu sein, für den er sich entschieden hatte, so wie ein Tempel Sinnbild des in ihm verehrten Gottes war.

In der Universitätsbibliothek wanderte er zwischen den Regalen umher, unter abertausend Büchern, und atmete den modrigen Geruch von Leder, Leinen und trockenem Papier ein, als wäre es ein exotisches Parfüm. Manchmal blieb er stehen, zog einen Band aus dem Regal und hielt ihn einen Augenblick in den großen Händen, die noch immer kribbelten beim unvertrauten Gefühl von Buchrücken, Buchdeckel und nachgiebigem Papier. Dann blätterte er ein wenig, las hier und da einen Abschnitt und schlug die Seiten mit steifen Fingern so behutsam um, als könnte er sie in seinem Ungeschick zerreißen und damit vernichten, was sie so beharrlich zu offenbaren trachteten.

Er hatte keine Freunde, und zum ersten Mal in seinem Leben wurde er sich seiner Einsamkeit bewusst. Manchmal sah er abends in seiner Dachkammer von dem Buch auf, in dem er las, und blickte in die dunklen Winkel des Zimmers, dorthin, wo Lampenlicht mit Schatten spielte. Starrte er nur lange und intensiv genug, verdichtete sich das Dunkel zu einem Licht, das die flüchtigen Konturen dessen annahm, was er gerade gelesen hatte. Er konnte spüren, dass er außerhalb der Zeit existierte, und fühlte sich wie an jenem Tag im Seminar, an dem Archer Sloane mit ihm gesprochen hatte. Die Vergangenheit schälte sich aus dem Dunkel, in dem sie blieb, und die Toten erhoben sich, um vor ihm zum Leben zu erwachen; beide, die Vergangenheit und die Toten, mischten sich in die Gegenwart und unter die Lebenden, wodurch Stoner einen intensiven Moment lang eine Vision von Dichtigkeit überkam, in die er fest eingefügt war und der er nicht entkommen konnte, der er auch gar nicht entkommen wollte. Vor ihm gingen Tristan und Isolde *die schoene Minne*; Paolo und Francesca wirbelten durch die glühende Dämmerung; Helena und der strahlende Paris traten aus dem Zwielicht, die Mienen bitter angesichts der Folgen ihres Tuns. Und er war auf eine Weise bei ihnen, wie er nie bei seinen Mitmenschen sein konnte, die von Seminar zu Seminar eilten, ihre Heimstatt in einer großen Universität Columbias fanden und unbekümmert im tiefsten Missouri lebten.

Im ersten Jahr lernte er Griechisch und Latein gut genug, um einfache Texte lesen zu können; seine Augen waren oft rot und brannten vor Überanstrengung und Schlafmangel. Manchmal dachte er daran, wie er noch vor wenigen Jahren gewesen war, und ihn erstaunte die Erinnerung an diese seltsame Gestalt, braun und teilnahmslos wie die Erde, der sie entsprungen war. Dachte er an seine Eltern, schienen sie ihm beinahe ebenso seltsam wie das Kind, das sie geboren hatten, doch empfand er für sie eine Mischung aus Mitleid und verhaltener Liebe.

Etwa gegen Mitte seines vierten Jahres an der Universität sprach ihn eines Tages nach dem Unterricht Archer Sloane an und bat ihn, zu einer Unterredung in sein Büro zu kommen.

Es war Winter, und ein klammer Nebel hing tief über dem Campus. Noch am späten Vormittag glitzerte Raureif an den dürren Zweigen der Hartriegelbüsche; funkelnde Kristalle überzogen den die großen Säulen vor Jesse Hall hinaufrankenden schwarzen Wein und glitzerten in all dem Grau. Sein Mantel war so schäbig und verschlissen, dass Stoner beschlossen hatte, ihn trotz der Kälte nicht für den Termin bei Sloane anzuziehen. Bibbernd eilte er über den Weg und die breiten Steinstufen hinauf, die zur Jesse Hall führten.

Nach der Kälte draußen war es drinnen richtig heiß. Das Grau von draußen sickerte durch Fenster und Glastüren auf beiden Seiten des Flurs, sodass die gelben Fliesen heller schimmerten als das Licht, das auf sie fiel; dunkel glimmten die großen Eichenpfeiler und Wischwände. Schuhe scharrten über den Boden, das Stimmengemurmel wurde von den enormen Weiten der Flure gedämpft; undeutliche Gestalten trieben langsam dahin, begegneten und trennten sich, und die betäubende Luft verströmte den Geruch geölter Wände und feuchter Wollsachen. Stoner ging die Treppe aus glattem Marmor hinauf zu Archer Sloanes Büro im ersten Stock. Er klopfte an die verschlossene Tür, hörte eine Stimme antworten und trat ein.

Das schmale, langgezogene Zimmer wurde von einem einzigen Fenster am hinteren Ende erhellt. Mit Büchern überladene Regale reichten bis an die Decke, und neben dem Fenster stand ein zwischen die Regale gedrängter Tisch, an dem Archer Sloane saß, halb zu ihm umgedreht, eine dunkle Silhouette vor dem Licht.

»Mr Stoner«, begrüßte ihn Sloane trocken, erhob sich halb und wies auf einen ihm gegenüberstehenden, lederbezogenen Sessel. Stoner setzte sich.

»Ich habe mir Ihre Arbeiten angesehen.« Sloane verstummte, nahm einen Ordner vom Tisch und musterte ihn mit ironischer Reserviertheit. »Ich hoffe, meine Neugier ist Ihnen nicht unangenehm.«

Stoner feuchtete die Lippen an, verlagerte sein Gewicht und versuchte, die großen Hände so zu falten, dass sie unsichtbar wurden. »Nein, Sir, ist sie nicht«, antwortete er mit heiserer Stimme.

Sloane nickte. »Gut. Mir ist aufgefallen, dass Sie Ihr Studium als Student der Agrarwirtschaft begonnen haben, im zweiten Jahr aber zur Literaturwissenschaft wechselten. Ist das korrekt?«

»Ja, Sir«, sagte Stoner.

Sloane lehnte sich in seinem Sessel zurück und schaute zu dem Lichtviereck auf, das durch das kleine, hohe Fenster fiel. Er tippte die Fingerspitzen aneinander und wandte sich dann wieder dem jungen Mann zu, der steif vor ihm hockte.

»Der offizielle Zweck dieses Gesprächs ist es, Ihnen mitzuteilen, dass Sie die Änderung Ihrer Studienfächer beantragen müssen und Ihre Absicht, das anfängliche Studienprogramm aufgeben und sich endgültig für ein neues Studienziel entscheiden zu wollen, förmlich kundzutun haben. Eine Angelegenheit von fünf Minuten im Büro des Sekretariats. Sie kümmern sich darum, nicht wahr?«

»Ja, Sir«, erwiderte Stoner.

»Doch wie Sie bereits erraten haben dürften, ist dies nicht der eigentliche Grund, weshalb ich Sie bat, bei mir vorbeizuschauen. Macht es Ihnen etwas aus, wenn ich Sie ein wenig nach Ihren Zukunftsplänen befrage?«

»Nein, Sir«, antwortete Stoner und blickte auf seine eng ineinander verflochtenen Hände.

Sloane strich über den Aktenordner, den er auf seinen Schreibtisch gelegt hatte. »Wenn ich mich nicht irre, waren Sie bereits ein wenig älter, als Sie an die Universität kamen. Fast zwanzig, glaube ich?«

»Ja, Sir.«

»Und damals hatten Sie vor, den Studiengang Agrarwirtschaft zu absolvieren?«

»Ja, Sir.«

Sloane lehnte sich wieder in seinem Sessel zurück und sah zu der im Zwielicht verschwindenden hohen Decke hinauf. Dann fragte er abrupt: »Und wie sehen jetzt Ihre Pläne aus?«

Stoner blieb stumm. Das war etwas, woran er nicht gedacht hatte, woran er nicht denken wollte. Schließlich antwortete er leicht verstimmt: »Ich weiß nicht. Ich habe mir darüber bislang kaum Gedanken gemacht.«

»Freuen Sie sich auf den Tag, an dem Sie diese klösterlichen Mauern verlassen und in das hinaustreten können, was manch einer die Welt nennt?«

Stoner grinste durch seine Verlegenheit hindurch. »Nein, Sir.«

Sloane tippte auf den Papierstapel auf seinem Tisch. »Diese Unterlagen haben mir verraten, dass Sie aus einer ländlichen Gegend stammen. Ich nehme also an, dass Ihre Eltern Farmer sind?«

Stoner nickte.

»Und wollen Sie auf diese Farm zurückkehren, sobald Sie hier Ihren Abschluss gemacht haben?«

»Nein, Sir«, erwiderte Stoner, und die Bestimmtheit seines Tons überraschte ihn. Mit einigem Erstaunen registrierte er die Entscheidung, die er gerade getroffen hatte.

Sloane nickte. »Es würde mich nicht sonderlich überraschen, wenn ein ernsthafter Student der Literaturwissenschaften feststellen sollte, dass seine Fähigkeiten den Anforderungen des Ackerbodens nicht recht genügen.«

»Ich gehe nicht zurück«, fuhr Stoner fort, als hätte Sloane nichts gesagt. »Auch wenn ich nicht genau weiß, was ich tun soll.« Er schaute wieder auf seine Hände und sagte, als spräche er zu ihnen: »Ich kann gar nicht glauben, dass ich schon so bald fertig bin und Ende des Jahres die Universität verlassen muss.«

Wie beiläufig sagte Sloane: »Natürlich besteht keine unbedingte Notwendigkeit, dass Sie von der Universität abgehen. Irre ich mich, wenn ich annehme, dass Sie über kein eigenes Einkommen verfügen?«

Stoner schüttelte den Kopf.

»Ihre Studienergebnisse sind ausgezeichnet. Bis auf ...«, er zog die Augenbrauen in die Höhe und lächelte, »... bis auf Ihre Zensur für den Einführungskurs in die englische Literatur haben Sie lauter Einsen in sämtlichen Literaturseminaren vorzuweisen, und auch in keinem anderen Fach stehen Sie schlechter als zwei. Wenn Sie also den Unterhalt für ein weiteres Jahr aufzubringen vermöchten, könnten Sie, da bin ich mir sicher, erfolgreich Ihren Magister ablegen, wonach sich für die Dauer der Arbeit an Ihrer Promotion gewiss die Möglichkeit zum Unterrichten ergäbe, falls Sie denn an dergleichen überhaupt interessiert sind.«

Stoner fuhr zurück. »Was wollen Sie damit sagen?«, fragte er und hörte Furcht in seiner Stimme mitschwingen.

Sloane beugte sich vor, bis sein Gesicht nur noch eine Handbreit von ihm entfernt war, sodass Stoner sah, wie sich die Furchen in dem schmalen, langen Gesicht glätteten, und er hörte, wie die trockene, spöttische Stimme plötzlich sanft und ungeschützt klang.

»Wissen Sie es denn nicht, Mr Stoner?«, fragte Sloane. »Kennen Sie sich selbst noch so wenig? Sie sind ein Lehrer.«

Die Wände des Büros wichen zurück, und Sloane schien mit einem Mal sehr fern zu sein. Stoner fühlte sich, als schwebte er im weiten Äther, und er hörte seine Stimme fragen: »Sicher?«

»Ich bin mir sicher«, antwortete Sloane leise.

»Aber wie können Sie das sagen? Woher wollen Sie das wissen?«

»Es ist Liebe, Mr Stoner«, erwiderte Sloane fröhlich. »Sie sind verliebt. So einfach ist das.«

Und so einfach war es. Stoner merkte, wie er Sloane zunickte, irgendwas Belangloses sagte und dann das Büro verließ. Seine Lippen kribbelten, die Fingerspitzen waren taub; er ging wie ein Schlafwandler und war sich doch sehr genau seiner Umgebung bewusst, strich über die polierten holzvertäfelten Flurwände und meinte, Wärme und Alter des Holzes spüren zu können. Langsam folgte er der Treppe und staunte über den kalten, vielädrigen Marmor, der sich unter seinen Füßen ein wenig rutschig anfühlte. Die einzelnen Stimmen der Studenten in den Korridoren hoben sich jetzt deutlich vom gedämpften Murmeln ab, und die Gesichter waren nah und so fremd wie vertraut. Er trat aus der Jesse Hall auf den Campus, und das morgendliche Grau wirkte nicht länger bedrückend; es zog den Blick ins Weite und hinauf in den

Himmel, sodass Stoner meinte, einer Möglichkeit entgegenzusehen, für die er keinen Namen hatte.

*

In der ersten Juniwoche des Jahres 1914 erhielt William Stoner zusammen mit sechzig anderen jungen Männern und einigen wenigen Damen zum Abschluss seines Studiums an der Universität Missouri den Titel eines Bachelors.

Um bei der Feier dabei sein zu können, waren seine Eltern tags zuvor in einem geliehenen, von ihrer alten, falben Stute gezogenen Einspänner aufgebrochen, um nachts die knapp sechzig Kilometer zu den Footes zurückzulegen, wo sie steif von schlafloser Fahrt kurz nach Anbruch der Morgendämmerung eintrafen. Stoner ging hinunter in den Hof, um seine Eltern zu begrüßen. Sie standen Seite an Seite im ersten Morgenlicht und erwarteten ihn.

Ohne sich anzusehen, gaben Vater und Sohn einander die Hand, eine einmalige, rasche Pumpbewegung.

»Wie geht's?«, fragte sein Vater.

Die Mutter nickte. »Dein Pa und ich sind hergefahren, um bei deiner Abschlussfeier dabei zu sein.«

Einen Moment lang schwieg Stoner, dann sagte er schließlich: »Kommt rein und lasst uns frühstücken.«

Sie saßen allein in der Küche, denn seit Stoner auf dem Hof war, hatten es sich die Footes angewöhnt, lang zu schlafen. Doch weder in diesem Augenblick noch später, als seine Eltern mit dem Frühstück fertig waren, brachte er es über sich, ihnen von seinen geänderten Plänen zu erzählen und von dem Entschluss, nicht auf die Farm zurückzukehren. Ein- oder zweimal setzte er an, sah dann aber die sonnenverbrannten Gesichter, die rosig und nackt aus den neuen Kleidern ragten, und dachte an die lange Fahrt, die seine Eltern zurückgelegt, an die Jahre, in denen sie auf seine Rückkehr gewartet hatten. Steif saß er da, bis sie den Kaffee ausgetrunken hatten und die Footes aufgestanden und in die Küche gekommen waren. Dann sagte er, er müsse früh zur Universität; er sähe sie ja später bei der Feier.

Er wanderte über den Campus mit Barett und geliehenem schwarzem Talar, der schwer und hinderlich war, doch wusste er nicht, wo er ihn lassen sollte. Er dachte daran, was er seinen Eltern sagen musste, und begriff zum ersten Mal, wie endgültig seine Entscheidung war, woraufhin er sich fast wünschte, er könnte sie rückgängig machen. Angesichts des Ziels, das er sich so leichtsinnig gesetzt hatte, fand er sich mit einem Mal schrecklich unzureichend und spürte eine Sehnsucht nach jener Welt, die von ihm aufgegeben worden war. Er trauerte um den eigenen Verlust und um den seiner Eltern, aber noch in seiner Trauer spürte er, wie es ihn fortzog.

Dieses Gefühl von Trauer legte sich während der ganzen Abschlussfeier nicht, und als sein Name fiel und er zum Podium ging, um von einem Mann, dessen Gesicht hinter einem weichen grauen Bart verschwand, seine Urkunde entgegenzunehmen, konnte er die eigene Anwesenheit kaum fassen; die Pergamentrolle in der Hand besaß für ihn keinerlei Bedeutung. Er musste nur immerzu daran denken, dass seine Eltern irgendwo in der Menge saßen, steif und unbehaglich.

Nach der Feier fuhr er mit ihnen zu den Footes zurück, wo sie über Nacht bleiben und bei Tagesanbruch die Rückreise antreten wollten.

Sie saßen im Wohnzimmer. Jim und Serena Foote blieben noch eine Weile mit ihnen auf. Dann und wann nannte Jim oder Stoners Mutter den Namen eines Verwandten, doch versanken sie gleich darauf wieder in Schweigen. Sein Vater saß auf einem der geradlehnigen Stühle, die Füße gespreizt, ein wenig vorgebeugt, die Hände umfassten die Knie. Irgendwann sahen die Footes sich an, gähnten und verkündeten, es sei schon spät. Sie gingen in ihr Schlafzimmer, und die drei blieben allein zurück.

Wieder herrschte Schweigen. Seine Eltern, die vor sich in die von den eigenen Leibern geworfenen Schatten starrten, warfen gelegentlich einen Seitenblick auf ihren Sohn, so als wagten sie es angesichts seines neu erworbenen Bildungsstandes nicht, ihn zu stören.

Nach mehreren Minuten beugte sich William Stoner schließlich vor und sagte nachdrücklich und lauter als eigentlich beabsichtigt: »Ich hätte es euch früher sagen sollen. Letzten Sommer oder heute Morgen.«

Im Licht der Lampe wirkten die Mienen seiner Eltern dumpf und ausdruckslos.

»Was ich sagen will: Ich komme nicht mit euch zurück auf die Farm.«

Niemand regte sich. Sein Vater sagte: »Wenn du hier noch ein paar Dinge zu erledigen hast, können wir morgen vorfahren und du kommst in ein paar Tagen nach.«

Stoner rieb sich das Gesicht mit offener Hand. »So … habe ich das nicht gemeint. Ich versuche euch zu sagen, dass ich überhaupt nicht auf die Farm zurückkomme.«

Sein Vater umfasste seine Knie etwas fester und richtete sich auf. »Steckst du in Schwierigkeiten?«

Stoner lächelte. »Nein, nichts dergleichen. Ich werde

noch ein weiteres Jahr zur Universität gehen, vielleicht auch noch zwei, drei Jahre.«

Der Vater schüttelte den Kopf. »Ich habe doch heute Abend gesehen, wie du fertig geworden bist. Und der Viehhändler hat gesagt, die Landwirtschaftsschule dauert vier Jahre.«

Stoner versuchte, dem Vater seine Absichten zu erklären, versuchte, in ihm jenes Gefühl für Sinn und Bedeutsamkeit zu wecken, das er selbst empfand, doch hörte er seine Worte wie aus dem Mund eines Fremden dringen und sah dabei das Gesicht seines Vaters, auf das diese Worte einhieben wie der wiederholte Schlag einer Faust auf einen Stein. Als er verstummte, saß der Vater da, die Hände zwischen die Knie geklemmt, den Kopf gesenkt. Er lauschte der Stille im Zimmer.

Endlich regte er sich, und Stoner blickte auf, blickte in die Gesichter seiner Eltern und hätte sie am liebsten laut angefleht.

»Ich weiß nicht«, sagte sein Vater mit rauer, müder Stimme. »So habe ich mir das nicht vorgestellt. Ich dachte, dich hierherzuschicken sei das Beste, was ich für dich tun kann. Deine Ma und ich, wir wollten nämlich immer nur das Beste für dich.«

»Ich weiß«, sagte Stoner und konnte sie nicht länger anschauen. »Kommt ihr denn zurecht? Ich könnte im Sommer eine Weile aushelfen. Ich könnte …«

»Wenn du meinst, dass du hierbleiben und deine Bücher studieren musst, dann musst du das wohl. Deine Ma und ich, wir schaffen das schon.«

Seine Mutter hielt ihm das Gesicht zugewandt, sah ihn aber nicht an. Sie kniff die Augen zusammen, presste die geballten Fäuste an die Wangen, atmete schwer, und ihre Miene war wie vor Schmerz verzerrt. Erstaunt begriff Stoner, dass sie weinte, stumm und aus tiefstem Innern, mit all der Scham und Verlegenheit eines Menschen, der selten weint. Er betrachtete sie einen Augenblick, dann erhob er sich schwerfällig, ging aus dem Wohnzimmer und erklomm die schmale Stiege, die in seine Dachkammer führte; er lag noch lange auf dem Bett und starrte mit offenen Augen in die Dunkelheit.

II

ZWEI WOCHEN, NACHDEM STONER das Studium abgeschlossen hatte, wurde in Sarajewo Erzherzog Franz Ferdinand von einem serbischen Nationalisten erschossen, und noch vor dem Herbst herrschte überall in Europa Krieg. Für die älteren Studenten war dies ein Thema von drängendem Interesse, da sie sich fragten, welche Rolle Amerika in diesem Krieg zufalle, sodass sie der eigenen Zukunft mit wohliger Verunsicherung entgegensahen.

Vor William Stoner aber lag die Zukunft klar, solide und unwandelbar. Für ihn war sie keine Abfolge von Ereignissen, Veränderungen und Möglichkeiten, sondern ein Territorium, das nur darauf wartete, erkundet zu werden. Sie war wie die große Universitätsbibliothek, der neue Flügel angebaut, neue Bücher einverleibt, die, auch wenn alte Werke entliehen werden mochten, im Kern doch unverändert blieb. Er sah seine Zukunft in dieser Institution, der er sich verschrieben hatte und die er nur so unvollkommen verstand, sah sich als jemanden, der sich in dieser Zukunft veränderte, nur war ihm die Zukunft selbst Instrument dieser Veränderung, nicht ihr Objekt.

Gegen Ende jenes Sommers, kurz vor Beginn des Herbstsemesters, besuchte er seine Eltern. Eigentlich wollte er bei der Sommerernte helfen, erfuhr dann aber, dass sein

Vater einen schwarzen Landarbeiter eingestellt hatte, der mit stillem, entschlossenem Eifer zupackte und an einem Tag fast so viel schaffte wie William und sein Vater früher gemeinsam. Seine Eltern freuten sich, ihn zu sehen, und schienen ihm seine Entscheidung nicht übelzunehmen. Allerdings merkte er bald, dass er ihnen nichts zu sagen hatte und dass sie einander bereits fremd wurden, ein Verlust, der seine Liebe zu ihnen noch vermehrte. Eine Woche früher als geplant kehrte er nach Columbia zurück.

Er begann aufzubegehren gegen die Zeit, die er für die Farmarbeit bei den Footes benötigte. Da er so spät mit dem Studium angefangen hatte, spürte er nun umso deutlicher dessen Dringlichkeit. Manchmal, wenn er in die Bücher vertieft war, überkam ihn eine Ahnung dessen, was er alles nicht wusste, was er noch nicht gelesen hatte, und die Ruhe, auf die er hinarbeitete, wurde von der Erkenntnis erschüttert, wie wenig Zeit ihm doch im Leben blieb, um so viel lesen, um all das lernen zu können, was er wissen musste.

Im Frühjahr 1915 beendete er den Magisterstudiengang und verbrachte den Sommer damit, seine Abschlussarbeit zu schreiben, eine Sprachstudie über eine der Erzählungen in den *Canterbury Tales* von Geoffrey Chaucer. Noch vor dem Ende des Sommers sagten ihm die Footes, dass sie ihn auf ihrer Farm nicht länger gebrauchen konnten.

Damit hatte er gerechnet, und in gewisser Weise begrüßte er seine Entlassung, dennoch überkam ihn einen Moment lang ein Anflug von Panik. Ihm war, als würde die letzte Verbindung zu seinem alten Leben gekappt. Die verbleibenden Wochen dieses Sommers verbrachte er auf der Farm seines Vaters, um letzte Korrekturen an seiner Arbeit vorzunehmen. Archer Sloane hatte inzwischen dafür gesorgt, dass er zwei

Einführungskurse Englisch für Erstsemester geben konnte, während er selbst damit begann, auf den Doktor hinzuarbeiten. Fürs Unterrichten erhielt er vierhundert Dollar im Jahr. Also räumte Stoner seine Habseligkeiten aus Footes' winziger Dachkammer, in der er fünf Jahre lang gehaust hatte, um ein noch kleineres Zimmer in der Nähe der Universität zu beziehen.

Obwohl er einer bunt gemischten Gruppe von Erstsemestern nur Grundkenntnisse in Grammatik und Komposition beibringen sollte, sah er seiner Aufgabe voller Begeisterung und in der festen Überzeugung entgegen, etwas Wichtiges zu leisten. Er begann mit den Kursvorbereitungen in der letzten Woche vor dem Herbstsemester und entdeckte Möglichkeiten, wie man sie wahrnimmt, wenn man sich ernsthaft mit den Inhalten und Zielen eines Unterfangens beschäftigt; er besaß ein Gefühl für die Logik der Grammatik und meinte sehen zu können, wie sie alles durchdrang, die Sprache prägte, die Gedanken strukturierte. In den simplen kompositorischen Übungen, die er sich für die Studenten ausdachte, sah er die Möglichkeiten der Prosa und ihre Schönheiten aufleuchten, und er freute sich darauf, die Studenten mit einem Gefühl für das, was er selbst wahrnahm, begeistern zu können.

Doch als er sich nach anfänglichen Routineaufgaben wie dem Erstellen von Anwesenheitslisten und Studienplänen den eigentlichen Themen und seinen Studenten zuwandte, fühlte er in den ersten Sitzungen, dass jenes Staunen in ihm verborgen blieb. Wenn er zu den Studenten sprach, war ihm manchmal, als stünde er neben sich und sähe einen Fremden zu einer widerwillig versammelten Schar reden; er hörte die eigene Stimme den vorbereiteten Stoff tonlos wiedergeben, und seinem Vortrag war nichts von der eigenen Begeisterung anzumerken.

Erleichterung und Erfüllung aber fand er in den Seminaren, in denen er selbst Student war. Sie weckten in ihm jenes Entdeckergefühl aufs Neue, das er zum ersten Mal gespürt hatte, als Archer Sloane sich im Unterricht an ihn gewandt hatte und er in einem einzigen Augenblick zu einem anderen Menschen geworden war. Während sein Verstand sich mit dem Thema befasste und die Macht der von ihm studierten Literatur zu begreifen, ihr Wesen zu verstehen suchte, war er sich der konstanten Veränderung seiner selbst bewusst. In diesem Wissen bewegte er sich aus sich hinaus in die Welt, der er angehörte, weshalb er verstand, dass das von ihm gelesene Gedicht von Milton, der Essay von Bacon, das Theaterstück von Ben Jonson jene Welt veränderten, die zugleich ihr Thema war, und sie nur deshalb verändern konnten, weil sie darin fußten. Im Seminar meldete er sich selten zu Wort, und seine schriftlichen Arbeiten stellten ihn fast nie zufrieden. Wie seine Vorträge vor den jungen Studenten verrieten sie nichts von dem, wovon er zutiefst überzeugt war.

Er lernte einige Mitstudenten näher kennen, die am selben Fachbereich unterrichteten. Mit zweien freundete er sich besonders an, mit David Masters und Gordon Finch.

Masters war ein schlanker, dunkelhaariger junger Mann mit scharfer Zunge und sanften Augen. Wie Stoner hatte er gerade mit der Promotion begonnen, war allerdings ein gutes Jahr jünger. Am Fachbereich und bei den Studenten besaß er den Ruf, arrogant und impertinent zu sein, weshalb man allgemein annahm, dass es ihm letztlich sicher nicht leichtfallen würde, den Doktortitel zu erringen. Stoner hielt ihn für einen brillanten Kopf und ordnete sich ihm neidlos und ohne jeden Widerwillen unter.

Gordon Finch war groß und blond und begann bereits im Alter von dreiundzwanzig Jahren dick zu werden. Er hatte seinen Abschluss an einer Handelsschule in St. Louis gemacht und es an der Universität mit mehreren weiterführenden Studiengängen versucht, so in Wirtschaftswissenschaften, Geschichte und Maschinenbau. Auf eine Promotion am Fachbereich Literatur hatte er sich wohl nur deshalb eingelassen, weil es ihm in letzter Sekunde gelungen war, eine bescheidene Unterrichtsstelle zu ergattern. Rasch erwies er sich als der Student am Fachbereich, der wohl das geringste Interesse für sein Studiengebiet aufbrachte, doch war er bei den Erstsemestern beliebt; außerdem verstand er sich gut mit den älteren Fakultätsmitgliedern und den Verwaltungsangestellten.

Diese drei – Stoner, Masters und Finch – machten es sich zur Gewohnheit, freitagnachmittags in einer kleinen Bar in der Stadt ein paar große Gläser Bier zu trinken und bis zu später Stunde miteinander zu reden. Obwohl Stoner kein anderes gesellschaftliches Vergnügen als diese Abende kannte, fragte er sich oft verwundert, was sie eigentlich verband. Sie kamen zwar gut miteinander aus, waren aber beileibe keine engen Freunde, zogen einander nur selten ins Vertrauen und sahen sich kaum außerhalb ihrer wöchentlichen Treffen.

Keiner von ihnen stellte ihre Beziehung je in Frage. Stoner wusste, Gordon Finch wäre derlei nie in den Sinn gekommen, doch nahm er an, dass dies nicht für David Masters galt. Einmal saßen sie spätabends an einem der hinteren Tische der schummrigen Bar, und Stoner und Masters redeten über ihre Seminare und ihr Studium im verlegen scherzhaften Ton der ganz Ernsthaften. Wie eine Kristallkugel hielt Masters ein hartgekochtes Ei vom kostenlosen Mittagessen in die Höhe und fragte: »Habt ihr, Gentlemen, je über die wahre Natur der Universität nachgedacht? Mr Stoner? Mr Finch?«

Lächelnd schüttelten sie die Köpfe.

»Natürlich habt ihr das nicht. Ich stelle mir vor, dass sie für Stoner einem großen Vorratsraum gleicht, einer Bibliothek vielleicht oder einem Bordell, etwas, wohin Männer aus freien Stücken gehen, um zu suchen, was sie vervollständigt, ein Ort, an dem alle wie kleine Bienen in einem Bienenkorb zusammenarbeiten. Die Ehrlichen, die Guten, die Schönen. Sie warten gleich um die Ecke oder im nächsten Flur, sind im nächsten Folianten, in dem, den du noch nicht gelesen hast, auf jeden Fall aber im nächsten Bücherstapel, mit dem du noch nicht angefangen hast, doch eines Tages anfangen wirst. Und wenn es dann so weit ist – wenn es dann so weit ist …« Noch einmal blickte er auf das Ei, biss ein großes Stück davon ab und wandte sich mit kauenden Kiefern und funkelnden dunklen Augen zu Stoner um.

Stoner lächelte unbehaglich, und Finch lachte laut und schlug auf den Tisch. »Er hat dich durchschaut, Bill. Er hat dich wirklich durchschaut.«

Masters kaute noch einen Moment, schluckte und richtete den Blick dann auf Finch. »Und du, Finch. Wie sieht deine Vorstellung aus?« Er hob die Hand. »Du protestierst und sagst, du hättest noch nie drüber nachgedacht. Aber das hast du. Hinter dem herzlichen, gutmütigen Äußeren arbeitet ein schlichter Verstand. Für dich ist diese Institution ein Werkzeug des Guten – gut für die Welt im Ganzen, natürlich, und zufälligerweise auch gut für dich. Du siehst darin eine

Art geistiges Tonikum, das du jeden Herbst verabreichst, um die kleinen Racker über einen weiteren Winter zu bringen, wobei du der freundliche alte Doktor bist, der gütig ihre Köpfe tätschelt und ihre Gebühren einsackt.«

Finch lachte erneut und schüttelte den Kopf: »Also ehrlich, Dave, wenn du erst einmal anfängst ...«

Masters stopfte sich das restliche Ei in den Mund, kaute zufrieden und nahm dann einen kräftigen Schluck Bier. »Doch ihr irrt euch beide«, sagte er. »Es ist eine Klapse oder – wie nennt man das heute? – eine Art Seniorenheim, eine Zuflucht für die Gebrechlichen, die Alten, die Unzufriedenen oder die auf andere Weise Unzulänglichen. Schaut euch uns drei doch an – *wir* sind die Universität. Ein Fremder könnte nicht ahnen, dass wir so viel gemeinsam haben, aber *wir* wissen es, nicht wahr? Wir wissen es genau.«

Finch lachte. »Was denn, Dave?«

Da Masters nun selbst interessierte, was er zu sagen hatte, lehnte er sich gespannt über den Tisch. »Nehmen wir dich zuerst, Finch. Ich versuche es möglichst freundlich zu sagen, aber du bist der Unzulängliche. Wie du selbst weißt, bist du eigentlich nicht besonders gescheit – auch wenn es daran allein nicht liegt.«

»Also bitte«, sagte Finch, immer noch lachend.

»Doch bist du klug genug – *gerade mal* klug genug –, um zu begreifen, wie es dir draußen in der Welt ergehen würde. Du bist zum Scheitern bestimmt, und das weißt du. Zwar kannst du ein ziemlicher Hundsfott sein, bist aber nicht skrupellos genug, um es auf Dauer zu bleiben. Und du bist nicht der ehrlichste Mensch, den ich kenne, bist aber auch nicht über die Maßen unehrlich. Du kannst einerseits arbeiten, bist aber faul genug, nicht so hart zu arbeiten, wie es draußen in der Welt von dir verlangt wird. Andererseits bist du auch nicht so faul, dass du der Welt ein Gefühl für deine Wichtigkeit vermitteln könntest. Und du hast kein Glück – zumindest nicht genug. Dich umgibt keine Aura, und du ziehst ein Gesicht, bist verwirrt. Draußen in der Welt stündest du stets am Rand des Erfolgs und würdest von deinem Scheitern vernichtet. Also bist du auserwählt, ausersehen; die Vorsehung, deren Sinn für Humor mich seit jeher amüsiert, hat dich den Klauen der Welt entrissen und wohlbehalten im Kreis deiner Brüder platziert.«

Immer noch lächelnd, ironisch, böswillig, wandte er sich Stoner zu. »Du entkommst mir ebenso wenig, mein Freund. Nein, du nicht. Wer bist du? Ein schlichter Bauernsohn, wie du gern vorgibst? Keineswegs. Auch du gehörst zu den Unzulänglichen – du bist der Träumer, der Verrückte in einer noch verrückteren Welt, unser Don Quichotte des Mittleren Westens, der, wenn auch ohne Sancho, unter blauem Himmel herumtollt. Du bist klug genug – jedenfalls klüger als unser gemeinsamer Freund. Doch trägst du den Makel der alten Unzulänglichkeit. Du glaubst, hier wäre etwas, das es zu finden gilt. Nun, draußen in der Welt würdest du bald eines Besseren belehrt, denn du bist gleichfalls zum Scheitern bestimmt, auch wenn du nicht gegen die Welt ankämpfst. Du lässt dich von ihr verschlingen und wieder ausspeien, und dann liegst du da und fragst dich verwundert, was falsch gelaufen ist. Du unterstellst der Welt stets, etwas zu sein, was sie nicht ist, was sie nicht einmal sein will. Der Rüsselkäfer in der Baumwolle, der Wurm im Bohnenkraut, der Wurzelbohrer im Mais. Du könntest dich dem Ungeziefer nicht stellen, könntest es nicht bekämpfen, denn du bist zu schwach, und du bist zu stark. Außerdem hast du keinen Platz in der Welt.«

»Und was ist mit dir?«, fragte Finch. »Was ist mit dir selbst?«

»Ach«, sagte Masters und lehnte sich zurück. »Ich bin einer von euch. Schlimmer noch. Ich bin zu klug für diese Welt und kann den Mund nicht halten; gegen dieses Gebrechen ist kein Kraut gewachsen. Also muss ich dort eingesperrt werden, wo ich gefahrlos unverantwortlich sein, wo ich keinen Schaden anrichten kann.« Er beugte sich erneut vor und lächelte sie an. »Wir sind alle arme Thoms, und uns friert's.«

»König Lear«, sagte Stoner ernst.

»Dritter Akt, vierte Szene«, ergänzte Masters. »Und so hat die Vorsehung, die Gesellschaft oder das Schicksal – welche Bezeichnung ihr auch bevorzugt – diese armselige Bleibe für uns geschaffen, auf dass wir uns dorthin vor jeglichem Unwetter flüchten können. Unseretwegen gibt es die Universität, für die Enteigneten der Welt, nicht für die Studenten und nicht für das selbstlose Streben nach Wissen, auch nicht aus einem der anderen Gründe, die man euch nennen mag. Wir teilen die Gründe aus und lassen einige Gewöhnliche ein, jene, die in der Welt bestehen könnten, doch geschieht das bloß zur Tarnung. Wie die Kirche im Mittelalter, die sich keinen Deut um Laien oder gar um Gott scherte, haben wir unsere Vorwände, die es uns zu überleben gestatten. Und wir werden überleben – denn das müssen wir.«

Finch schüttelte bewundernd den Kopf. »Du lässt uns wirklich schlecht aussehen, Dave.«

»Vielleicht«, sagte Masters. »Doch schlecht wie wir sind, sind wir doch besser als jene draußen im Schmutz, die armen Dreckskerle der Welt. Wir fügen keinen Schaden zu, wir sagen, was wir wollen, und werden noch dafür bezahlt; das ist ein Triumph der natürlichen Tugend oder kommt ihm doch zumindest verdammt nahe.«

Gleichgültig lehnte sich Masters vom Tisch zurück, als interessierte ihn nicht länger, was er gerade gesagt hatte.

Gordon Finch räusperte sich. »Tja, nun«, sagte er in ernstem Ton. »Es mag was dran sein an dem, was du sagst, Dave, aber ich finde, du gehst zu weit. Ganz ehrlich.«

Stoner und Masters lächelten einander an, doch sie erörterten diese Frage an jenem Abend nicht weiter. Noch Jahre später erinnerte sich Stoner aber in den seltsamsten Augenblicken an das, was Masters gesagt hatte, und obwohl das Gesagte für ihn nicht auf die Universität zutraf, der er sich verpflichtet hatte, verriet es ihm allerhand über seine Beziehung zu den zwei Männern und gewährte ihm einen flüchtigen Blick auf die zersetzende, unverdorbene jugendliche Bitterkeit.

*

Am 7. Mai 1915 versenkte ein deutsches U-Boot den britischen Passagierdampfer *Lusitania* mit einhundertvierzehn amerikanischen Passagieren an Bord; bis gegen Ende des Jahres 1916 herrschte seitens der Deutschen ein uneingeschränkter U-Boot-Krieg, und die Beziehungen zwischen Deutschland und den USA wurden zunehmend schlechter. Im Februar 1917 brach Präsident Wilson die diplomatischen Beziehungen ab. Am 6. April folgte eine Erklärung des Kongresses und die Vereinigten Staaten traten offiziell in den Krieg ein.

Als wären sie erleichtert, dass die zermürbende Ungewissheit endlich vorüber war, stürmten gleich nach dieser Erklärung überall im Land Abertausende junger Männer die während der letzten Wochen hastig eingerichteten Anwerbestellen. Mehrere Hundert hatten Amerikas Kriegsbeitritt gar nicht erst abgewartet und sich schon 1915 freiwillig zum Dienst bei den kanadischen Truppen oder als Sanitätsfahrer bei einer der alliierten europäischen Truppen gemeldet. Zu ihnen gehörten auch einige ältere Studenten der Universität, und obwohl William Stoner keinen davon gekannt hatte, hörte er ihre legendären Namen mit zunehmender Häufigkeit während jener Monate und Wochen, die bis zu dem Augenblick verstrichen, von dem sie alle wussten, dass er irgendwann kommen musste.

Der Krieg wurde an einem Freitag erklärt, und auch wenn für die folgende Woche Unterricht vorgesehen blieb, gaben sich nur wenige Studenten oder Professoren den Anschein, ihren Pflichten Genüge tun zu wollen. Sie schlenderten über die Korridore, standen in kleinen Gruppen beisammen und murmelten mit gedämpften Stimmen. Manchmal explodierte die angespannte Stille geradezu, und zweimal kam es zu allgemein antideutschen Demonstrationen, auf denen die Studenten wirres Zeug riefen und mit amerikanischen Wimpeln wedelten. Einmal gab es eine kurzlebige Demonstration gegen einen Professor, einen alten, bärtigen Dozenten der Germanistik, der, in München geboren, als Jugendlicher die Universität in Berlin besucht hatte. Als der Professor jedoch der aufgebrachten, triumphierenden kleinen Gruppe Studenten gegenübertrat, verwirrt blinzelte und ihnen die dürre, zitternde Hand hinstreckte, löste sich das Häuflein in mürrischer Konfusion wieder auf.

Während dieser ersten Tage nach der Kriegserklärung litt Stoner ebenfalls unter einer gewissen Verwirrung, doch unterschied seine sich gründlich von jener, die fast alle auf dem Campus Anwesenden erfasst hatte. Obwohl er mit Dozenten und älteren Studenten über den Krieg in Europa geredet hatte, hatte er doch nie recht daran glauben wollen; und nun, da er ausgebrochen war, für ihn wie für sie alle, entdeckte er in sich ein großes Reservoir der Gleichgültigkeit. Ihm missfiel die Unruhe, die der Universität vom Krieg aufgedrängt wurde; außerdem konnte er in sich kein besonders ausgeprägtes patriotisches Gefühl wahrnehmen, und er brachte es auch nicht über sich, die Deutschen zu hassen.

Doch die Deutschen waren da, um gehasst zu werden. Einmal sah Stoner, wie Gordon Finch zu einer Gruppe älterer Fakultätsmitglieder sprach. Finchs Gesicht war verzerrt, und er spuckte auf den Boden, wenn er von den ›Hunnen‹ redete. Als er dann später in dem großen Büro, das sich ein halbes Dutzend jüngerer Dozenten teilte, auf Stoner zukam, war die Stimmung wieder umgeschlagen. In hektischer Jovialität klopfte er Stoner auf die Schulter.

»Das können wir denen doch nicht durchgehen lassen, Bill«, brach es aus ihm heraus. Wie ein Ölfilm glitzerte der Schweiß auf seinem runden Gesicht, und das dünne blonde Haar klebte ihm in dünnen Strähnen am Kopf. »Nein, Sir. Ich melde mich freiwillig. Mit Sloane habe ich bereits geredet, und er meinte, ich könne gehen. Also fahre ich morgen nach St. Louis und lasse mich rekrutieren.« Für einen Augenblick gelang es ihm, seinem Gesicht den Anschein von Ernsthaftigkeit zu verleihen. »Wir müssen schließlich alle unseren Teil leisten.« Dann grinste er und schlug Stoner erneut auf die Schulter. »Komm doch am besten gleich mit.«

»Ich?«, fragte Stoner und dann noch einmal ungläubig: »Ich?«

Finch lachte. »Na klar. Alle melden sich. Ich habe gerade mit Dave geredet – er kommt auch.«

Wie betäubt schüttelte Stoner den Kopf. »Dave Masters?«

»Sicher. Der alte Dave redet manchmal ein bisschen wirr, aber wenn es hart auf hart kommt, steht er seinen Mann und leistet seinen Teil. Genau wie du, Bill.« Finch boxte ihm auf den Arm. »Genau wie du.«

Stoner schwieg einen Moment. »Daran habe ich noch gar nicht gedacht«, sagte er schließlich. »Mir geht das alles viel zu schnell. Ich muss erst mit Sloane reden und sage dir dann Bescheid.«

»Natürlich«, erwiderte Finch. »Du leistest schon deinen Teil«, setzte er dann mit belegter Stimme hinzu. »Das hier stehen wir gemeinsam durch, Bill, wir alle gemeinsam.«

Stoner verließ Finch, ging aber nicht gleich zu Archer Sloane, sondern fragte stattdessen auf dem Campus nach David Masters und fand ihn schließlich in der Bibliothek, wo er allein in einem Lesekabinett hockte, seine Pfeife qualmte und auf ein Bücherregal starrte.

Stoner setzte sich ihm gegenüber auf den Schreibtisch, und als er ihn gefragt hatte, ob er wirklich zur Armee gehen wolle, antwortete Masters: »Aber sicher, warum nicht?«

Als Stoner dann noch nach dem Warum fragte, sagte Masters: »Du kennst mich ziemlich gut, Bill. Mir sind die Deutschen scheißegal. Und ich fürchte, wenn ich drüber nachdenke, dann liegt mir an den Amerikanern auch nicht besonders viel.« Er klopfte die Pfeifenasche auf dem Boden aus und verrieb sie mit dem Schuh. »Letzten Endes mache ich es wohl nur, weil es nicht darauf ankommt, ob ich es mache oder nicht. Außerdem könnte es doch ganz amüsant sein, noch einmal die Welt zu sehen, ehe ich in diese Klostermauern und zu dem langsamen Untergang zurückkehre, der uns hier alle erwartet.«

Obwohl Stoner ihn nicht verstand, nickte er und akzeptierte, was Masters sagte. »Gordon meint, ich solle mich mit euch melden.«

Masters lächelte. »Gordon fühlt zum allerersten Mal den Überschwang der Tugend, und natürlich möchte er den Rest der Welt daran teilhaben lassen, damit er weiterhin glauben kann. Klar. Warum nicht? Komm mit. Es könnte dir gut tun, die Welt einmal zu sehen, wie sie in Wirklichkeit ist.« Er schwieg und schaute Stoner aufmerksam an. »Aber falls du dich dazu entschließt, dann um Himmels willen nicht wegen Gott, Vaterland und der lieben, alten Alma Mater. Tue es um deiner selbst willen.«

Stoner hielt einen Augenblick inne, bevor er sagte: »Ich rede mit Sloane und lasse es dich dann wissen.«

Er wusste nicht, wie Archer Sloanes Reaktion ausfallen würde, dennoch wurde er überrascht, als er ihn in seinem engen, von Büchern gesäumten Büro aufsuchte und von der Entscheidung erzählte, die er noch nicht endgültig getroffen hatte.

Sloane, der ihm gegenüber stets eine Haltung distanzierter, höflicher Ironie gewahrt hatte, platzte der Kragen. Das schmale, hagere Gesicht lief puterrot an, und die Falten um beide Mundwinkel vertieften sich vor Wut, als er sich mit geballten Fäusten halb aus dem Sessel erhob. Dann ließ er sich wieder sinken, öffnete bedächtig die Hände und legte sie auf die Schreibtischplatte; die Finger zitterten, die Stimme aber war rau und fest.

»Ich muss Sie bitten, meine plötzliche Erregung zu verzeihen, doch habe ich in den letzten Tagen fast ein Drittel der Fakultätsmitglieder verloren und sehe keine Möglichkeit, sie zu ersetzen. Nicht, dass ich mich über Sie persönlich ärgere, aber …« Er wandte sich von Stoner ab und sah zum hohen Fenster am anderen Ende des Büros. Das Licht fiel direkt auf sein Gesicht, betonte die Falten und vertiefte die Schatten unter den Augen, weshalb er einen Moment lang alt und krank aussah. »Ich wurde 1860 geboren, kurz vor dem Rebellionskrieg, an den ich mich natürlich nicht erinnern kann; ich war noch zu klein. Ich kann mich auch nicht an meinen Vater erinnern; er wurde im ersten Kriegsjahr in der Schlacht von Shiloh getötet.« Rasch blickte er zu Stoner hinüber. »Doch kann ich die Folgen sehen. Ein Krieg tötet nicht bloß einige Tausend oder Hunderttausend junger Männer. Er tötet etwas in einem Volk, das nie mehr wiederbelebt werden kann. Und wenn ein Volk genügend Kriege mitmacht, bleibt schließlich nur noch das Biest übrig, jene Kreatur, die wir – Sie und ich und andere wie wir – aus dem Schlamm heraufbeschworen haben.« Er schwieg einen Moment, dann lächelte er ein wenig. »Der Gelehrte sollte nicht gebeten werden, das zu zerstören, was er sein Leben lang aufzubauen versucht hat.«

Stoner räusperte sich und erwiderte zögerlich: »Alles scheint so schnell zu geschehen. Irgendwie habe ich nie daran gedacht, bis ich von Finch und Masters gefragt wurde. Es kommt mir immer noch nicht ganz real vor.«

»Ist es natürlich auch nicht«, sagte Sloane. Rastlos wandte er sich dann von Stoner ab. »Ich werde Ihnen nicht sagen, was Sie tun sollen. Ich sage nur: Es ist Ihre Entscheidung. Es wird eine Einberufung geben, aber Sie könnten davon ausgenommen werden, falls Sie dies wollen. Sie haben doch keine Angst zu gehen, oder?«

»Nein, Sir«, antwortete Stoner. »Ich denke nicht.«

»Dann haben Sie die Wahl, und Sie müssen sie allein für sich treffen. Dabei versteht sich von selbst, dass Sie – sollten Sie sich entscheiden, zur Armee zu gehen – bei Ihrer Rückkehr in Ihre jetzige Stellung übernommen werden. Entschließen Sie sich aber, nicht zu gehen, können Sie bleiben, werden deshalb jedoch keine Vorteile genießen. Es ist sogar möglich, dass es Ihnen zum Nachteil gereicht, sei es heute oder später.«

»Ich verstehe«, sagte Stoner.

Es folgte ein langes Schweigen, bis Stoner entschied, dass Sloane offenbar mit ihm fertig war. Doch gerade als er aufstand, um das Büro zu verlassen, begann Sloane noch einmal zu sprechen.

Bedächtig sagte er: »Sie müssen daran denken, was Sie sind und wofür Sie sich entschieden haben, an die Bedeutung dessen, was Sie tun. Es gibt Kriege, Niederlagen und Siege der menschlichen Spezies, die nicht militärischer Natur sind und in den Annalen der Geschichte nicht verzeichnet werden. Denken Sie daran, während Sie sich zu entscheiden versuchen.«

Zwei Tage lang ging Stoner nicht zum Unterricht und sprach mit niemandem, den er kannte. Er blieb auf dem kleinen Zimmer und rang mit seiner Entscheidung. Bücher und Stille umgaben ihn; nur selten drangen die Geräusche der Außenwelt zu ihm vor, die fernen Laute rufender Studenten, das rasche Geklapper eines Einspänners auf der gepflasterten Straße, das dumpfe Tuckern eines der gut ein Dutzend Automobile der Stadt. Er hatte nie zur Nabelschau geneigt und fand die Aufgabe, sich über seine Motive klar zu werden, schwierig und auch ein wenig unangenehm; er merkte, dass er sich selbst kaum etwas zu bieten hatte und dass es in ihm wenig gab, das er finden konnte.

Als er schließlich zu einer Entscheidung gelangte, war ihm, als hätte er von Anfang an gewusst, wie sie ausfallen würde. Er traf sich am Freitag mit Masters und Finch und sagte ihnen, dass er nicht gegen die Deutschen kämpfen werde.

Gordon Finch, noch immer vom Tugendüberschwang getrieben, erstarrte und ließ zu, dass sich ein Ausdruck vorwurfsvollen Kummers auf seinem Gesicht breitmachte. »Du enttäuschst uns, Bill«, sagte er mit belegter Stimme. »Du enttäuschst uns alle.«

»Sei still«, sagte Masters. Er musterte Stoner aufmerksam. »Ich habe mir bereits gedacht, dass du dich so entscheiden könntest; du hast schon immer etwas Asketisches, Passioniertes gehabt. Natürlich ist es egal, aber was hat dich letztlich zu dieser Entscheidung bewogen?«

Einen Moment lang antwortete Stoner nicht. Er dachte an die letzten beiden Tage, an das stille Ringen, das kein Ende zu finden und keine Bedeutung zu haben schien, dachte an sein Leben an der Universität während der letzten sieben Jahre, an die Jahre davor, die fernen Jahre mit den Eltern auf der Farm, an die Leblosigkeit, der er auf wundersame Weise entronnen war.

»Ich weiß nicht«, sagte er dann. »Alles, glaube ich. Ich kann's nicht sagen.«

»Es wird nicht leicht werden«, sagte Masters. »Hier zu bleiben.«

»Ich weiß«, sagte Stoner.

»Aber es lohnt sich, meinst du?«

Stoner nickte.

Masters grinste und sagte wieder im gewohnt ironischen Ton: »Du hast jedenfalls den asketischen, hungrigen Blick. Du bist verdammt.«

Finchs kummervoller Ausdruck war in so etwas wie vorsichtige Verachtung umgeschlagen. »Das wirst du noch bedauern, Bill«, brachte er heiser heraus, und seine Stimme schwebte zwischen Drohung und Mitleid.

Stoner nickte. »Das kann gut sein«, sagte er.

Dann verabschiedete er sich und ging. Seine beiden Freunde würden am nächsten Tag nach St. Louis fahren, um sich anwerben zu lassen, und Stoner musste den Unterricht für die kommende Woche vorbereiten.

Er hatte wegen seiner Entscheidung kein schlechtes Gewissen, und als die allgemeine Einberufung erfolgte, beantragte er seine Freistellung ohne ein Gefühl der Reue, doch war er sich der Blicke bewusst, die ihm die älteren Kollegen zuwarfen, der kaum verhohlenen Respektlosigkeit, die sich im allgemeinen Verhalten seiner Studenten ihm gegenüber zeigte. Er meinte sogar zu spüren, dass sich Archer Sloane, der seine Entscheidung, an der Universität zu bleiben, seinerzeit mit herzlicher Zustimmung begrüßt hatte, kühler und reservierter verhielt, je länger der Krieg andauerte.

Im Frühjahr 1918 schloss er die Doktorarbeit ab und erhielt die Promotion im Juni desselben Jahres. Einen Monat ehe er den Titel zugesprochen bekam, traf ein Brief von Gordon Finch ein, der die Offiziersschule durchlaufen hatte und an ein Ausbildungslager am Stadtrand von New York überstellt worden war. Der Brief informierte Stoner, dass man es Finch gestattete, in seiner Freizeit an der Universität von Columbia zu studieren, wo er seine Doktorarbeit beenden und im kommenden Sommer am dortigen Lehrerkolleg das Examen machen würde.

Gleichfalls teilte man ihm in diesem Brief mit, dass Dave Masters nach Frankreich geschickt worden war, wo er fast genau ein Jahr nach seiner Rekrutierung mit den ersten amerikanischen Truppen, die in Gefechte verwickelt waren, bei Château-Thierry getötet wurde.

III

EINE WOCHE VOR DER ABSCHLUSSFEIER, während der Stoner den Doktortitel verliehen bekommen sollte, bot ihm Archer Sloane eine Vollzeitdozentur an. Er erklärte, es entspreche zwar nicht den Gepflogenheiten der Universität, die eigenen Doktoranden einzustellen, doch habe er angesichts des kriegsbedingten Mangels an ausgebildeten und erfahrenen Collegelehrern die Verwaltung überreden können, in diesem Fall eine Ausnahme zu machen.

Ein wenig widerstrebend hatte Stoner zuvor Bewerbungsbriefe an Universitäten und Colleges im Umkreis geschrieben und knapp seine Qualifikationen aufgelistet. Als er keine Antwort erhielt, fühlte er sich seltsam erleichtert, eine Erleichterung, die er halbwegs verstand, hatte er doch an der Universität von Columbia jene Art von Sicherheit und Geborgenheit kennengelernt, die er als Kind daheim hätte fühlen sollen, aber nie empfunden hatte; und er wusste nicht, ob er sie auch woanders finden würde. Also nahm er Sloanes Angebot dankbar an.

Dabei fiel ihm auf, dass Sloane im Laufe des Krieges deutlich gealtert war. Mit Ende fünfzig wirkte er zehn Jahre älter; das lockige Haar, einst eine widerspenstige, eisengraue Mähne, lag nun weiß, flach und leblos am knochigen Schädel an. Die schwarzen Augen blickten so matt, als wären sie von einem feuchten Film überzogen; das schmale, gefurchte Gesicht, einst fest wie gespanntes Leder, wirkte nun so brüchig wie altes, trockenes Papier, und die flache, ironische Stimme war zittrig geworden. Bei seinem Anblick dachte Stoner: Er wird sterben – in ein oder zwei Jahren, vielleicht auch in zehn, aber er wird sterben. Ein verfrühtes Gefühl von Verlust packte ihn, und er wandte sich ab.

In jenem Sommer des Jahres 1918 weilten seine Gedanken oft beim Tod. Masters' Tod hatte ihn stärker getroffen, als er sich eingestehen wollte; außerdem wurden die ersten Listen mit amerikanischen Opfern in Europa veröffentlicht. Hatte er zuvor an den Tod gedacht, war er für ihn ein literarisches Ereignis gewesen oder der langsame, stille Verfall unvollkommenen Fleisches im Laufe der Zeit. Die Explosion von Gewalt auf einem Schlachtfeld war ihm dabei nie in den Sinn gekommen, der Blutschwall aus aufgeschlitzter Kehle. Er dachte über den Unterschied zwischen diesen Sterbensarten nach, darüber, was er zu bedeuten hatte, und spürte, wie in ihm jene Bitterkeit wuchs, die er einmal im Herzen seines Freundes David Masters entdeckt zu haben meinte.

Das Thema seiner Doktorarbeit lautete »Der Einfluss der Antike auf die mittelalterliche Lyrik«. Einen Großteil des Sommers verbrachte er folglich damit, erneut die lateinischen Dichter zu lesen, die klassischen wie die mittelalterlichen, insbesondere ihre Gedichte über den Tod. Und wieder erstaunte ihn die leichte, würdevolle Haltung, mit der diese römischen Dichter die Tatsache des Todes akzeptierten, als wäre das Nichts, das sie erwartete, ein Tribut an den Reichtum der genossenen Jahre; und er staunte über die Bitterkeit, die Angst, den kaum verhüllten Hass, dem er bei einigen der späteren christlich-lateinischen Dichter begegnete, sobald sie sich mit dem Tod befassten, der ihnen doch, wie vage auch immer, eine herrliche, ekstatische Ewigkeit versprach. Sie lasen sich, als wären ihnen Tod und Verheißung nur eine Farce, die ihnen die Tage ihres Lebens trübten. Dachte Stoner an Masters, sah er in ihm einen Catull oder einen sanfteren, lyrischeren Juvenal, einen Exilanten im eigenen Land; und sein Tod wurde für ihn zu einem weiteren Exil, seltsamer und dauerhafter, als er es je gekannt hatte.

Als das Herbstsemester 1918 begann, nahm man allgemein an, dass der Krieg in Europa nicht mehr lange dauern könne. Die letzte, verzweifelte Gegenoffensive der Deutschen wurde vor Paris gestoppt, und Marschall Foch befehligte einen Gegenangriff der Alliierten, der die Deutschen rasch in die Ausgangsstellungen zurücktrieb. Im Norden rückten die Briten vor, und die Amerikaner marschierten durch den Argonner Wald, wenn auch unter Opfern, die in der allgemeinen Begeisterung meist übersehen wurden. Die Zeitungen gingen davon aus, dass die Deutschen noch vor Weihnachten kapitulierten.

Das Semester begann daher in einer Atmosphäre angespannten Hochgefühls und Wohlbefindens. Studenten und Dozenten ertappten sich dabei, wie sie einander auf den Fluren zulächelten und eifrig nickten; Anfälle von Ausgelassenheit und leichter Gewalt unter den Studenten wurden von Fakultät und Verwaltung ignoriert, und ein unbekannter Student wurde über Nacht zu einer Art Volksheld, als er eine der riesigen Säulen vor der Jesse Hall hinaufkletterte und an ihrer Spitze den Kaiser in Gestalt einer Strohpuppe aufhängte.

Der einzige Mensch an der Universität, den die allgemeine Aufregung kalt zu lassen schien, war Archer Sloane. Seit

Amerikas Eintritt in den Krieg hatte er sich immer stärker zurückgezogen, was noch deutlicher wurde, je mehr sich der Krieg dem Ende näherte. Sloane redete nicht mit seinen Kollegen, sofern ihn Fachbereichsangelegenheiten nicht dazu zwangen, und man flüsterte sich zu, sein Unterricht sei derart exzentrisch geworden, dass Studenten die Vorlesungen zu fürchten begannen; dumpf und mechanisch trug er seine Anmerkungen vor, sah den Studenten nie ins Gesicht und verstummte oft, wenn er auf seine Notizen blickte, woraufhin ein, zwei, manchmal gar fünf Minuten Stillschweigen folgten, in denen er sich nicht rührte und auch nicht auf die verlegenen Fragen seiner Zuhörer reagierte.

William Stoner sah ein letztes Mal eine Spur von jenem brillanten, ironischen Mann, den er in Studententagen gekannt hatte, als Archer Sloane ihm seine Lehraufgaben für das laufende akademische Jahr zuteilte. Sloane betraute Stoner mit zwei Anfängerkursen Einführung ins wissenschaftliche Schreiben sowie mit einem Einführungskurs in Mittelenglisch für höhere Semester. Und dann sagte er mit einem Anflug der alten Ironie: »Wie so viele unserer Kollegen und nicht wenige Studenten wird es Sie gewiss freuen zu erfahren, dass ich eine Reihe meiner Seminare aufgeben werde. Dazu gehört mein überaus unbeliebtes Lieblingsseminar, der Einführungskurs in die englische Literatur. Sie erinnern sich?«

Stoner nickte lächelnd.

»Ja«, fuhr Sloane lächelnd fort, »das habe ich mir gedacht. Ich möchte Sie bitten, diesen Kurs zu übernehmen. Kein großartiges Geschenk, ich weiß, aber ich dachte, es könnte Ihnen gefallen, Ihre Karriere als Lehrer dort zu beginnen, wo Sie selbst als Student angefangen haben.« Sloane schaute ihn einen Moment lang an, der Blick wach, die Augen leuchtend wie vor dem Krieg. Dann überzog sie wieder der Schleier der Gleichgültigkeit; und Sloane wandte sich von Stoner ab, um einige Papiere auf seinem Tisch umzusortieren.

Also begann Stoner, wo er angefangen hatte, ein hochgewachsener, hagerer, gebeugter Mann, in demselben Raum, in dem er als hochgewachsener, hagerer, gebeugter Junge Worte vernommen hatte, die ihn dorthin führten, wo er heute war. Nie betrat er den Raum, ohne einen Blick auf den Platz zu werfen, auf dem er einst gesessen hatte, und stets reagierte er leicht überrascht, wenn er feststellen musste, dass er nicht dort saß.

Am 11. November dieses Jahres, zwei Monate nach Semesterbeginn, wurde der Waffenstillstand unterzeichnet. Die Nachricht verbreitete sich an einem Unterrichtstag, und sogleich lösten sich die Seminare auf; Studenten rannten ziellos über den Campus und begannen, kleine Paraden abzuhalten, strömten auseinander und versammelten sich erneut, marschierten durch Säle, Seminarräume und Büros. Halb gegen seinen Willen geriet Stoner in eine dieser Prozessionen, die durch Jesse Hall mäanderte, über Flure, Treppen hinauf und wieder über Flure. Mitgerissen von der kleinen Schar Studenten und Dozenten, kam er an der offenen Tür zu Archer Sloanes Büro vorbei und konnte einen flüchtigen Blick auf Sloane werfen, der auf seinem Schreibtischstuhl saß und – das Gesicht verzerrt und unbedeckt – so bitterlich weinte, dass die Tränen über die tiefen Hautfalten rannen.

Wie unter Schock ließ Stoner sich noch einen Moment lang von der Menge davontragen. Dann scherte er aus und ging in sein eigenes Büro. Dort saß er im Halbdunkel, hörte draußen die Freudenrufe, die Erleichterung, und dachte an

Archer Sloane, der über eine Niederlage weinte, die nur er allein sah oder zu sehen meinte; und er wusste, Sloane war ein gebrochener Mann, der nie wieder so sein würde, wie er einmal gewesen war.

*

Ende November kamen viele Männer aus dem Krieg nach Columbia zurück, und überall auf dem Campus war das Olivgrün ihrer Uniformen zu sehen. Zu denen, die vorläufig nur auf verlängerten Urlaub heimkehrten, gehörte auch Gordon Finch. In den anderthalb Jahren seiner Abwesenheit von der Universität hatte er zugenommen, das breite, offene Gesicht, das früher so fügsam gewirkt hatte, war einer Miene leutseligen, doch gesetzten Ernstes gewichen; er trug die Abzeichen eines Captains und sprach oft mit väterlichem Wohlwollen von ›seinen Jungs‹. William Stoner gegenüber gab er sich verhalten freundlich, und er achtete darauf, den älteren Mitgliedern des Fachbereichs gebührenden Respekt zu erweisen. Das Herbstsemester war bereits zu weit fortgeschritten, als dass man ihn noch mit Lehraufgaben hätte betrauen können, weshalb ihm für den Rest des akademischen Jahres ein Posten als Verwaltungsassistent beim Dekan für Kunst und Wissenschaften zugewiesen wurde, wenn auch erklärtermaßen nur vorübergehend. Er besaß genügend Feingefühl, sich der Unbestimmtheit seiner neuen Stellung bewusst zu sein, und war klug genug, ihre Möglichkeiten zu erkennen; die Beziehungen zu seinen Kollegen hielt er auf so behutsame wie höfliche Weise unverbindlich.

Josiah Claremont, der Dekan für Kunst und Wissenschaften, war ein schmalbärtiger Mann fortgeschrittenen Alters, der den obligatorischen Zeitpunkt des Ausscheidens aus dem Amt bereits um mehrere Jahre versäumt hatte. Seit Anfang der siebziger Jahre des 19. Jahrhunderts aus dem einfachen College eine reguläre Universität geworden war, gehörte er dem Lehrkörper an, und sein Vater zählte zu ihren ersten Präsidenten. Claremont war so fest etabliert und derart Teil der Geschichte dieser Universität, dass trotz der zunehmenden Inkompetenz, mit der er sein Amt verwaltete, niemand den Mut besaß, auf sein Ausscheiden zu insistieren. Sein Erinnerungsvermögen ließ merklich nach, und manchmal verlief er sich sogar auf den Fluren von Jesse Hall, weshalb er dann wie ein Kind in sein Büro geführt werden musste.

In Universitätsangelegenheiten war er so unzuverlässig geworden, dass die Ankündigung seines Büros, bei ihm daheim werde ein Empfang zu Ehren der in die Fakultät und den Verwaltungsstab zurückgekehrten Veteranen stattfinden, ausnahmslos als raffinierter Scherz oder als ein Versehen aufgenommen wurde. Doch handelte es sich um keines von beiden. Gordon Finch bestätigte die Einladungen, und es wurde allgemein gemunkelt, dass er es auch gewesen war, der den Empfang angeregt und dieses Vorhaben durchgesetzt hatte.

Der seit langen Jahren verwitwete Josiah Claremont lebte allein mit drei schwarzen, nahezu gleichaltrigen Dienstboten in einem jener großen Häuser aus der Vorbürgerkriegszeit, die in Columbia einmal weit verbreitet gewesen waren, nun aber rasch dem Vordrängen zahlreicher Neubausiedlungen und kleiner, unabhängiger Farmer samt ihren Gebäuden wichen. Der Stil des Hauses war gefällig, jedoch nicht näher bestimmbar; und auch wenn es in seiner Weitläufigkeit und allgemeinen Anlage einer ›Südstaatenvilla‹ glich, fehlte die neoklassizistische Strenge eines typischen Virginia-Hauses. Die Fassaden waren weiß gestrichen und die Fenster grün, wie die Balustraden der kleinen Balkone, die hier und da im oberen Stock vorlugten. Das Grundstück ging in einen Wald über, der das Anwesen umgab, und hohe Pappeln, kahl an diesem Dezembertag, säumten Auffahrt und Wege. Es war das prächtigste Haus, dem William Stoner sich je genähert hatte, und an besagtem Freitagnachmittag schritt er ein wenig befangen über die Zufahrt, um sich zu einer Gruppe ihm unbekannter Fakultätsmitglieder zu gesellen, die vor der Haustür darauf warteten, eingelassen zu werden.

Gordon Finch, noch in Uniform, öffnete ihnen die Tür; die Gruppe betrat ein kleines, quadratisches Foyer, an dessen Ende eine steile Treppe mit poliertem Eichengeländer in den ersten Stock führte. Den eintretenden Männern direkt gegenüber hing ein französischer Wandteppich, dessen Blau und Gold so verblichen waren, dass man sein Muster im trüben gelben Licht der schwachen Glühbirnen kaum erkennen konnte. Stoner besah ihn sich aufmerksam, während sich jene, die mit ihm ins Haus gekommen waren, in dem kleinen Foyer unterhielten.

»Gib mir deinen Mantel, Bill.« Die Stimme, so nah an seinem Ohr, ließ ihn zusammenfahren. Er drehte sich um. Finch lächelte und bat um den Mantel, den Stoner noch nicht abgelegt hatte.

»Du bist noch nie hier gewesen, stimmt's?«, fragte Finch im Flüsterton. Stoner schüttelte den Kopf.

Finch wandte sich den übrigen Männern zu und verschaffte sich Gehör, ohne die Stimme zu heben. »Meine Herren, gehen Sie bitte in den großen Salon.« Er wies zu einer Tür auf der rechten Foyerseite. »Es sind bereits fast alle da.«

Dann richtete er seine Aufmerksamkeit wieder auf Stoner. »Ein prächtiges altes Haus«, sagte er, während er Stoners Mantel in einen großen Wandschrank unterhalb der Treppe hängte. »Eines der wahren Schmuckstücke dieser Gegend.«

»Ja«, erwiderte Stoner. »Ich habe davon reden hören.«

»Und Dekan Claremont ist ein prächtiger alter Mann. Er hat mich gebeten, gewissermaßen an seiner statt ein Auge auf den Ablauf des heutigen Abends zu haben.«

Stoner nickte.

Finch nahm ihn am Arm und führte ihn zu jener Tür, auf die er zuvor gedeutet hatte. »Wir müssen uns später noch ein wenig unterhalten, aber jetzt geh erst einmal rein. Ich komme gleich nach. Es gibt da ein paar Leute, die du unbedingt kennenlernen solltest.«

Als Stoner antworten wollte, hatte Finch sich bereits abgewandt, um eine weitere Gruppe zu begrüßen, die gerade ins Haus gekommen war. Stoner holte tief Luft und öffnete die Tür zum großen Salon.

Da er aus dem kalten Foyer kam, schlug ihm die Wärme entgegen, als wollte sie ihn zurückdrängen; beim Öffnen der Tür schwoll das Gemurmel einen Augenblick lang an, dann hatte sich sein Gehör daran gewöhnt.

Etwa zwei Dutzend Gäste hielten sich im Raum auf, und einen Moment lang meinte er, niemanden zu kennen; er sah das nüchterne Schwarz, Grau und Braun der Männeranzüge, das Olivgrün der Uniformen und hier und da das zarte Rosa oder Blau eines Frauenkleides. Träge bewegten die Gäste sich durch die Wärme, und er bewegte sich mit ihnen, war sich, wenn er an den Sitzenden vorbeiging, seiner Körpergröße bewusst und nickte Gesichtern zu, die ihm unbekannt waren.

Am gegenüberliegenden Ende führte eine weitere Tür in einen gediegenen Salon, der an den langen Speisesaal grenzte. Die Doppeltür zum Saal stand offen und gab den Blick auf einen mächtigen Walnusstisch frei, der mit gelbem Damast, weißem Geschirr und blitzenden Silberschüsseln gedeckt war. Mehrere Leute hatten sich um den Tisch versammelt, an dessen Kopf eine junge Frau mit hellbraunem Haar, schlank und hochgewachsen, in einem Kleid aus blauer Moiréseide, Tee in goldrandige Porzellantassen goss. Wie gefangen von ihrem Anblick verharrte Stoner in der Tür. Ihr schmales zart geformtes Gesicht lächelte den Umstehenden zu, und die feingliedrigen, fast fragilen Finger hantierten geschickt mit Kanne und Tassen. Während er sie betrachtete, wurde sich Stoner mit einem Mal der eigenen linkischen Unbeholfenheit bewusst.

Mehrere Sekunden lang verharrte er in der Tür und hörte ihre sanfte Stimme über das Gemurmel der Gäste aufsteigen. Als sie den Kopf hob, sahen sie sich plötzlich in die Augen; ihre waren blass und groß und schienen wie von einem inneren Licht erhellt. Verwirrt trat er von der Tür zurück, ging wieder ins Wohnzimmer, fand einen freien Sessel an der Wand, setzte sich und musterte den Teppich unter seinen Füßen. Er sah nicht wieder zum Speisesaal hinüber, meinte aber dann und wann zu spüren, wie der Blick der jungen Frau weich über sein Gesicht strich.

Um ihn herum bewegten sich die Gäste, tauschten Plätze und änderten ihren Tonfall mit jedem neuen Gesprächspartner. Stoner sah sie wie durch einen Nebel, so als wäre er ein außenstehender Betrachter. Nach einer Weile kam

Gordon Finch zurück, und Stoner stand auf, um ihm quer durchs Zimmer entgegenzugehen. Geradezu barsch unterbrach er Finchs Gespräch mit einem älteren Mann, zog seinen Freund beiseite und verlangte, ohne auch nur die Stimme zu senken, dass er der jungen Dame, die Tee einschenkte, vorgestellt werde.

Finch stutzte kurz, aber die verärgerte Falte, die sich auf seiner Stirn bilden wollte, verschwand, und seine Augen weiteten sich. »Du möchtest was?«, fragte er. Obwohl er kleiner als Stoner war, schien er auf ihn hinabzublicken.

»Ich möchte ihr vorgestellt werden«, sagte Stoner und spürte, wie ihm warm im Gesicht wurde. »Kennst du sie?«

»Natürlich«, antwortete Finch. Ein Grinsen begann an seinen Mundwinkeln zu zupfen. »Sie ist eine entfernte Cousine des Dekans, kommt aus St. Louis und hält sich hier auf, um eine Tante zu besuchen.« Das Grinsen wurde breiter. »Alter Junge. Wer hätte das gedacht? Aber sicher stelle ich dich vor. Komm mit.«

Sie hieß Edith Elaine Bostwick und wohnte bei ihren Eltern in St. Louis, wo sie letztes Jahr an einer privaten Lehranstalt für junge Damen einen zweijährigen Studiengang absolviert hatte. In Columbia besuchte sie für einige Wochen die ältere Schwester ihrer Mutter, mit der sie im Frühjahr zur Grand Tour durch Europa aufbrechen wollte – etwas, das nun, nach Kriegsende, wieder möglich geworden war. Ihr Vater, Präsident einer der kleineren Banken von St. Louis, war Anfang der siebziger Jahre aus Neuengland nach Westen gezogen, um die älteste Tochter einer wohlhabenden Familie aus dem tiefsten Missouri zu heiraten. Edith hatte ihr Leben lang in St. Louis gewohnt und war erst wenige Jahre zuvor mit den Eltern für eine Saison nach Boston gezogen, kannte die New

Yorker Oper und hatte auch die Museen der Stadt besucht. Sie war zwanzig Jahre alt, spielte Klavier und hegte künstlerische Neigungen, in denen sie von ihrer Mutter unterstützt wurde.

Später konnte sich William Stoner nicht erklären, wie er all dies an jenem ersten Nachmittag und frühen Abend in Josiah Claremonts Haus erfahren hatte, denn die Zeit dieser steifen Begegnung schien ihm in der Erinnerung so undeutlich wie die Gestalten auf dem Treppengobelin im Foyer. Er wusste, er hatte mit ihr geredet, damit sie ihn ansah, in seiner Nähe blieb und ihn mit ihrer sanften Stimme erfreute, sooft sie ihm antwortete, um darauf ihrerseits eine beiläufige Frage zu stellen.

Die Gäste brachen auf. Abschiedsworte wurden gerufen, Türen zugeschlagen, der Raum leerte sich, doch Stoner blieb noch, als die meisten Gäste bereits gegangen waren. Sobald Ediths Wagen vorfuhr, folgte er ihr ins Foyer, half ihr in den Mantel und fragte im Hinausgehen, ob er sie am folgenden Abend besuchen dürfe.

Sie aber öffnete die Tür, als hätte sie ihn nicht gehört, und blieb einige Augenblicke stehen, ohne sich zu rühren; ein kalter Luftschwall drang durch die Tür und streifte Stoners heißes Gesicht. Dann drehte sie sich um, sah ihn an und blinzelte mehrere Male; ihre blassen Augen musterten ihn nachdenklich, fast kühn. Schließlich nickte sie und sagte: »Ja, Sie dürfen mich besuchen.« Sie lächelte nicht.

*

Also ging er an einem bitterkalten Winterabend quer durch die Stadt zum Haus ihrer Tante und besuchte sie. Am Himmel hing keine Wolke; der Halbmond schien auf die am

Nachmittag gefallene dünne Schneedecke, und die Straßen lagen verlassen; nur das Knirschen des trockenen Schnees unter seinen Schritten störte die gedämpfte Stille. Lange blieb er vor dem großen Gebäude stehen, zu dem er schließlich gelangte, und lauschte dem Schweigen. Seine Füße waren taub vor Kälte, aber er rührte sich nicht. Aus einem verhängten Fenster fiel dämmriges Licht als gelber Fleck auf den blauweißen Schnee, und er meinte im Haus eine Bewegung wahrzunehmen, war sich aber nicht sicher. Dann, in voller Absicht und so, als verpflichte er sich zu etwas, trat er vor, folgte dem Weg zur Veranda und klopfte an die Tür.

Ediths Tante (sie hieß, wie Stoner zuvor erfahren hatte, Emma Darley und war seit einer Reihe von Jahren Witwe) öffnete ihm und bat ihn ins Haus. Sie war eine kleine, rundliche Frau mit feinem, weißem Haar, das ihr Gesicht umfloss; die dunklen Augen blinzelten feucht, und sie redete so leise und atemlos, als verriete sie Geheimnisse. Stoner folgte ihr in den Salon und setzte sich, ihr zugewandt, auf ein langes Walnussholzsofa, dessen Sitzfläche und Rückenlehne mit schwerem blauem Samt bespannt waren. Schnee haftete an seinen Schuhen, und Stoner sah zu, wie sich auf dem dicken, geblümten Teppich unter seinen Füßen feuchte Tauflecken bildeten.

»Edith hat mir erzählt, dass Sie an der Universität lehren, Mr Stoner«, sagte Mrs Darley.

»Ja, Ma'am«, erwiderte er und räusperte sich.

»Es ist wirklich *nett*, mal wieder mit einem jungen Professor plaudern zu können«, erklärte Mrs Darley freudestrahlend. »Mein verstorbener Gatte, Mr Darley, saß einige Jahre im Kuratorium der Universität – aber ich vermute, das wissen Sie längst.«

»Nein, Ma'am«, sagte Stoner.

»Oh«, sagte Mrs Darley. »Nun, früher kamen nachmittags oft junge Professoren zum Tee, aber das war vor dem Krieg und ist jetzt einige Jahre her. Waren Sie im Krieg, Professor Stoner?«

»Nein, Ma'am«, sagte er. »Ich war an der Universität.«

»Natürlich«, erwiderte Mrs Darley und nickte vergnügt. »Und Sie unterrichten …?«

»Englisch«, antwortete Stoner. »Allerdings bin ich kein Professor. Nur Dozent.« Er wusste, wie rau seine Stimme klang, konnte aber nichts dagegen tun. Er versuchte zu lächeln.

»Ach ja«, seufzte sie. »Shakespeare … Browning …«

Sie verstummten; Stoner wrang die Hände und blickte zu Boden.

»Ich werde mal nachsehen, wo Edith bleibt«, sagte Mrs Darley. »Wenn Sie mich bitte entschuldigen wollen …«

Stoner nickte und erhob sich, während sie hinausging. Aus dem Hinterzimmer hörte er heftiges Flüstern. Reglos verharrte er noch ein paar Minuten.

Plötzlich stand Edith im breiten Türrahmen, blass und ohne zu lächeln. Sie sahen sich an, als würden sie sich nicht wiedererkennen. Edith wich einen Schritt zurück, trat dann aber wieder vor, die Lippen schmal und angespannt. Ernst gaben sie einander die Hand und setzten sich aufs Sofa. Sie hatten noch kein Wort gesagt.

Edith war größer, als er sie in Erinnerung hatte, auch zarter, das Gesicht lang und schmal, und die Lippen hielt sie über eher kräftigen Zähnen geschlossen. Ihre Haut war von jener durchschimmernden Art, die schon beim leisesten Reiz einen Anflug von Farbe und Wärme zeigt, das Haar von einem hellen Rotbraun. Sie trug es in dicken, hochgesteckten Zöpfen, doch waren es ihre Augen, die ihn, wie schon am Tag zuvor, betörten und gefangennahmen. Sie waren groß und vom blassesten Blau, das er sich nur vorzustellen vermochte. Sah er sie an, schienen sie ihn aus sich heraus in ein Mysterium hineinzuziehen, das er nicht ganz verstand. Er hielt sie für die schönste Frau, die er je gesehen hatte, und spontan brach es aus ihm heraus: »Ich … ich möchte mehr über Sie wissen.« Sie wich ein wenig zurück. Hastig fügte er hinzu: »Ich meine – gestern, bei dem Empfang, da hatten wir eigentlich keine Gelegenheit, miteinander zu reden. Ich wollte ja, aber da waren so viele Leute. Manchmal können Leute hinderlich sein.«

»Es war ein sehr netter Empfang«, sagte Edith leise. »Ich fand, alle waren sehr nett.«

»O gewiss, natürlich«, sagte Stoner. »Ich meinte …« Er sprach nicht weiter. Edith blieb stumm.

Er sagte: »Ich habe gehört, dass Sie und Ihre Tante bald nach Europa fahren?«

»Ja«.

»Europa …« Er schüttelte den Kopf. »Sie müssen schrecklich aufgeregt sein.«

Sie nickte zögerlich.

»Wohin fahren Sie? Ich meine … in welche Länder?«

»England«, erwiderte sie. »Frankreich. Italien.«

»Und wann – im Frühling?«

»April.«

»Fünf Monate«, sagte er. »Das ist nicht mehr lang. Ich hoffe, bis dahin können wir …«

»Ich bin bloß noch drei Wochen hier«, warf sie rasch ein. »Dann kehre ich zurück nach St. Louis. Für die Weihnachtstage.«

»Das ist wirklich sehr kurz.« Er lächelte und schaute sie verlegen an. »Also muss ich Sie einfach so oft wie möglich sehen, damit wir uns kennenlernen können.«

Beinahe mit Entsetzen blickte sie ihn an. »So habe ich das nicht gemeint«, sagte sie. »Bitte …«

Stoner schwieg einen Moment. »Tut mir leid, ich … Dennoch, ich möchte Sie gern wiedersehen, so oft, wie Sie mögen. Darf ich?«

»Ach«, sagte sie. »Nun ja.« Sie hielt die schlanken Finger im Schoß verschränkt, und die Knöchel waren weiß, wo die Haut sich spannte. Auf den Handrücken zeigten sich helle Sommersprossen.

Stoner sagte: »Ich bin in so etwas nicht besonders gut, oder? Seien Sie nachsichtig mit mir. Jemandem wie Ihnen bin ich noch nie begegnet, und deshalb rede ich dummes Zeug. Bitte verzeihen Sie, falls ich Sie in Verlegenheit gebracht habe.«

»O nein«, erwiderte sie, drehte sich zu ihm um und verzog die Lippen auf eine Weise, die er für ein Lächeln halten musste. »Ganz und gar nicht. Ich finde es wunderbar. Wirklich.«

Er wusste nicht, was er darauf erwidern sollte, erwähnte das Wetter und entschuldigte sich dafür, Schnee auf den Teppich getragen zu haben; sie murmelte irgendwas. Er erzählte von den Seminaren, die er an der Universität gab, und sie nickte verwirrt. Dann saßen sie stumm da. Stoner stand auf; er bewegte sich so langsam und schwerfällig, als wäre er müde. Edith schaute ausdruckslos zu ihm hoch.

»Nun«, setzte er an und räusperte sich. »Es wird spät, und ich … Hören Sie, es tut mir leid. Darf ich in einigen Tagen wieder vorbeischauen? Vielleicht …«

Es war, als hätte er gar nicht mit ihr geredet. Er nickte, sagte »Gute Nacht« und wandte sich ab, um zu gehen.

Mit hoher, schriller Stimme und im stets gleichbleibenden Ton begann Edith Bostwick daraufhin zu reden: »Als ich ein kleines Mädchen war, gerade sechs Jahre alt, konnte ich schon Klavier spielen, und ich habe gern gemalt und war sehr schüchtern, weshalb meine Mutter mich auf Miss Thorndykes Mädchenschule in St. Louis geschickt hat. Dort war ich die Jüngste, was aber nicht weiter schlimm war, weil mein Daddy im Schulausschuss saß und sich um alles gekümmert hat. Erst gefiel es mir gar nicht in der Schule, aber später habe ich sie geliebt. Die Mädchen waren alle sehr nett und wohlerzogen, und ich fand einige Freundinnen fürs Leben und ...«

Stoner hatte sich wieder umgedreht, sobald sie zu reden begann, und betrachtete sie mit einem Erstaunen, das sein Gesicht nicht verriet. Der Blick war starr, die Miene ausdruckslos, und ihre Lippen bewegten sich, als läse sie ihm, ohne ein Wort zu verstehen, aus einem unsichtbaren Buch vor. Langsam ging er durchs Zimmer zu ihr zurück und setzte sich wieder neben sie. Sie schien ihn nicht wahrzunehmen; ihre Augen blieben unverwandt geradeaus gerichtet, und sie fuhr fort, ihm von sich zu erzählen, als hätte er sie darum gebeten. Er wollte ihr sagen, sie solle aufhören, wollte sie trösten, sie berühren, doch tat er nichts und sagte nichts.

Sie redete weiter, und nach einer Weile begann er zu hören, was sie sagte. Erst Jahre später ging ihm auf, dass sie ihm in den anderthalb Stunden jenes Dezemberabends, an dem sie zum ersten Mal längere Zeit miteinander verbrachten, mehr über sich erzählt hatte, als sie es je wieder tun sollte. Kaum war es vorbei, spürte er, dass sie einander auf eine Weise fremd waren, die er nicht erwartet hätte; und er wusste, er hatte sich verliebt.

*

Edith Elaine Bostwick war sich vermutlich gar nicht bewusst, was sie William Stoner an jenem Abend erzählte, und wäre sie es gewesen, hätte sie nicht ahnen können, welche Bedeutung ihre Worte für ihn gewannen. Stoner aber behielt, was sie gesagt hatte, und sollte es nie vergessen; was er hörte, war eine Art Beichte, und was er zu verstehen meinte, war eine Bitte um Hilfe.

Als er sie besser kennenlernte, erfuhr er mehr über ihre Kindheit; und ihm wurde klar, wie typisch sie für ein Mädchen ihrer Zeit und Herkunft gewesen war. Edith wurde in der Annahme erzogen, dass sie behütet bliebe vor den raueren Ereignissen, die das Leben mit sich bringen mochte, wie auch in der Annahme, dass sie keine andere Aufgabe zu erfüllen hätte, als ein so graziöses wie manierliches Accessoire in ebendiesem behüteten Leben zu sein, gehörte sie doch einer gesellschaftlichen und wirtschaftlichen Schicht an, für die dieses behütete Leben eine geradezu heilige Verpflichtung bedeutete. Sie ging auf Privatschulen für Mädchen, wo sie Lesen, Schreiben und einfache Rechenaufgaben zu lösen lernte; und sie wurde in ihrer Freizeit angehalten, Klavier zu spielen, zu sticken, Aquarelle zu malen oder sich über einige der dezenteren Werke der Literatur zu verbreiten. Außerdem erhielt sie Unterricht in Fragen der Mode, in Körperhaltung, Moral und damenhafter Diktion.

Die moralische Erziehung, wie sie Edith sowohl in der Schule als auch daheim erhielt, war dem Wesen nach negativ, im Kern verbietend und nahezu ausschließlich auf das Sexuelle gerichtet. Nur blieb die Sexualität indirekt und uneingestanden, weshalb sie jeden Bereich einer Ausbildung prägte, die ihre Energie größtenteils aus ebendieser verborgenen und unbenannten moralischen Kraft zog. Edith lernte, dass sie Pflichten gegenüber ihrem Gatten und ihrer Familie haben würde, die es zu erfüllen galt.

Selbst in den gewöhnlichsten Augenblicken des Familienlebens verlief ihre Kindheit steif und förmlich. Die Eltern wahrten stets eine distanzierte Höflichkeit; nie erlebte Edith, dass sie einander mit der spontanen Emotion von Ärger oder Liebe begegneten. Ärger bedeutete Tage höflichen Schweigens, Liebe war ein Wort höflicher Zuneigung. Edith blieb ein Einzelkind, und Einsamkeit gehörte zu den frühesten Befindlichkeiten ihres Lebens.

Also wuchs sie mit einem zarten Talent für die vornehmeren Künste auf und besaß keinerlei Kenntnis von den Zwängen des alltäglichen Lebens. Ihre Stickarbeiten waren delikat und nutzlos; sie malte neblige Landschaften in verwaschenen Aquarelltönen, spielte Klavier mit präzisem, doch kraftlosem Anschlag und besaß nicht die geringste Kenntnis ihrer eigenen Körperfunktionen, hatte sie sich doch nie auch nur einen Tag ihres Lebens allein um sich selbst kümmern müssen, noch wäre ihr je in den Sinn gekommen, sie könne einmal für das Wohlergehen eines anderen Menschen verantwortlich sein. Ihr Leben war unveränderlich wie ein tiefer Summton, und dass es so blieb, darüber wachte ihre Mutter, die, als Edith noch ein Kind war, stundenlang und als wäre eine andere Beschäftigung für sie beide gar nicht denkbar, dabei zusah, wie ihre Tochter Bilder malte oder Klavier spielte.

Im Alter von dreizehn Jahren machte Edith die übliche geschlechtliche Entwicklung durch; allerdings durchlief sie eine körperliche Veränderung, die eher ungewöhnlicher Natur war. Im Laufe nur weniger Monate wuchs sie fast um dreißig Zentimeter, sodass sie beinahe die Größe eines erwachsenen Mannes erreichte. Davon, dass es zwischen ihrem schlaksigen Körper und einer neuen, ungewohnten Sexualität einen Zusammenhang gab, sollte sie sich nie mehr erholen. Zudem vertieften die Veränderungen eine angeborene Schüchternheit – Edith hielt sich von ihren Klassenkameradinnen fern, hatte auch zu Hause niemanden, mit dem sie reden konnte, und kehrte sich mehr und mehr nach innen.

In diese innere Privatsphäre drang nun William Stoner vor. Und etwas Unvermutetes geschah, ein Instinkt regte sich und ließ sie ihn zurückrufen, als er zur Tür ging, ließ sie rasch und so verzweifelt reden, wie sie nie zuvor geredet hatte und nie wieder reden würde.

*

Während der nächsten zwei Wochen sah er Edith fast jeden Abend. Sie gingen gemeinsam zu einem von der neuen Musikfakultät unterstützten Konzert, und an Abenden, an denen es nicht allzu kalt war, spazierten sie gemächlich durch die Straßen von Columbia, meist aber saßen sie in Mrs Darleys Salon. Manchmal unterhielten sie sich, oder Edith spielte ihm etwas vor, und während er zuhörte, beobachtete er, wie ihre Hände matt über die Tasten wanderten. Nach ihrem

Gespräch am ersten Abend blieben die Unterhaltungen seltsam unpersönlich; und es gelang Stoner nicht noch einmal, sie aus der Reserve zu locken; als er merkte, wie peinlich ihr seine Anstrengungen waren, stellte er sie ein. Dennoch gab es zwischen ihnen eine gewisse Leichtigkeit, und er glaubte, sie besäßen eine Übereinkunft. Weniger als eine Woche bevor Edith nach St. Louis zurückkehren sollte, gestand er ihr seine Liebe und machte ihr einen Antrag.

Zwar hatte er keine Vorstellung davon, wie sie seine Erklärung und seinen Antrag aufnehmen würde, doch ihr Gleichmut überraschte ihn. Nachdem er geredet hatte, bedachte sie ihn mit einem langen, zugleich abwägenden und eigenartig kühnen Blick; und er musste an jenen ersten Nachmittag denken, an dem er um ihre Erlaubnis gebeten hatte, sie besuchen zu dürfen, daran, wie sie ihn von der Tür her angeschaut und ein kalter Wind geweht hatte. Dann wich dieser Blick, doch kam Stoner die Überraschung, die sich anschließend auf ihrem Gesicht zeigte, unwirklich vor. Edith sagte, in diesem Sinne hätte sie eigentlich nie an ihn gedacht, hätte sich derlei nie vorgestellt und wisse nun nicht recht.

»Aber du musst doch gemerkt haben, dass ich dich liebe«, sagte er. »Ich wüsste nicht, wie ich das hätte verbergen können.«

Mit einem Hauch von Temperament erwiderte sie: »Nein, habe ich nicht. Ich habe nichts dergleichen gemerkt.«

»Dann muss ich es dir noch einmal sagen«, erwiderte er sanft. »Und du musst dich daran gewöhnen. Ich liebe dich, und ich kann mir nicht vorstellen, ohne dich zu leben.«

Sie schüttelte wie verwirrt den Kopf. »Aber meine Europareise«, sagte sie leise. »Tante Emma …«

Er spürte, wie ein Lachen in seiner Kehle aufstieg, und in frohem Zutrauen erwiderte er: »Ach, Europa. Ich zeige dir Europa. Eines Tages fahren wir zusammen hin.«

Sie wandte sich von ihm ab und legte die Fingerspitzen an die Stirn. »Du musst mir Zeit zum Nachdenken lassen. Und ich muss mit Mutter und Daddy reden, ehe ich auch nur ernsthaft …«

Weiter mochte sie sich nicht festlegen. Vor ihrer Abreise nach St. Louis in wenigen Tagen würde sie ihn nicht wiedersehen, weshalb sie ihm schreiben wollte, nachdem sie mit den Eltern gesprochen und selbst einen Entschluss gefasst hatte. Als er an diesem Abend ging, beugte er sich vor, um sie zu küssen, sie aber wandte den Kopf ab, sodass seine Lippen nur die Wange streiften. Sie drückte ihm leicht die Hand und ließ ihn zur Vordertür hinaus, ohne ihn noch einmal anzusehen.

Zehn Tage später erhielt er besagten Brief. Es war ein seltsam förmliches Schreiben, das mit keinem Wort darauf einging, was sich zwischen ihnen ereignet hatte, und nur erwähnte, dass Edith es gern sähe, wenn er ihre Eltern kennenlernte, und dass sie sich alle darauf freuten, ihn begrüßen zu dürfen, wenn er, sofern ihm dies möglich sei, am nächsten Wochenende nach St. Louis käme.

Ediths Eltern begegneten ihm mit genau der kühlen Höflichkeit, die er von ihnen erwartet hatte; und sie versuchten gleich, ihm jegliches Gefühl von Leichtigkeit zu nehmen, das er noch gehabt haben mochte. So stellte ihm etwa Mrs Bostwick eine Frage und reagierte auf seine Antwort mit einem langgezogenen ›ja-a‹ in höchst zweifelhaftem Ton, um ihn dann so neugierig anzusehen, als hätte er einen Pickel im Gesicht oder eine blutende Nase. Wie Edith war sie groß und hager, und anfangs irritierte Stoner diese unerwartete Ähnlichkeit, doch waren Mrs Bostwicks Züge grob und lethargisch, ohne jede Andeutung von Feinsinnigkeit oder Stärke, und ihr Gesicht verriet die tiefen Spuren dessen, was man wohl eine notorische Unzufriedenheit nennen konnte.

Horace Bostwick war ebenfalls groß gewachsen, nur wirkte er auf merkwürdige und beinahe substanzlose Weise füllig, fast korpulent; ein Kranz grauer Haare umlockte den ansonsten kahlen Schädel, und vom Kiefer hing die Haut in schlaffen Falten herab. Wenn er mit Stoner sprach, blickte er über dessen Kopf hinweg, als ob er hinter ihm etwas sähe, und wenn Stoner antwortete, trommelte er mit dicken Fingern auf den gepaspelten Längssaum seiner Weste.

Edith begrüßte Stoner, als wäre er ein zufälliger Besucher, dann ließ sie sich unbekümmert treiben und ging belanglosen Aufgaben nach. Er folgte ihr mit den Blicken, konnte sie aber nicht bewegen, ihn anzusehen.

Es war das größte und eleganteste Haus, in dem Stoner sich je aufgehalten hatte. Die Zimmer waren dunkel, sehr hoch und vollgestellt mit Vasen aller Art und Größe, mit matt glänzenden Silbergefäßen auf marmorbelegten Tischen, Kommoden und Truhen sowie mit überaus delikat geformten Möbeln, die mit reich verzierten Stoffen bezogen waren. Sie gingen durch mehrere Zimmer zu einem Salon, in dem, so murmelte Mrs Bostwick, sie und ihr Gatte mit Freunden gern zwanglos zusammensaßen und plauderten. Stoner nahm in einem Sessel Platz, der so zerbrechlich aussah, dass er nicht wagte, sich darauf zu bewegen; er meinte spüren zu können, wie der Sessel unter seinem Gewicht nachgab.

Edith war verschwunden; nahezu hektisch sah Stoner sich nach ihr um, doch kam sie beinahe zwei Stunden nicht wieder zurück in den Salon, sondern erst, nachdem Stoner und die Eltern ihr ›Gespräch‹ gehabt hatten.

Das ›Gespräch‹ verlief indirekt, anspielungsreich und zäh und wurde immer wieder von langem Schweigen unterbrochen. Horace Bostwick hielt kurze Reden über sich selbst, die er an eine Stelle gut zehn Zentimeter über Stoners Kopf richtete, wodurch dieser erfuhr, dass Bostwick ein Bostoner war, dessen Vater in Neuengland gegen Ende seines Lebens nicht nur die eigene Karriere im Bankgeschäft, sondern auch die Zukunft seines Sohnes durch eine Reihe törichter Investitionen ruiniert hatte, aufgrund derer das Bankhaus schließen musste. (»Verraten«, erklärte Bostwick der Zimmerdecke, »von falschen Freunden.«) So war der Sohn kurz nach dem Bürgerkrieg mit der Absicht nach Missouri gekommen, weiter in Richtung Westen zu ziehen, doch sollte er nie über Kansas City hinauskommen, wohin ihn gelegentliche Geschäftsreisen führten. Eingedenk des väterlichen Scheiterns oder des Verrats gab er seine erste Stelle bei einer kleinen Bank in St. Louis nie wieder auf und heiratete mit Ende dreißig, finanziell als Junior-Vizepräsident abgesichert, ein ortsansässiges Mädchen aus gutem Hause. Der Ehe entsprang ein einziges Kind; Bostwick hatte sich einen Sohn gewünscht, bekam aber eine Tochter, und das war eine weitere Enttäuschung, die er kaum zu verbergen suchte. Wie so viele Menschen, die ihren Erfolg ungenügend finden, war er über die Maßen eitel und verzehrt vom Gefühl der eigenen Bedeutsamkeit. Alle zehn oder fünfzehn Minuten zog er aus seiner Westentasche eine große goldene Uhr, warf einen Blick darauf und nickte gedankenschwer.

Mrs Bostwick sprach weniger und auch nicht so direkt über sich selbst, doch machte sich Stoner rasch ein Bild von ihr. Sie gehörte zu einem gewissen Typ Südstaatendame und stammte aus alter, diskret verarmter Familie, aufgewachsen in der Annahme, dass die beschränkten Bedingungen, unter denen die Familie darbte, ihrem Status unangemessen waren. Man hatte ihr beigebracht, nach einer Verbesserung dieses Zustands zu trachten, ohne die Art dieser Verbesserung je genau zu benennen. Die Ehe mit Horace Bostwick hatte sie mit einer derart zur Gewohnheit gewordenen Unzufriedenheit geschlossen, dass diese längst Bestandteil ihrer Persönlichkeit geworden war. Im Laufe der Jahre wuchsen Unzufriedenheit und Bitterkeit noch, wodurch sie so allgemein und umfassend wurden, dass kein Kraut mehr dagegen gewachsen zu sein schien. Ihre Stimme war schrill und hoch, und es schwang darin eine Hoffnungslosigkeit mit, die jedem Wort, das sie sagte, eine eigene Bedeutsamkeit verlieh.

Es war später Nachmittag, ehe auch nur einer von ihnen erwähnte, weshalb sie zusammengekommen waren.

Sie erzählten Stoner, wie sehr ihnen Edith am Herzen liege, wie besorgt sie um ihr künftiges Glück seien, und redeten von den Vorteilen, die ihre Tochter genossen habe. Stoner saß in qualvoller Verlegenheit vor ihnen und versuchte, Antworten zu geben, von denen er hoffte, dass man sie für angemessen hielt.

»Ein außergewöhnliches Mädchen«, sagte Mrs Bostwick. »So sensibel.« Die Falten in ihrem Gesicht vertieften sich, als sie mit alter Bitterkeit fortfuhr: »Kein Mann – niemand kann in vollem Maße verstehen, wie zart … wie …«

»Ja«, unterbrach Horace sie knapp. Und er begann, Stoner nach dessen ›Aussichten‹ zu befragen. Stoner antwortete, so gut er es eben vermochte, hatte aber nie zuvor über seine ›Aussichten‹ nachgedacht und war überrascht, wie bescheiden sie sich anhörten.

Bostwick sagte: »Und außer Ihrem Beruf haben Sie weiter keine … Mittel?«

»Nein, Sir«, erwiderte Stoner.

Betrübt schüttelte Mr Bostwick den Kopf. »Edith hat gewisse … Vorteile … gehabt, wissen Sie. Ein gutes Zuhause, Dienstboten, die besten Schulen. Ich frage mich – also, ich beginne zu fürchten, dass sie bei dem reduzierten Standard, wie er durch Ihre … ähm, Bedingungen … gewiss unvermeidlich wird, nun, dass sie …« Seine Stimme wurde leiser und verstummte schließlich.

Stoner fühlte Übelkeit in sich aufsteigen, aber auch Wut. Er wartete einen Augenblick, ehe er antwortete, und sagte dann so gefasst und ausdruckslos, wie es ihm nur möglich war: »Ich muss gestehen, Sir, dass ich derlei materielle Fragen noch nicht bedacht habe. Ediths Glück ist natürlich mein … Falls Sie glauben, Edith könnte unglücklich werden, dann muss ich …« Er schwieg, suchte nach Worten und wollte Ediths Vater von seiner Liebe zu dessen Tochter überzeugen, davon, wie gewiss er sich ihres gemeinsamen Glücks war, von der Art Leben, das sie führen würden. Doch redete er nicht weiter. Er hatte auf Horace Bostwicks Gesicht einen Ausdruck solcher Sorge, Verzweiflung und beinahe Furcht entdeckt, dass er überrascht verstummte.

»Nein«, warf Horace Bostwick hastig ein, und seine Miene klärte sich. »Sie haben mich missverstanden. Ich wollte lediglich versuchen, Ihnen gewisse … Schwierigkeiten … darzulegen, die in Zukunft auf Sie zukommen könnten. Aber ich bin mir sicher, ihr jungen Leute habt diese Dinge ausgiebig besprochen, und ich denke, Sie konnten sich bereits Ihre Meinung bilden. Ich respektiere Ihr Urteil und …«

Damit war es abgemacht. Es wurden noch einige Worte gesagt, und Mrs Bostwick fragte sich laut, wo Edith nur während all der Zeit geblieben war. Mit ihrer hohen, schrillen Stimme rief sie laut den Namen ihrer Tochter, und wenige Augenblicke später betrat Edith das Zimmer, in dem sie alle auf sie warteten. Sie sah Stoner nicht an.

Horace Bostwick sagte, er und der ›junge Mann‹ hätten ein nettes Gespräch geführt und dass sie beide, er und ihre Mutter, ihnen ihren Segen gaben. Edith nickte.

»Und nun«, sagte die Mutter, »müssen wir Pläne schmieden. Eine Hochzeit im Frühjahr. Oder vielleicht im Juni.«

»Nein«, sagte Edith.

»Wie bitte, Liebes?«, fragte ihre Mutter sanft.

»Wenn es denn sein soll«, sagte Edith, »dann soll es möglichst rasch geschehen.«

»Die Ungeduld der Jugend«, sagte Mr Bostwick und räusperte sich. »Aber möglicherweise hat deine Mutter recht, mein Liebes. Es gilt Pläne zu machen, und dafür ist Zeit vonnöten.«

»Nein«, sagte Edith erneut, und in ihrer Stimme schwang eine Festigkeit mit, die sie alle zu ihr hinüberblicken ließen. »Es muss bald sein.«

Darauf herrschte Stille. Dann sagte ihr Vater in überraschend gutmütigem Ton: »Also schön, mein Liebes. Wie du willst. Ihr jungen Leute habt wohl eure eigenen Pläne.«

Edith nickte, murmelte etwas von einer Arbeit, die sie zu erledigen habe, und schlüpfte aus dem Zimmer. Stoner sah sie erst zum Abendessen wieder, über das Horace Bostwick in herrschaftlichem Schweigen präsidierte. Nach dem Essen spielte Edith Klavier, doch spielte sie steif und schlecht und machte viele Fehler. Dann erklärte sie, sie fühle sich nicht wohl, und zog sich auf ihr Zimmer zurück.

Im Gästezimmer in jener Nacht konnte William Stoner nicht schlafen. Er starrte ins Dunkel, staunte darüber, welch seltsame Entwicklung sein Leben genommen hatte, und fragte sich zum ersten Mal, ob das, was er vorhatte, wirklich vernünftig war. Bei dem Gedanken an Edith fühlte er sich jedoch ein wenig beruhigt und sagte sich, dass sich gewiss alle Männer so unsicher fühlten, wie er es plötzlich geworden war, und dass sie wohl die gleichen Zweifel hegten.

Am nächsten Morgen musste er mit einem frühen Zug zurück nach Columbia, weshalb nach dem Frühstück nur noch wenig Zeit blieb. Er wollte die Straßenbahn zum Bahnhof nehmen, aber Mr Bostwick bestand darauf, ihn von einem der Dienstboten im Landauer fahren zu lassen. Edith würde in einigen Tagen Näheres über die Hochzeitspläne schreiben. Stoner dankte den Bostwicks und wünschte ihnen Lebwohl; sie begleiteten ihn und Edith bis zur Haustür. Er hatte schon fast das Gartentor erreicht, als er eilige Schritte hinter sich hörte. Er drehte sich um. Es war Edith. Steif und hochgewachsen stand sie vor ihm, das Gesicht blass, und sah ihn direkt an.

»Ich will versuchen, dir eine gute Frau zu sein, William«, sagte sie. »Ich will es versuchen.«

Ihm fiel auf, dass er zum ersten Mal, seit er zu den Bostwicks gekommen war, mit dem Vornamen angesprochen worden war.

IV

AUS GRÜNDEN, DIE EDITH ZU ERKLÄREN SICH WEIGERTE, wollte sie nicht in St. Louis heiraten, weshalb die Hochzeit in Columbia stattfand, und zwar in jenem großen Salon von Emma Darley, in dem sie ihre ersten gemeinsamen Stunden verbracht hatten. Es war Anfang Februar, gleich nach Beginn der Semesterferien. Die Bostwicks nahmen den Zug von St. Louis, und Williams Eltern, die Edith noch nicht kannten, verließen ihre Farm und kamen am Samstagnachmittag an, einen Tag vor der Hochzeit.

Stoner wollte sie in einem Hotel unterbringen, doch zogen sie es vor, bei den Footes zu wohnen, obwohl die Footes sich kalt und abweisend verhalten hatten, seit William nicht mehr für sie arbeitete.

»Wüsste nicht, wie man sich in einem Hotel benimmt«, sagte sein Vater ernst. »Und die Footes können uns ruhig für eine Nacht bei sich aufnehmen.«

Am Abend mietete William einen Einspänner und fuhr mit den Eltern in die Stadt zu Emma Darleys Haus, damit sie Edith kennenlernen konnten.

An der Tür begrüßte sie Mrs Darley, die Williams Eltern mit kurzem, verlegenem Blick musterte und sie dann ins Wohnzimmer bat, wo sie sich so vorsichtig setzten, als fürchteten sie, sich in ihren steifen neuen Kleidern zu bewegen.

»Ich weiß nicht, wo Edith nur bleibt«, murmelte Mrs Darley nach einer Weile. »Wenn Sie mich bitte entschuldigen wollen.« Sie ging aus dem Zimmer zu ihrer Nichte.

Nach längerem Warten kam Edith schließlich. Zögerlich trat sie ins Wohnzimmer, widerstrebend, mit einer Art verängstigtem Trotz.

Man erhob sich, stand mehrere Augenblicke zu viert verlegen da und wusste nicht, was sagen. Dann trat Edith steif vor und gab erst Williams Mutter, dann seinem Vater die Hand.

»Wie geht es Ihnen?«, fragte Letzterer höflich, während er ihre Hand wieder losließ, als fürchtete er, sie zu zerbrechen.

Edith blickte ihn an, versuchte zu lächeln und wich zurück. »Setzen Sie sich doch«, sagte sie. »Bitte, setzen Sie sich.«

Sie setzten sich. William sagte irgendwas. Er fand, seine Stimme klang angespannt.

Als spräche sie einen Gedanken laut aus, sagte seine Mutter leise und wie erstaunt in die Stille: »Du meine Güte, sie ist ein schönes Ding, nicht?«

William lachte kurz und sagte sanft: »Ja, Ma, das ist sie.«

Danach fiel ihnen die Unterhaltung ein wenig leichter, auch wenn sie sich weiterhin nur hastige Blicke zuwarfen, um gleich darauf irgendwo ins Zimmer zu starren. Edith murmelte, sie freue sich, sie zu sehen, und es tue ihr leid, dass sie sich nicht schon früher kennengelernt hätten.

»Wenn wir uns eingerichtet haben …« Sie schwieg, und William fragte sich, ob sie den Satz zu Ende sprechen würde. »Wenn wir uns eingerichtet haben, müssen Sie uns mal besuchen kommen.«

»Danke, sehr nett von Ihnen«, erwiderte seine Mutter.

Das immer wieder von langem Schweigen unterbrochene Gespräch zog sich hin, und Edith wurde zunehmend nervös. Ein-, zweimal antwortete sie nicht auf eine Frage, die ihr jemand gestellt hatte. Schließlich erhob William sich, und auch seine Mutter blickte sich unruhig um und stand auf. Nur sein Vater rührte sich nicht. Er sah Edith offen an und ließ seinen Blick lange auf ihr ruhen.

Dann sagte er: »William ist immer ein guter Junge gewesen. Und ich bin froh, dass er eine gute Frau gefunden hat. Ein Mann braucht eine Frau, die sich um ihn kümmert und ihm Trost spendet. Seien Sie nur gut zu William. Er sollte wirklich jemanden haben, der gut zu ihm sein kann.«

Wie im Schock zuckte Ediths Kopf mit weit aufgerissenen Augen vor; und einen Moment lang dachte William, sie wäre wütend. Doch das war sie nicht. Sein Vater und Edith schauten sich lange an, die Blicke unverwandt.

»Ich werde es versuchen, Mr Stoner«, sagte Edith. »Ich werde es versuchen.«

Da stand sein Vater auf, verbeugte sich unbeholfen und sagte: »Es wird spät; wir machen uns besser auf den Weg.« Und er ging mit seiner formlosen, neben ihm klein aussehenden dunkelhaarigen Frau zur Tür und ließ Edith und seinen Sohn allein zurück.

Edith sagte kein Wort. Doch als William sich ihr zuwandte, um ihr eine gute Nacht zu wünschen, sah er Tränen in ihren Augen. Er beugte sich vor, küsste sie und spürte die fragile Kraft ihrer schlanken Finger auf seinen Armen.

*

Schräg fiel das kalte, klare Licht des Februarnachmittags durch die Vorderfenster des Hauses Darley und wurde von den Gestalten gebrochen, die sich im großen Salon bewegten. Neugierig standen seine Eltern allein in einem Zimmerwinkel; die erst eine Stunde zuvor mit dem Frühzug eingetroffenen Bostwicks standen neben ihnen, ohne sie anzusehen; Gordon Finch wanderte gewichtig und so besorgt umher, als führte er die Aufsicht über irgendwas; und es gab einige Leute, Freunde von Edith oder ihren Eltern, die er nicht kannte. Er hörte sich mit Gästen reden, spürte, wie seine Lippen lächelten, und vernahm Stimmen, die wie durch Stofflagen gedämpft zu ihm drangen.

Gordon Finch stand an seiner Seite; über dem dunklen Anzug glühte das verschwitzte Gesicht. Er grinste nervös. »Alles klar, Bill?«

Stoner merkte, wie sein Kopf nickte.

Finch sagte: »Hat der Verurteilte einen letzten Wunsch?«

Stoner lächelte und schüttelte den Kopf.

Finch klopfte ihm auf die Schulter. »Bleib einfach in meiner Nähe und tu, was ich dir sage; alles ist unter Kontrolle. Edith wird in wenigen Minuten unten sein.«

Er fragte sich, ob er sich an dies hier erinnern würde, wenn es vorbei war; alles schien so verschwommen, als blickte er durch einen Schleier. Er hörte sich Finch fragen: »Der Priester – ich habe ihn noch nicht gesehen. Ist er da?«

Finch lachte, schüttelte den Kopf und sagte etwas; dann ging ein Murmeln durch den Raum. Edith kam die Treppe herab.

In ihrem weißen Kleid war sie wie ein kaltes Licht, das ins Zimmer drang. Stoner wollte ihr unwillkürlich entgegengehen, spürte aber auf dem Arm Finchs Hand, die ihn zurückhielt. Edith sah blass aus, warf ihm jedoch ein kleines Lächeln zu. Dann war sie neben ihm, und sie gingen gemeinsam. Ein Fremder mit rundem Kragen stand vor ihnen; er war klein, dick, hatte ein undeutliches Gesicht, murmelte irgendwas und blickte dabei in ein weißes Buch in seinen Händen. William hörte sich in das Schweigen hinein antworten. Er spürte, wie Edith an seiner Seite zitterte.

Dann folgte eine lange Stille, wieder Gemurmel, darauf Gelächter. Jemand sagte: »Küss die Braut!« Er wurde herumgedreht; Finch grinste ihn an. Er lächelte auf Edith hinab, deren Gesicht vor ihm schwamm, und er küsste sie; ihre Lippen waren so trocken wie seine.

Er fühlte, wie ihm die Hand geschüttelt wurde; Leute klopften auf seinen Rücken, lachten, drängten sich in den Raum. Immer mehr kamen durch die Tür. Auf dem langen Tisch am gegenüberliegenden Ende des Salons tauchte ein großes Kristallgefäß mit Punsch auf. Es gab Kuchen. Jemand hielt seine und Ediths Hand übereinander; da war ein Messer; er begriff, dass man von ihm erwartete, ihre Hand zu führen, während sie den Kuchen anschnitt.

Dann wurde er von Edith getrennt und konnte sie im Gewühl nicht wiederfinden. Er redete und lachte, nickte und blickte sich nach Edith um und sah seine Mutter und seinen Vater noch immer in derselben Ecke des Salons stehen, aus der sie sich nicht fortgerührt hatten. Mutter lächelte; Vater hatte ihr unbeholfen eine Hand auf die Schulter gelegt. Er wollte zu ihnen, konnte sich aber nicht von jenen lösen, mit denen er gerade sprach.

Dann entdeckte er Edith. Sie stand bei ihrem Vater, ihrer Mutter sowie ihrer Tante, und der Vater blickte mit leichtem Stirnrunzeln über den Salon, als fehlte es ihm an Geduld.

Ediths Mutter weinte, rote, verquollene Augen über schweren Wangenknochen, der Mund wie bei einem schmollenden Kind nach unten verzogen. Mrs Darley und Edith hatten die Arme um sie gelegt, und Mrs Darley redete so rasch auf sie ein, als versuche sie, ihr etwas zu erklären. Selbst über den Salon hinweg konnte William allerdings sehen, dass Edith stumm blieb; ihr Gesicht war wie eine Maske, weiß und ausdruckslos. Kurz darauf führte man Mrs Bostwick nach draußen, und William sah Edith erst wieder, als der Empfang vorbei war, Gordon Finch ihm etwas ins Ohr flüsterte, ihn zu einer Seitentür geleitete, die in einen kleinen Garten führte, und ihn nach draußen schob. Edith wartete dort, dick eingemummelt gegen die Kälte, den Kragen hochgeschlagen, sodass er ihr Gesicht nicht sehen konnte. Gordon Finch lachte, sagte Worte, die William nicht verstand, und drängte sie beide einen Weg entlang zur Straße, wo eine Kutsche mit Verdeck darauf wartete, sie zum Bahnhof zu fahren. Erst als sie im Zug saßen, der sie zu ihrer Flitterwoche nach St. Louis bringen sollte, begriff William Stoner, dass alles vorbei war und er eine Frau hatte.

*

Sie begannen ihre Ehe unschuldig, wenn auch auf sehr verschiedene Weise unschuldig. Beide waren sie jungfräulich, und sie wussten um ihre Unerfahrenheit, doch wohingegen der auf einer Farm aufgewachsene William die natürlichen Lebensprozesse nicht weiter bemerkenswert fand, waren sie für Edith unerwartet und ein großes Mysterium. Sie wusste nichts darüber, und etwas in ihr wollte auch nichts darüber wissen.

Wie für so viele Frischvermählte waren ihre Flittertage ein Debakel, doch wollten sie sich dies nicht eingestehen, und auch die Bedeutung dieses Debakels begriffen sie erst sehr viel später.

Am Sonntagabend trafen sie in St. Louis ein. Umgeben von Fremden, die sie neugierig und wohlwollend musterten, war Edith im Zug aufgedreht, beinahe fröhlich gewesen. Sie lachten, hielten sich an der Hand und redeten über die kommenden Tage. In der Stadt dann, als William eine Kutsche aufgetrieben hatte, die sie zu ihrem Hotel brachte, schlug Ediths Ausgelassenheit ins leicht Hysterische um.

Lachend trug er sie halb durch den Eingang des Ambassador-Hotels, ein mächtiges Gebäude aus braunem Sandstein. Die Lobby lag fast verlassen da, dunkel und mächtig wie eine Höhle. Bei ihrem Eintritt verstummte Edith abrupt und schwankte unsicher, als sie über den weiten Fliesenboden zum Empfangstisch gingen. Kaum waren sie dann auf ihrem Zimmer, schien sie nahezu körperlich krank zu sein, zitterte wie im Fieber, und die Lippen hoben sich blau von der kalkweißen Haut ab. William wollte einen Arzt rufen, doch beharrte Edith darauf, dass sie nur müde sei und etwas Ruhe brauche. Ernst unterhielten sie sich über die Anstrengungen des Tages, und Edith deutete eine Schwäche an, die ihr von Zeit zu Zeit zu schaffen mache. Ohne ihn anzuschauen und ohne die Stimme zu verändern, murmelte sie, sie wolle, dass ihre ersten gemeinsamen Stunden vollkommen seien.

Und William sagte: »Das sind sie, Liebes. Das werden sie sein. Du musst dich ausruhen. Unsere Ehe beginnt morgen.«

Und wie so manch ein Bräutigam, von dem er gehört und

auf dessen Kosten er sich gelegentlich lustig gemacht hatte, verbrachte er die Hochzeitsnacht nicht an der Seite seiner Frau, sondern rollte den langen Leib auf einem unbequemen, kleinen Sofa zusammen, lag schlaflos da und blickte mit offenen Augen in die vergehende Nacht.

Er wachte früh auf. Ihre Suite, als Hochzeitsgeschenk von Ediths Eltern gebucht und bezahlt, lag im zehnten Stock und bot einen weiten Blick über die Stadt. Leise rief er nach Edith, die wenige Minuten später aus dem Schlafzimmer kam, sich die Schärpe um den Morgenmantel band, verschlafen gähnte und ein wenig lächelte. William spürte, wie ihm die Liebe zu ihr die Kehle zudrückte, nahm Edith an der Hand, und zusammen standen sie vor dem Fenster im Wohnzimmer und blickten in die Tiefe. Automobile, Fußgänger und Kutschen schoben sich unter ihnen durch die engen Straßen; und sie fühlten sich dem Alltag und Streben der Menschen enthoben. In der Ferne, hinter quadratischen Gebäuden aus rotem Ziegel gerade noch zu erkennen, schlängelte sich der Mississippi bläulich-braun in der Morgensonne; Flussboote und Schlepper glitten wie Spielzeuge durch seine langen Kurven, und ihre Schornsteine gaben in rauen Mengen grauen Rauch in die winterliche Luft ab. Eine Art Ruhe überkam ihn; er legte den Arm um seine Frau und drückte sie leicht an sich, während sie beide auf eine Welt hinabschauten, die ihnen voller Versprechen und stillem Abenteuer zu sein schien.

Sie frühstückten zeitig. Edith wirkte erfrischt, gänzlich erholt von ihrer Unpässlichkeit am Abend zuvor; sie war fast wieder fröhlich und blickte William mit einer Innigkeit und Wärme an, die er ihrer Dankbarkeit und Liebe zuschrieb. Sie erwähnten den Abend zuvor mit keinem Wort; nur gelegentlich schaute Edith auf ihren neuen Ring und drehte daran.

*

Sie zogen sich warm an, spazierten durch die Straßen von St. Louis, die sich gerade erst mit Passanten füllten, und blieben vor den Schaufenstern stehen. Sie redeten über die Zukunft und fragten sich nachdenklich, wie sie zu füllen sei, während William allmählich jene Leichtigkeit und sprachliche Gewandtheit wiederfand, die er zu Beginn seines Werbens um diese Frau entdeckt hatte, die nun seine Gattin geworden war. Edith hing an seinem Arm und schien ihm so aufmerksam zuzuhören wie nie zuvor. Ihren vormittäglichen Kaffee tranken sie in einem kleinen, freundlichen Lokal und sahen dabei den durch die Kälte huschenden Fußgängern nach. Sie fanden eine Kutsche, die sie zum Kunstmuseum brachte. Arm in Arm wanderten sie durch die hohen Hallen, deren satte Lichtflut von den Bildern zurückgestrahlt wurde. In der Stille, der Wärme, der Luft, denen die alten Gemälde und Statuen eine Aura der Zeitlosigkeit verliehen, empfand William Stoner eine Woge der Zuneigung für diese groß gewachsene, zarte junge Frau an seiner Seite und fühlte in sich eine ruhige Leidenschaft für sie aufsteigen, so warm und sinnlich wie die Farben, die von den Wänden ringsum auf ihn eindrangen.

Als sie am späten Nachmittag wieder nach draußen kamen, hatte sich der Himmel zugezogen, und es fiel ein leichter Nieselregen, doch trug William Stoner noch die Wärme in sich, die er im Museum aufgesogen hatte. Kurz nach Sonnenuntergang waren sie zurück im Hotel; Edith ging ins

Schlafzimmer, um sich auszuruhen, und William telefonierte mit dem Empfang, um ein leichtes Abendessen aufs Zimmer bringen zu lassen. Einer plötzlichen Eingebung folgend ging er dann selbst nach unten in die Bar und bat, man möge eine Flasche Champagner kaltstellen und in einer Stunde nach oben schicken. Der Barkeeper nickte mürrisch und sagte, dass es aber kein guter Champagner sei. Seit dem 1. Juli gelte landesweit die Prohibition, und es sei nun verboten, Alkohol zu brennen. Im Keller des Hotels gebe es kaum mehr als fünfzig Flaschen Champagner unterschiedlicher Sorten. Außerdem würde er ihm mehr berechnen müssen als der Champagner eigentlich wert sei. Stoner lächelte und sagte, das gehe schon in Ordnung.

Zu besonders feierlichen Anlässen hatte Edith im Haus ihrer Eltern gelegentlich schon einen Schluck Wein getrunken, nie zuvor aber Champagner probiert. Beim Essen, das auf einem kleinen, quadratischen Tisch im Wohnzimmer angerichtet worden war, warf sie nervöse Blicke auf die seltsame Flasche im Eiskübel. Zwei weiße Kerzen glommen in matten Messinghaltern unstet gegen die Dunkelheit an; alle übrigen Lichter hatte William gelöscht. Während sie sich unterhielten, flackerte der Widerschein der Kerzen; ihr Licht fing sich in der sanften Wölbung der dunklen Flasche und glitzerte über das Eisbett. Sie waren nervös und auf gleichsam vorsichtige Weise gut gelaunt.

Ungeschickt zog er den Korken aus dem Champagner; der laute Knall ließ Edith zusammenzucken; weißer Schaum sprudelte aus dem Flaschenhals und lief ihm über die Hand. Sie lachten über seine Tollpatschigkeit, tranken einen Schluck, und Edith tat, als wäre sie beschwipst. Sie leerten ein zweites Glas. William meinte zu sehen, wie Edith eine gewisse Mattigkeit überkam, Stille sich auf ihr Gesicht senkte, Nachdenklichkeit die Augen verdunkelte. Er stand auf und trat neben dem kleinen Tisch hinter sie, legte die Hände auf ihre Schultern und staunte über seine dicken, schweren Finger auf ihrer zarten Haut, den zarten Knochen. Unter seiner Berührung versteifte sie sich, und er strich mit seinen Händen behutsam über den schlanken Hals, ließ sie sanft über das feine rötliche Haar wandern. Ihr Hals war stockstarr und so angespannt, dass die Sehnen pulsierten. Mit beiden Händen griff er unter ihre Arme und hob sie an, damit sie sich von ihrem Platz erhob; er drehte sie zu sich um. Ihre Augen, weit offen und blass, im Kerzenlicht beinahe durchsichtig, schauten ihn mit leerem Blick an. Er empfand eine ferne Nähe, Mitleid für ihre Hilflosigkeit; Verlangen schnürte ihm die Kehle zu, sodass er kein Wort hervorbrachte. Er zog sie ein wenig in Richtung Schlafzimmer und spürte raschen, störrischen Widerstand, merkte aber, wie sie im selben Augenblick willentlich diesen Widerstand verdrängte.

Er ließ die Tür zum kaum erhellten Schlafzimmer offen; Kerzenlicht glomm in der Dunkelheit. Er murmelte, als wollte er sie trösten, sie beruhigen, doch erstickten seine Worte, sodass er sich selbst nicht hören konnte. Er legte die Hände auf ihren Körper und mühte sich mit den Knöpfen ab, durch die sie sich für ihn öffnen würde. Ohne es persönlich zu meinen, stieß sie ihn jedoch fort, hielt im Dämmerlicht die Augen geschlossen, die Lippen zusammengepresst, wandte sich von ihm ab und löste mit rascher Bewegung das Kleid, das sich gleich darauf um ihre Füße fältelte. Arme und Schultern waren nackt; und als wäre ihr kalt, schauderte sie und sagte mit tonloser Stimme: »Warte nebenan. Ich bin in einer Minute fertig.« Er berührte ihre Arme, presste seine Lippen an ihre Schulter, aber sie wollte sich nicht zu ihm umdrehen.

Im Wohnzimmer starrte er in die Kerzen, die über den Resten ihres Abendessens wachten, in der Mitte die Champagnerflasche, noch halb voll. Er schenkte sich einen Schluck ein und nippte daran; der Schaumwein war warm geworden und schmeckte süßlich.

Als er wieder eintrat, lag Edith im Bett, die Decke bis ans Kinn gezogen, das Gesicht nach oben gewandt, die Augen geschlossen, auf der Stirn eine schmale Falte. So leise, als schliefe sie, zog Stoner sich aus und kroch zu ihr. Augenblicke lang lag er da mit seinem Verlangen, das etwas Unpersönliches geworden war und ihm allein gehörte, dann redete er mit Edith, als suchte er eine Zuflucht für das, was er fühlte; sie gab keine Antwort. Er berührte sie, tastete unter dem dünnen Tuch des Nachtgewands über ihre Haut, ein Gefühl, nach dem er sich sehnte. Dann streichelte er sie; Edith rührte sich nicht; die Falte wurde tiefer. Erneut begann er zu reden, sagte ihren Namen in die Stille, legte dann seinen Leib auf ihren, sanft in aller Unbeholfenheit. Als er das Weiche zwischen den Oberschenkeln berührte, drehte sie abrupt den Kopf zur Seite und hob einen Arm, um die Augen zu bedecken. Sie gab keinen Laut von sich.

Hinterher lag er neben ihr und redete zu ihr in der Stille seiner Liebe. Da hatte sie die Augen offen und starrte ihn aus dem Schatten heraus an, das Gesicht ausdruckslos. Plötzlich warf sie die Decke von sich und eilte ins Bad. Er sah das Licht angehen und hörte sie laut und erbärmlich würgen. Er rief ihren Namen, ging hinüber, aber die Badezimmertür war verschlossen. Er rief erneut, sie gab keine Antwort. Er ging zurück ins Bett und wartete. Nach mehreren Minuten Stille erlosch das Licht im Bad, die Tür ging auf. Edith kam heraus und trat steif ans Bett.

»Es war der Champagner«, sagte sie. »Das zweite Glas hätte ich nicht trinken sollen.«

Sie zog die Decke über sich und wandte ihm den Rücken zu; gleich darauf ging ihr Atem fest und regelmäßig; sie war eingeschlafen.

V

ZWEI TAGE FRÜHER ALS GEPLANT kehrten sie nach Columbia zurück, von ihrer Isolation erschöpft und so ruhelos, als lebten sie gemeinsam in einem Gefängnis. Edith sagte, sie sollten nach Columbia fahren, damit William seinen Unterricht vorbereiten und sie damit anfangen könne, es in ihrer neuen Wohnung gemütlich zu machen. Stoner willigte sofort ein – und sagte sich, dass es gewiss besser werden würde, wenn sie erst in ihren eigenen Räumen lebten und unter Menschen waren, die sie kannten, in einer vertrauten Umgebung. Am Nachmittag packten sie und saßen noch am selben Abend im Zug nach Columbia.

In den hektischen, chaotischen Tagen vor der Hochzeit hatte Stoner nur fünf Häuserblocks von der Universität entfernt eine freie Wohnung im ersten Stock eines alten, scheunenähnlichen Gebäudes gefunden. Sie war leer und düster und bestand aus einem kleinen Schlafzimmer, einer winzigen Küche und einem großen Wohnzimmer mit hohen Fenstern. Zuvor hatte ein Künstler darin gewohnt, ein Dozent, der nicht allzu sauber gewesen war; die dunklen, breiten Dielen waren übersät mit leuchtend gelben, blauen und roten Flecken, die Wände mit Dreck und Farbspritzern verschmiert. Stoner fand die Wohnung romantisch und geräumig und hielt sie für einen guten Ort, um ein neues Leben anzufangen.

Edith zog in die neue Wohnung, als wäre sie ein Feind, den es zu erobern galt. Obwohl sie körperliche Arbeit nicht gewohnt war, scheuerte sie die Farbkleckse von Boden und Wänden und fiel grimmig über den Dreck her, den sie überall verborgen glaubte. Ihre Hände bekamen Blasen, und sie sah müde aus, hatte dunkle Ringe um die Augen. Als Stoner zu helfen versuchte, wurde sie störrisch, presste die Lippen zusammen und schüttelte den Kopf; er brauche die Zeit für seine Studien, sagte sie; dies hier sei *ihre* Aufgabe. Als er ihr seine Hilfe aufdrängte, reagierte sie mürrisch und beleidigt. Verwirrt und ratlos zog er sich zurück und sah verdrossen zu, wie Edith unbeholfen fortfuhr, den glänzenden Boden und die Wände zu schrubben, an den hohen Fenstern ungleich lang genähte Vorhänge aufzuhängen und die gebrauchten Möbel, die sich allmählich ansammelten, zu reparieren, zu streichen und erneut zu übermalen. Ihrer Ungeschicktheit zum Trotz arbeitete sie mit einer stummen, wilden Entschlossenheit und war meist völlig erschöpft, wenn William am Nachmittag von der Universität nach Hause kam. Mit letzter Kraft machte sie ihm dann das Abendessen, aß selbst nur wenige Bissen und verschwand schließlich mit einem Murmeln im Schlafzimmer, um wie betäubt im Bett zu liegen, bis William am nächsten Morgen wieder zum Unterricht aus dem Haus gegangen war.

Nach einem Monat wusste er, dass seine Ehe scheitern würde, nach einem Jahr hoffte er nicht mehr darauf, dass es je besser werden würde. Er lernte, mit der Stille zu leben und nicht auf seiner Liebe zu beharren. Wenn er zärtlich mit ihr redete oder sie berührte, wandte sie sich von ihm ab, kehrte sich nach innen und wurde wortlos, erduldete ihn und trieb sich noch Tage später zu äußerster Erschöpfung. Aus einer unausgesprochenen Sturheit, die ihnen beiden eigen war, teilten sie weiterhin dasselbe Bett, und manchmal rückte sie im Schlaf unwissentlich an ihn heran. Und manchmal dann zerbrachen Entschlossenheit und besseres Wissen vor seiner Liebe, und er legte sich auf sie. War sie wach, verkrampfte und versteifte sie sich, wandte den Kopf in vertrauter Geste ab und vergrub das Gesicht im Kissen, erduldete die Schmach; und Stoner entledigte sich seiner Liebe bei diesen Gelegenheiten so rasch er nur konnte, hasste sich für seine Hast und bedauerte die Leidenschaft. Manchmal aber war sie noch halb betäubt vom Schlaf, blieb passiv und murmelte schläfrig vor sich hin, ob aus Protest oder Überraschung, hätte er nicht sagen können. Auf diese seltenen und unvorhersehbaren Momente freute er sich, erlaubte ihm ihre schlafbetäubte Nachgiebigkeit doch, sich einzureden, sie käme ihm irgendwie entgegen.

Er konnte mit ihr auch nicht über das reden, was er für ihre Unzufriedenheit hielt. Wenn er es versuchte, hielt sie das von ihm Vorgebrachte für Überlegungen zu ihrer Person, ihrem Ungenügen, weshalb sie sich ihm so gereizt entzog, wie sie es auch oft tat, wenn er sie geliebt hatte. Er schrieb es seiner Unbeholfenheit zu, wenn sie sich derart distanzierte, und übernahm die Verantwortung für das, was sie empfand.

Mit einer stillen, seiner Verzweiflung entspringenden Skrupellosigkeit versuchte er, ihr auf unterschiedliche Weise eine Freude zu machen. Er brachte ihr Geschenke mit, die sie gleichgültig annahm und dabei nur manchmal zaghaft auf die Kosten hinwies; er nahm sie auf Spaziergänge und zu Picknicks in den Wäldern rund um Columbia mit, doch wurde sie rasch müde und manchmal auch krank; er redete mit ihr über seine Arbeit so wie damals, als er noch um sie geworben hatte, allerdings zeigte sie dafür nur noch ein oberflächliches, nachsichtiges Interesse.

Obwohl er wusste, wie schüchtern sie war, bestand er schließlich doch so behutsam wie nur möglich darauf, dass sie gelegentlich Gäste empfingen. Also veranstalteten sie einen zwanglosen Teenachmittag, zu dem einige der jüngeren Dozenten und Assistenzprofessoren aus dem Fachbereich eingeladen wurden; außerdem gaben sie mehrere kleine Dinnerpartys. Edith ließ sich auf keine Weise anmerken, ob sie damit zufrieden oder unzufrieden war, doch bereitete sie diese Treffen dermaßen fieberhaft und gründlich vor, dass sie beim Eintreffen der Gäste halb verrückt vor Erschöpfung und Entkräftung war, auch wenn dies außer William niemand bemerkte.

Sie war eine gute Gastgeberin. Mit ihren Gästen unterhielt sie sich so entspannt und angeregt, dass William sie wie eine Fremde fand, und mit ihm selbst sprach sie bei diesen Gelegenheiten mit einer Vertrautheit und Zärtlichkeit, die ihn stets aufs Neue überraschte. Sie nannte ihn Willy, was ihn seltsam rührte. Und manchmal legte sie ihre zarte Hand auf seine Schulter.

Doch sobald die Gäste gingen, fiel die Fassade und offenbarte ihre Erschöpfung. Bitter redete sie dann über die gegangenen Gäste, bildete sich obskure Beleidigungen und Kränkungen ein und zählte leise und verzweifelt auf, was sie für ihre eigenen, unverzeihlichen Mängel hielt. Still saß sie in dem Durcheinander, das die Gäste hinterlassen hatten, brütete vor sich hin, ließ sich auch nicht von William aus ihrer Apathie reißen und antwortete ihm nur kurz angebunden mit flacher, monotoner Stimme.

Nur einmal zeigte die Fassade Risse, als die Gäste noch anwesend waren.

Mehrere Monate nach Stoners und Ediths Heirat hatte sich Gordon Finch mit einer jungen Frau verlobt, die er während seiner Stationierung in New York zufällig kennengelernt hatte und deren Eltern in Columbia wohnten. Finch war die Dauerstelle des stellvertretenden Dekans eingeräumt worden, und man ging stillschweigend davon aus, dass er, sollte Josiah Claremont sterben, zu den Ersten gehörte, die für das Dekanat des Colleges infrage kamen. Ein wenig verspätet lud Stoner Finch und dessen Zukünftige zur Feier der Verlobung und der neuen Anstellung zum Abendessen ein.

Sie kamen kurz vor Einbruch der Dämmerung an einem warmen Abend Ende Mai in einer neuen, glänzend schwarzen Limousine vorgefahren, die eine Reihe kleiner Explosionen von sich gab, als Finch sie gekonnt auf der Ziegelstraße vor Stoners Haus zum Stehen brachte. Er drückte auf die Hupe und winkte fröhlich, bis William und Edith die Stufen herunterkamen. Eine kleine dunkelhaarige Frau mit rundem, lächelndem Gesicht saß an seiner Seite.

Er stellte sie als Caroline Wingate vor, und zu viert unterhielten sie sich einen Moment, während Finch ihr half, aus dem Wagen zu steigen.

»Nun, wie gefällt er euch?«, fragte Finch und hieb mit der Faust auf den vorderen Kotflügel. »Ein Schmuckstück, nicht? Gehört Carolines Vater, aber ich denke daran, mir auch so einen anzuschaffen, damit …« Er verstummte, kniff die Augen zusammen und betrachtete nachdenklich, aber auch distanziert das Automobil, als wäre es die Zukunft.

Dann wurde er wieder lebhaft und fröhlich. Mit gespieltem Ernst legte er einen Zeigefinger an die Lippen, sah sich verstohlen um und griff sich eine große braune Papiertüte vom Vordersitz. »Fusel«, flüsterte er. »Direkt vom Schiff. Gib mir Feuerschutz, Kumpel, vielleicht schaffen wir es bis zum Haus.«

Das Abendessen verlief problemlos. Finch war umgänglicher, als Stoner ihn in Jahren erlebt hatte. Er musste an jenen fernen Freitagnachmittag denken, an dem er selbst, Finch und Dave Masters nach dem Seminar noch zusammengesessen, Bier getrunken und sich unterhalten hatten. Caroline, die Verlobte, redete nur wenig; meist lächelte sie zufrieden, während Finch Witze riss und ihr zublinzelte. Für Stoner war es fast ein Schock, als ihm voller Neid aufging, dass Finch diese hübsche dunkelhaarige Frau wirklich gern hatte und dass sie nur aus lauter Zuneigung für ihren Verlobten schwieg.

Sogar Edith verlor ein wenig ihre Zurückhaltung und Angespanntheit, lächelte oft, und ihr Lachen kam spontan. Stoner begriff, dass Finch mit Edith auf eine vertraute, spielerische Weise umging, die ihm, ihrem eigenen Mann, nie gelingen würde, und Edith wirkte so glücklich wie seit Monaten nicht mehr.

Nach dem Essen streifte Finch die braune Tüte von der Kühlbox, in die er zuvor den Alkohol gestellt hatte, und förderte eine Reihe dunkelbrauner Flaschen zutage. Es war selbst gebrautes Bier, das er unter äußerster Geheimhaltung und großem Brimborium im Schrank seiner Junggesellenwohnung hergestellt hatte.

»Kein Platz mehr für meine Kleider«, sagte er, »aber schließlich muss man Prioritäten setzen.«

Mit auf blasser Haut schimmerndem Licht, schütter werdendem blondem Haar und zusammengekniffenen Augen goss er, vorsichtig wie ein Apotheker, der eine seltene Substanz austeilt, das Bier in die Gläser.

»Muss aufpassen mit dem Zeugs«, erklärte er. »Am Boden sammeln sich jede Menge Ablagerungen, und die kommen ins Glas, wenn man zu schnell schüttet.«

Sie tranken jeder ein Bier und gratulierten Finch zu dem gelungenen Getränk. Es war tatsächlich überraschend gut, herb, leicht und von kräftiger Farbe. Sogar Edith trank aus und nahm noch ein zweites Glas.

Sie waren ein bisschen betrunken, lachten grundlos, wurden sentimental und sahen sich mit neuen Augen.

Stoner hielt sein Glas ans Licht und sagte: »Ich frage mich, wie Dave dieses Bier gefallen hätte.«

»Dave?«, fragte Finch.

»Dave Masters. Weißt du noch, wie gern er Bier getrunken hat?«

»Dave Masters«, erinnerte sich Finch. »Der gute alte Dave. Eine verdammte Schande.«

»Masters?«, fragte Edith und lächelte verschwommen. »War das nicht euer Freund, der im Krieg getötet wurde?«

»Ja«, erwiderte Stoner. »Genau der.« Die alte Traurigkeit überkam ihn, doch erwiderte er Ediths Lächeln.

»Der gute alte Dave«, wiederholte Finch. »Weißt du, Edith, dein Mann, Dave und ich, wir haben uns oft ordentlich einen hinter die Binde gekippt – natürlich lange ehe er dich kannte. Der gute, alte Dave.«

Sie lächelten bei der Erinnerung an David Masters.

»War er ein guter Freund?«, fragte Edith.

Stoner nickte. »Das war er.«

»Château-Thierry.« Finch trank aus. »Krieg ist die Hölle.« Er schüttelte den Kopf. »Aber der alte Dave, der lacht bestimmt gerade irgendwo über uns. Leid täte er sich jedenfalls nicht. Ich frage mich, ob er überhaupt was von Frankreich gesehen hat.«

»Weiß nicht«, antwortete Stoner. »Er wurde schon bald nach der Ankunft getötet.«

»Wäre eine Schande, wenn nicht. Ich habe immer geglaubt, etwas von Europa zu sehen, war für ihn einer der wichtigsten Gründe, sich freiwillig zu melden.«

»Europa«, wiederholte Edith undeutlich.

»Tja«, sagte Finch. »Viele Wünsche hatte er nicht, der alte Dave, aber Europa wollte er vor seinem Tod unbedingt sehen.«

»Ich wollte auch mal nach Europa«, sagte Edith. Sie lächelte, und ihre Augen schimmerten hilflos. »Weißt du noch, Willy? Kurz vor unserer Hochzeit wollte ich mit Tante Emma hinfahren. Erinnerst du dich?«

»Ich erinnere mich.«

Edith lachte unangenehm und schüttelte wie verwirrt den Kopf. »Scheint mir schon so lang vorbei zu sein, ist es aber gar nicht. Wie lang ist das jetzt her, Willy?«

»Edith …«, sagte Stoner.

»Warte mal, im April wollten wir fahren. Und dann ein Jahr. Jetzt haben wir Mai. Ich wäre also …« Plötzlich füllten sich ihre Augen mit Tränen, obwohl ihr Gesicht immer noch in einem strahlenden Lächeln erstarrt war. »Jetzt komme ich wohl nie mehr hin. Tante Emma wird bald sterben, und ich habe keine Gelegenheit mehr …«

Und dann strömten Tränen aus ihren Augen, und sie begann zu schluchzen, obwohl das Lächeln noch ihre Lippen straffte. Stoner und Finch erhoben sich aus ihren Sesseln.

»Edith«, sagte Stoner hilflos.

»Ach, lass mich in Ruhe!« Mit einer seltsam verdrehten Bewegung erhob sie sich mit einem Mal und stand vor ihnen, die Augen fest zusammengepresst, die Hände zu Fäusten geballt. »Ihr alle! Lasst mich einfach in Ruhe!« Sie wandte sich um, taumelte ins Schlafzimmer und knallte die Tür hinter sich zu.

Einen Moment lang sagte niemand ein Wort; nur Ediths gedämpftes Schluchzen war zu hören. Dann sagte Stoner: »Ihr müsst sie entschuldigen. Sie ist müde, und es geht ihr nicht allzu gut. Die Anspannung …«

»Sicher, ich weiß doch, wie das ist.« Finch lachte lahm. »Frauen! Schätze, ich werde mich schon bald dran gewöhnen müssen.« Er warf Caroline einen Blick zu, lachte erneut und senkte dann die Stimme. »Nun, wir wollen Edie nicht weiter stören. Richte ihr bitte unseren Dank aus und sag ihr, das Essen sei hervorragend gewesen. Sobald wir uns eingerichtet haben, müsst ihr auch bald mal zu uns kommen.«

»Danke, Gordon«, erwiderte Stoner. »Ich werde es ihr sagen.«

»Und mach dir keine Sorgen«, sagte Finch und boxte Stoner auf den Arm. »So was passiert schon mal.«

Nachdem Gordon und Caroline gegangen waren und nachdem er zugesehen hatte, wie der neue Wagen in die Nacht davongeröhrt und -geknattert war, stand William Stoner mitten im Wohnzimmer und lauschte Ediths trockenem, gleichmäßigem Schluchzen. Es waren merkwürdig flache, fast gefühllose Laute, die andauerten, als ob sie niemals wieder aufhören würden. Er wollte ihr gut zureden, wollte sie trösten, nur wusste er nicht, was er sagen sollte. Also stand er da und lauschte, und erst nach einer Weile fiel ihm auf, dass er Edith nie zuvor weinen gehört hatte.

*

Nach dem unglückseligen Essen mit Gordon Finch und Caroline Wingate wirkte Edith fast zufrieden und auch ruhiger als je zuvor während ihrer Ehe. Allerdings wollte sie niemanden mehr im Haus haben, und es widerstrebte ihr, die Wohnung zu verlassen. Stoner erledigte die meisten Einkäufe mithilfe von Listen, die Edith ihm in ihrer seltsam umständlichen und kindlichen Schrift auf kleine Zettel aus blauem Notizpapier schrieb. Am glücklichsten war sie offenbar, wenn sie allein war; dann saß sie stundenlang und nähte oder stickte Tischdecken und Servietten, auf den Lippen ein nach innen gekehrtes Lächeln. Immer häufiger besuchte sie zudem ihre Tante Emma Darley. Wenn William am Nachmittag von der Universität heimkam, sah er die beiden oft zusammensitzen, Tee trinken und sich so leise unterhalten, dass man glauben konnte, sie flüsterten. Sie grüßten ihn stets höflich, doch wusste William, dass sie ihn mit Bedauern kommen sahen. Nach seiner Ankunft blieb Mrs Darley selten länger als einige Minuten. Er lernte, eine unaufdringliche und behutsame Rücksicht für jene Welt an den Tag zu legen, in der Edith zu leben begonnen hatte.

Im Sommer des Jahres 1920 verbrachte er eine Woche bei seinen Eltern, während der Edith ihre Verwandten in St. Louis besuchte; er hatte seine Mutter und seinen Vater seit der Hochzeit nicht mehr gesehen.

Ein, zwei Tage arbeitete er auf dem Feld und half seinem Vater sowie dem schwarzen Landarbeiter. Doch weder der warm, feucht, unter seinen Füßen nachgebende Ackerboden noch der Geruch frisch aufgebrochener Erde weckten in ihm ein Verlangen nach Rückkehr oder ein Gefühl der Vertrautheit. Er fuhr nach Columbia zurück und verbrachte den restlichen Sommer damit, ein neues Seminar vorzubereiten, das er im kommenden akademischen Jahr halten wollte. Die meiste Zeit saß er daher in der Bibliothek und kehrte manchmal erst spätabends zu Edith in die Wohnung zurück, roch den schweren, süßlichen Geruch vom Geißblatt in der warmen Luft, wenn er an den zarten, sich allmählich verfärbenden Blättern der Hartriegelbäume vorbeilief, die gespenstisch im Dunkeln raschelten. Seine Augen brannten vor lauter Konzentration auf nur schummrig beleuchtete Texte, der Kopf war ihm schwer vom Gelesenen, und die Finger fühlten sich taub an von Pappdeckel, Papier und altem Leder, doch war er offen für die Welt, an der er seine Freude fand.

Bei den Fakultätstreffen tauchten einige neue Gesichter auf, einige vertraute fehlten, und Archer Sloanes langsamer Verfall, den Stoner bereits während des Krieges bemerkt hatte, setzte sich unaufhaltsam fort. Sloanes Hände zitterten, und er begann beim Reden immer öfter den Faden zu verlieren. Der Fachbereich selbst wurde ebenso von dem Schwung getragen, den ihm die eigene Tradition verlieh, wie von seiner bloßen Existenz.

Stoner kümmerte sich um seinen Unterricht mit einer Intensität und Leidenschaft, die manch neuem Mitglied des Fachbereichs großen Respekt abnötigte, aber auch zu einiger Besorgnis unter jenen Kollegen führte, die ihn schon länger kannten. Er sah verhärmt aus, verlor an Gewicht, und der krumme Rücken krümmte sich noch stärker. Im zweiten Semester des Studienjahres erhielt er Gelegenheit, gegen Bezahlung Extrastunden zu geben, und er nahm das Angebot an; außerdem unterrichtete er in jenem Jahr an der neuen Sommerschule, ebenfalls für ein zusätzliches Gehalt. Er hegte die vage Idee, Geld für eine Reise nach Europa zu sparen, damit er Edith zeigen konnte, worauf sie seinetwegen verzichtet hatte.

Als er im Sommer des Jahres 1921 nach einem Verweis auf ein lateinisches Gedicht suchte, das er vergessen hatte, nahm er zum ersten Mal wieder seine drei Jahre zuvor eingereichte Dissertation zur Hand und las darin. Da sie seinem Urteil standhielt, überlegte er, den Text zu redigieren und als Buch herauszubringen, auch wenn er sich ein wenig vor der eigenen Vermessenheit fürchtete. Und obwohl er diesen Sommer wieder durchgehend unterrichtete, las er noch einmal alle sachbezogenen Quellen und begann anschließend, seine Forschungen auszudehnen. Ende Januar entschied er, dass ein Buch durchaus möglich sei; zu Beginn des Frühjahrs war er so weit, dass er sich die ersten Seiten zu schreiben traute.

Es geschah im Frühling desselben Jahres, dass Edith ihm ruhig, beinahe gleichgültig erzählte, sie habe sich entschieden, sie wolle ein Kind.

*

Der Entschluss kam plötzlich und ohne erkennbaren Auslöser, weshalb Edith, als sie eines Morgens beim Frühstück, nur wenige Minuten ehe William zum ersten Unterricht musste, ihre Ankündigung machte, selbst ein wenig überrascht zu sein schien, beinahe, als hätte sie gerade eine Entdeckung gemacht.

»Was?«, fragte William. »Was hast du gesagt?«

»Ich will ein Baby«, sagte Edith. »Ich glaube, ich will ein Baby.«

Sie knabberte an einem Stück Toast, wischte sich die Lippen mit einem Zipfel ihrer Serviette ab und lächelte starr.

»Findest du nicht, dass wir eines haben sollten?«, fragte sie. »Wir sind jetzt schon fast drei Jahre verheiratet.«

»Natürlich«, erwiderte William und stellte äußerst behutsam die Tasse auf dem Unterteller ab. Er sah sie nicht an. »Bist du dir sicher? Wir haben nie darüber geredet. Ich möchte nur nicht, dass du ...«

»O ja«, sagte sie. »Ich bin mir sehr sicher. Ich finde, wir sollten ein Kind haben.«

William schaute auf die Uhr. »Ich bin spät dran. Schade, dass wir nicht mehr Zeit zum Reden haben. Ich möchte, dass du dir wirklich ganz sicher bist.«

Zwischen ihren Augen zeigte sich eine kleine Falte. »Ich habe dir doch gesagt, dass ich mir sicher bin. Willst *du* etwa kein Kind? Warum fragst du immer weiter? Ich will nicht mehr darüber reden.«

»Na gut.« Einen Moment blieb William noch sitzen, schaute sie an und sagte schließlich: »Ich muss los.« Doch er rührte sich nicht. Dann legte er unbeholfen eine Hand über ihre auf dem Tischtuch ruhenden langen Finger, die er hielt, bis sie ihre Hand fortzog. Er stand auf, bewegte sich fast schüchtern um sie herum und sammelte seine Bücher und Papiere ein. Wie stets kam Edith ins Wohnzimmer, um zu warten, bis er ging. Er küsste sie auf die Wange – etwas, was er schon lange nicht mehr getan hatte.

An der Tür drehte er sich um und sagte: »Es ... es freut mich, dass du ein Kind willst, Edith. Ich weiß, unsere Ehe ist in mancher Hinsicht eine Enttäuschung für dich, aber ich hoffe, ein Kind wird etwas zwischen uns ändern.«

»Ja«, sagte Edith. »Du kommst zu spät zum Unterricht. Beeil dich lieber.«

Nachdem er gegangen war, blieb Edith noch eine Weile mitten im Zimmer stehen und starrte auf die geschlossene Tür, als versuchte sie, sich an etwas zu erinnern. Dann durchquerte sie ruhelos den Raum, ging von Zimmer zu Zimmer und bewegte sich in ihren Kleidern, als ertrüge sie den Stoff nicht länger, der raschelnd über ihre Haut glitt. Also knöpfte sie den steifen grauen Taftmorgenmantel auf, ließ ihn zu Boden fallen, kreuzte die Arme vor der Brust, umarmte sich und knetete durch das dünne Flanellnachthemd die Haut ihrer Oberarme. Wieder blieb sie stehen, um dann zielstrebig ins winzige Schlafzimmer zu gehen und die Schranktür zu öffnen, an deren Innenseite ein großer Spiegel hing. Sie richtete den Spiegel nach dem Licht aus, trat einen Schritt zurück und musterte ihre lange, schlanke Gestalt in dem glatten blauen Nachthemd. Ohne den Blick vom Spiegel zu wenden, knöpfte sie ihr Nachthemd auf und zog es über den Kopf, sodass sie nun nackt im Morgenlicht stand. Dann ballte sie das Hemd zusammen und warf es in den Schrank. Sie drehte sich vor dem Spiegel und inspizierte ihren Körper, als wäre er ihr fremd, strich sich über die kleinen, leicht hängenden Brüste und ließ die Hände sanft über die schlanke Taille und den flachen Bauch hinabwandern.

Sie wandte sich vom Spiegel ab, ging zum immer noch ungemachten Bett, nahm die Decke ab, faltete sie achtlos und legte sie in den Schrank. Dann glättete sie das Laken und legte sich auf den Rücken, die Beine langgestreckt, die

Arme an den Seiten. Reglos und ohne zu blinzeln blickte sie zur Zimmerdecke auf und wartete den ganzen Morgen und auch den langen Nachmittag.

Als William Stoner an diesem Abend nach Hause kam, war es fast dunkel, doch fiel kein Licht aus den Fenstern im ersten Stock. Ein wenig besorgt ging er die Treppe hoch und knipste die Wohnzimmerleuchte an. Der Raum war leer. Er rief: »Edith?«

Keine Antwort. Er rief noch einmal.

Er schaute in die Küche; das Frühstücksgeschirr stand noch auf dem winzigen Tisch. Rasch ging er durchs Wohnzimmer und öffnete die Tür zum Schlafzimmer.

Edith lag nackt auf dem kahlen Bett. Als die Tür aufging und Licht vom Wohnzimmer auf sie fiel, wandte sie den Kopf nach ihm, stand aber nicht auf. Mit weit aufgerissenen Augen starrte sie ihn an, und leise Laute drangen aus dem geöffneten Mund.

»Edith!«, rief er und ging zu ihr, kniete sich neben sie. »Was ist los? Alles in Ordnung?«

Sie gab keine Antwort, aber die Laute aus ihrem Mund wurden heftiger, der Körper an seiner Seite regte sich. Plötzlich fuhren ihre Hände wie Klauen auf ihn zu, sodass er fast zurückgeschreckt wäre, aber sie suchten nur seine Kleider, griffen danach, zerrten daran und zogen ihn neben sich aufs Bett. Ihr Mund kam ihm entgegen, heiß und offen; ihre Hände wanderten über ihn hinweg, zogen an seinen Sachen, suchten ihn, und während der ganzen Zeit blieb ihr Blick starr, und die Augen waren weit geöffnet, als gehörten sie jemand anderem und sähen nichts.

*

Es war eine neue Seite, die er an Edith kennenlernte, dieses Verlangen, das sie so heftig wie nagender Hunger überfiel und nichts mit ihr selbst zu tun zu haben schien; und kaum war es befriedigt, begann es sich erneut zu regen, sodass sie beide in der angespannten Erwartung seiner Wiederkehr lebten.

Obwohl die nächsten zwei Monate für William und Edith Stoner die einzige Zeit der Leidenschaft füreinander sein sollte, änderte sich ihre Beziehung eigentlich kaum. Schon bald begriff Stoner, dass die Macht, die ihre Körper zueinander zog, nur wenig mit Liebe zu tun hatte; sie paarten sich mit wilder, aber teilnahmsloser Entschlossenheit, trennten sich und paarten sich erneut, ohne dass sie die Kraft besessen hätten, diesem Bedürfnis widerstehen zu können.

Tagsüber, während sich William an der Universität aufhielt, packte Edith die Gier manchmal so heftig, dass sie nicht untätig bleiben konnte; dann verließ sie die Wohnung und ging rasch die Straßen auf und ab oder lief ziellos umher. Wenn sie zurückkehrte, zog sie die Vorhänge zu, entkleidete sich und wartete, im Halbdunkel zusammengerollt, auf Williams Rückkehr. Sobald er die Tür öffnete, fiel sie über ihn her, die Hände, wild und fordernd, als verfügten sie über ein Eigenleben, zogen ihn ins Schlafzimmer und aufs Bett, das noch zerwühlt war von der Nacht oder vom Vormittag.

Im Juni wurde Edith schwanger und begann fast sofort, an einer Unpässlichkeit zu leiden, von der sie sich während der gesamten Schwangerschaft nicht mehr recht erholen sollte. Noch im selben Moment, in dem sie schwanger wurde, und ehe dies von Arzt oder Kalender bestätigt wurde, hörte das Verlangen nach William auf, das fast zwei Monate in ihr gewütet hatte. Sie gab ihrem Mann zu verstehen, dass sie die

Berührung seiner Hände nicht länger ertrug, und er gewann den Eindruck, sie empfinde selbst die Blicke, mit denen er sie betrachtete, als eine Art Vergewaltigung. Die Intensität ihrer Leidenschaft verblasste zur Erinnerung, bis sie für Stoner schließlich zu einer Art Traum wurde, der mit ihnen beiden eigentlich nicht das Geringste zu schaffen hatte.

So wurde das Bett, die Arena ihrer Leidenschaft, für Edith zum Hort ihrer Krankheit. Fast den ganzen Tag blieb sie liegen, stand nur in der Frühe auf, weil ihr übel wurde; und am Nachmittag ging sie mit unsicherem Schritt für einige Minuten ins Wohnzimmer. Sobald William von der Arbeit an der Universität zurückgeeilt war, putzte er nachmittags oder abends die Zimmer, machte den Abwasch, bereitete das Essen zu und trug es Edith auf einem Tablett ans Bett. Sie wollte nicht, dass er mit ihr aß, doch schien es ihr zu gefallen, anschließend eine Tasse dünnen Tee mit ihm zu trinken. Am Abend dann unterhielten sie sich leise und beiläufig eine Weile, als wären sie alte Freunde oder erschöpfte Feinde. Kurz darauf schlief Edith meist ein, und William ging zurück in die Küche, erledigte die restliche Hausarbeit und schob sich einen Tisch ans Wohnzimmersofa, um Seminararbeiten durchzusehen oder Vorlesungen vorzubereiten. Nach Mitternacht nahm er die Decke, die er ordentlich gefaltet hinter dem Sofa aufbewahrte, rollte sich zusammen, deckte sich zu und schlief unruhig bis zum Morgen.

*

Das Kind, ein Mädchen, wurde Mitte März des Jahres 1923 nach drei Tagen Wehen geboren. Sie nannten es Grace nach einer von Ediths Tanten, die viele Jahre zuvor gestorben war.

Schon bei der Geburt war Grace ein schönes Kind mit klaren Gesichtszügen und einem leichten, goldenen Haarflaum. Bereits nach wenigen Tagen wandelte sich die anfangs gerötete Haut zu hell schimmerndem Rosa. Grace weinte nur selten und schien sich ihrer Umgebung fast bewusst zu sein. William verliebte sich auf der Stelle, und die Zuneigung, die er Edith nicht zeigen konnte, bewies er nun seiner Tochter. Sich um sie zu kümmern bereitete ihm ein Vergnügen, mit dem er nicht gerechnet hatte.

Bis etwa ein Jahr nach Grace' Geburt blieb Edith teilweise bettlägerig, und man fürchtete, sie könne auf Dauer zur Invalidin werden, obwohl der Arzt keinen spezifischen Grund dafür finden konnte. William stellte eine Frau ein, die vormittags kam und sich um Edith kümmerte; außerdem legte er seine Seminare so, dass er früh am Nachmittag wieder zu Hause sein konnte.

Auf diese Weise erledigte William über ein Jahr lang die Hausarbeit und versorgte zwei hilflose Menschen. Vor dem Morgengrauen stand er auf, benotete Seminararbeiten, ging seine Vorlesungen durch, fütterte Grace, und ehe er zur Universität eilte, machte er Edith und sich Frühstück und bereitete sich einen Lunch vor, den er in der Aktenmappe mitnahm. Nach dem Unterricht kehrte er in die Wohnung zurück, putzte, fegte und wischte Staub.

Seiner Tochter war er eher Mutter als Vater, wechselte ihre Windeln und wusch sie, wählte ihre Kleider aus, die er, falls nötig, auch stopfte, er fütterte Grace, badete sie und wiegte sie in den Armen, wenn sie Kummer hatte. Hin und wieder rief Edith in quengeligem Ton nach ihrem Baby, und dann brachte William die Kleine zu ihrer Mutter, die aufgestützt im Bett saß und Grace einige Augenblicke lang hielt, so still und unbehaglich, als gehörte das Kind einer Fremden. Schon bald ermüdete sie und reichte William mit einem Seufzer das Baby zurück. Von dunklen Gefühlen aufgewühlt, weinte sie dann ein wenig, wischte sich die Augen und wandte sich anschließend von Mann und Kind ab.

So kannte Grace Stoner im ersten Jahr ihres Lebens nur die Zärtlichkeit ihres Vaters, seine Stimme und seine Liebe.

VI

ZU SOMMERBEGINN DES JAHRES 1924 wurde Archer Sloane von mehreren Studenten gesehen, wie er an einem Freitagnachmittag in sein Büro ging. Am darauffolgenden Montag entdeckte ihn der Hausmeister kurz nach dem Morgengrauen, als er seine Runde durch die Büros von Jesse Hall machte, um die Papierkörbe zu leeren. Sloane saß zusammengesunken auf dem Stuhl an seinem Schreibtisch, der Kopf seltsam schief, die Augen offen und in schrecklichem Blick erstarrt. Der Hausmeister sprach den Professor an und lief gleich darauf schreiend durch die leeren Korridore. Ehe man die Leiche aus dem Büro entfernen konnte, kam es zu einiger Verzögerung, weshalb sich bereits mehrere Studenten auf den Fluren herumtrieben, als die seltsam gekrümmte, mit einem Laken bedeckte Gestalt auf einer Trage die Treppe hinab zum wartenden Krankenwagen gebracht wurde. Später stellte man fest, dass Archer Sloane irgendwann am späten Freitagabend oder frühen Samstagmorgen eines offenkundig natürlichen Todes gestorben war und folglich das ganze Wochenende an seinem Schreibtisch gesessen und endlos vor sich hin gestarrt haben musste. Der Leichenbeschauer nannte als offizielle Todesursache Herzversagen, doch blieb William Stoner davon überzeugt, dass Sloane in einem Augenblick der Verärgerung und Verzweiflung sein

Herz willentlich zum Stehen gebracht hatte, gleichsam in einer letzten stummen Geste der Liebe und Verachtung für eine Welt, die ihn so umfassend verraten hatte, dass er es nicht länger ertragen konnte.

Bei der Beerdigung gehörte Stoner zu den Sargträgern. Während der Andacht konnte er sich nicht auf die Worte des Priesters konzentrieren; außerdem wusste er, wie bedeutungslos sie waren. Und er dachte daran, wie er Sloane zum ersten Mal im Seminarraum gesehen hatte, dachte an ihre frühen Gespräche und an das langsame Dahinsiechen dieses Mannes, der sein entfernter Freund gewesen war. Später, als die Andacht vorüber war und er den grauen Sarg anhob und half, ihn auf den Leichenwagen zu tragen, da schien er ihm so leicht zu sein, dass er kaum glauben konnte, es läge überhaupt etwas in der schmalen Kiste.

Sloane besaß keine Familie, sodass sich nur Kollegen und einige Stadtleute an der schmalen Grube versammelten, um dem Priester ehrfürchtig, verlegen oder respektvoll zu lauschen. Und da keine Familie und niemand, der ihn liebte, um sein Dahinscheiden trauerte, war es Stoner allein, der weinte, als der Sarg in die Erde gelassen wurde, als könnten seine Tränen die Einsamkeit dieses letzten Augenblicks lindern. Nur wusste er nicht, ob er um sich selbst weinte, um den Teil seiner Geschichte und Jugend, der mit dem Sarg in der Erde versank, oder um die arme, dürre Gestalt, die einmal jener Mann gewesen war, den er verehrt hatte.

Gordon Finch fuhr ihn zurück in die Stadt, und sie redeten während der Fahrt kaum ein Wort. Erst als sie sich der Stadt näherten, erkundigte sich Gordon nach Edith; William antwortete und fragte nach Caroline. Gordon erwiderte etwas, und dann herrschte erneut Schweigen. Kurz bevor sie vor Williams Wohnung hielten, ergriff Gordon Finch noch einmal das Wort.

»Ich weiß nicht. Während der Andacht musste ich ständig an Masters denken. An Dave, wie er in Frankreich starb, und an den alten Sloane, wie er da tot zwei Tage an seinem Tisch saß; als wären die Tode vergleichbar. Ich habe Sloane nicht besonders gut gekannt, denke aber, er war ein guter Mann, zumindest habe ich das gehört. Und jetzt müssen wir seine Stelle neu besetzen und einen neuen Vorsitzenden für den Fachbereich finden. Es ist, als drehte sich alles im Kreis, drehte und drehte sich immer weiter. Da kommt man schon ins Grübeln.«

»Ja«, sagte William und verstummte dann wieder. Einen Moment lang aber hatte er Gordon Finch sehr gern; und als er aus dem Wagen stieg und ihm nachsah, wie er davonfuhr, spürte er mit einem Mal deutlich, wie sich ein weiterer Teil von ihm selbst, von seiner Vergangenheit langsam, nahezu unmerklich in die Dunkelheit entfernte.

*

Zusätzlich zu seinen Pflichten als stellvertretender Dekan betraute man Gordon Finch mit dem Interimsvorsitz des englischen Fachbereichs, und es gehörte zu seinen unmittelbar anstehenden Aufgaben, einen Ersatz für Archer Sloane zu finden.

Erst im Juli konnte die Angelegenheit geregelt werden. Dann rief Finch jene Fakultätsmitglieder zusammen, die über den Sommer in Columbia geblieben waren, um ihnen mitzuteilen, wer die Stelle bekommen sollte. Hollis N. Lomax, erzählte Finch der kleinen Gruppe, sei ein Spezialist für das 19. Jahrhundert, der erst kürzlich seinen Doktor an der Universität Harvard gemacht, aber bereits mehrere Jahre an einem kleinen New Yorker geisteswissenschaftlichen College gelehrt habe. Er komme mit den besten Empfehlungen, habe bereits zu publizieren begonnen und werde als Assistenzprofessor eingestellt. Was den Vorsitz des Fachbereichs angehe, so gebe es keine unmittelbaren Pläne, betonte Finch; er werde noch für mindestens ein weiteres Jahr den Interimsvorsitz behalten.

Für den Rest des Sommers blieb Lomax eine mysteriöse Gestalt und das Objekt mancher Spekulationen seitens der fest angestellten Mitglieder des Fachbereichs. Die Artikel, die er in diversen Zeitschriften veröffentlicht hatte, wurden ausgegraben und mit anerkennendem Nicken herumgereicht. Lomax tauchte während der Erstsemesterwoche nicht auf und kam am Freitag auch nicht zur allgemeinen Fachbereichssitzung vor der Einschreibung der Studenten am Montag. Und während die Fachbereichsmitglieder bei der Einschreibung in einer langen Reihe am Tisch saßen und gelangweilt den Studenten bei der Wahl ihrer Seminare oder der trostlosen Routine des Ausfüllens diverser Formulare halfen, sahen sie sich wiederholt nach einem neuen Gesicht um. Lomax aber ließ sich immer noch nicht blicken.

Erst nach Abschluss der Einschreibung bekamen sie ihn auf einer Fachbereichssitzung am späten Dienstagnachmittag zu sehen. Betäubt von der Monotonie der letzten beiden Tage und doch angespannt von jener Aufregung, die stets mit dem Beginn eines neuen akademischen Jahres einhergeht, hatte der englische Fachbereich Lomax schon fast vergessen. Man fläzte sich auf Schreibtischstühlen im großen Vorlesungssaal des Ostflügels von Jesse Hall und blickte so verächtlich wie erwartungsvoll zum Podium hinüber, auf dem Gordon Finch stand und Wohlwollen verströmte. Ein leises Stimmengewirr erfüllte den Raum; Stuhlbeine scharrten über den Boden, und gelegentlich lachte jemand rau und viel zu laut. Gordon Finch hob die rechte Hand und hielt sie mit der Innenfläche dem Publikum entgegen; der Lärm legte sich ein wenig.

Jedenfalls wurde es so leise, dass alle im Saal hören konnten, wie hinten knarrend die Tür aufging und sich jemand mit auffälligem, langsamem Schlurfschritt über den nackten Holzboden näherte. Man wandte sich um; und das allgemeine Murmeln erstarb. Jemand flüsterte: »Das ist Lomax.« Die Worte waren im ganzen Raum deutlich zu verstehen.

Er war durch die Tür getreten, hatte sie geschlossen, war einige Schritte über die Schwelle hinaus in den Saal gegangen und blieb nun stehen. Er maß kaum eins fünfzig und war auf groteske Weise missgestaltet. Ein kleiner Buckel zog die linke Schulter bis zum Hals hoch; der linke Arm hing schlaff herab. Der Oberkörper war massig und eigenartig schief, weshalb er stets ums Gleichgewicht zu kämpfen schien; die Beine waren dünn, das steife rechte Bein zog er nach. Mehrere Augenblicke stand er da und hielt den blonden Kopf gesenkt, als inspizierte er die scharfe Bügelfalte seiner schwarzen Hose und die aufpolierten schwarzen Schuhe. Dann hob er den Kopf und riss in einer plötzlichen Bewegung den rechten Arm hoch, sodass die steife, weiße Manschette mit goldenem Manschettenknopf zu sehen war; in den langen, fahlen Fingern hielt er eine Zigarette. Er nahm einen tiefen Zug, inhalierte und blies den Rauch in dünnem Strom wieder aus. Erst dann konnte man sein Gesicht sehen.

Es war das Gesicht eines Leinwandhelden, lang, hager,

lebhaft und stark ausgeprägt, die Stirn hoch und schmal mit vortretenden Adern, dazu dichtes, wallendes Haar von der Farbe reifen Weizens, in einer leicht theatralischen Tolle nach hinten gekämmt. Er ließ die Zigarette auf den Boden fallen, trat sie aus und sagte: »Ich bin Lomax.« Dann schwieg er, die Stimme tief und voll, die Worte präzise, mit dramatischer Resonanz artikuliert. »Ich hoffe, ich störe Ihre Zusammenkunft nicht.«

Die Sitzung nahm weiter ihren Lauf, doch achtete niemand mehr auf das, was Gordon Finch zu sagen hatte. Lomax saß allein hinten im Saal, rauchte, starrte an die Decke und schien nicht zu merken, dass sich dann und wann jemand nach ihm umwandte und ihn anstarrte. Als die Sitzung vorbei war, blieb er auf seinem Stuhl sitzen und ließ die Kollegen kommen, auf dass sie sich vorstellten und sagten, was sie zu sagen hatten. Er begrüßte jeden mit wenigen Worten und einer Höflichkeit, die eigenartig spöttisch wirkte.

Während der nächsten Wochen wurde deutlich, dass Lomax nicht vorhatte, sich den sozialen, kulturellen und akademischen Gepflogenheiten von Columbia, Missouri, anzupassen. Zwar blieb er seinen Kollegen gegenüber auf ironische Weise nett, doch nahm er keine Einladung an und sprach auch keine aus; selbst am alljährlichen Tag des offenen Hauses ging er nicht zu Dean Claremont, obwohl dieses Ereignis als so traditionell galt, dass der Besuch fast obligatorisch war. Lomax wurde auf keinem Universitätskonzert gesehen und auch bei keiner Vorlesung; es hieß, sein Unterricht sei lebhaft, sein Verhalten im Seminar exzentrisch. Er war ein beliebter Dozent; außerhalb der Seminarzeiten scharten sich die Studenten um seinen Tisch, und sie folgten ihm durch die Korridore. Man wusste, dass er Gruppen von

Studenten gelegentlich in seine Räume einlud, um sie mit Konversation oder den Aufnahmen eines Streichquartetts zu unterhalten.

William Stoner hätte ihn gern näher kennengelernt, nur wusste er nicht, wie er das anstellen sollte. Er redete mit Lomax, wenn es etwas zu sagen gab, und er lud ihn zum Abendessen ein. Als Lomax ihm antwortete, wie er allen anderen geantwortet hatte – ironisch, höflich und distanziert –, und die Einladung ausschlug, wusste Stoner nicht, was er sonst noch tun konnte.

Es dauerte eine Weile, ehe Stoner begriff, was ihn an Lomax faszinierte. In Lomax' Arroganz, seiner Wortgewandtheit und fröhlichen Verbitterung meinte Stoner ein zwar verzerrtes, doch wiedererkennbares Abbild seines Freundes Dave Masters zu sehen. Er hätte gern so mit Lomax geredet, wie er mit Dave geredet hatte, doch war ihm dies selbst dann nicht möglich, als er sich seinen Wunsch eingestand. Die verlegene Scheu der Jugend hatte ihn noch nicht verlassen, wohl aber der Eifer und die Unmittelbarkeit, die eine Freundschaft vielleicht möglich gemacht hätte. Er wusste, was er sich wünschte, war ausgeschlossen; und das bekümmerte ihn.

*

Wenn er abends die Wohnung geputzt, das Geschirr gespült und Grace in ihr Bettchen in der Wohnzimmerecke gebracht hatte, machte er sich an die Überarbeitung seines Buches. Ende des Jahres war er damit fertig, und obwohl er noch nicht ganz zufrieden war, schickte er es an einen Verlag. Zu seiner Überraschung wurde die Abhandlung angenommen und für eine Publikation im Herbst 1925 vorgesehen. Aufgrund der anstehenden Veröffentlichung wurde er fest angestellt und zum Assistenzprofessor befördert.

Wenige Wochen, nachdem sein Buch angenommen worden war, wurde seine Beförderung bestätigt, was Edith zum Anlass nahm, ihm zu sagen, dass sie mit dem Baby für eine Woche nach St. Louis fahren und ihre Eltern besuchen wolle.

Nach nicht einmal einer Woche kehrte sie zurück, erschöpft und müde, doch auf stille Weise triumphierend. Sie habe ihren Besuch abgekürzt, weil es für ihre Mutter zu anstrengend geworden sei, sich um die Kleine zu kümmern, und sie selbst habe die Reise derart aufgerieben, dass sie sich außerstande sah, sich um Grace zu kümmern. Dennoch habe sie etwas erreicht. Sie zog aus ihrer Handtasche einen Stoß Papiere und reichte William ein schmales Blatt.

Es war ein Scheck über sechstausend Dollar, ausgestellt auf Mr und Mrs William Stoner und unterschrieben von Horace Bostwick, ein kühnes, kaum leserliches Gekritzel. »Was soll das?«, fragte Stoner.

Sie reichte ihm die übrigen Papiere. »Das ist ein Darlehen«, erklärte sie. »Du brauchst dies hier nur noch zu unterschreiben. Ich habe schon.«

»Sechstausend Dollar? Wofür denn?«

»Ein Haus«, sagte Edith. »Ein *richtiges* Haus, ganz für uns allein.«

William Stoner warf einen Blick in die Papiere, blätterte sie rasch durch und sagte dann: »Das geht nicht, Edith. Tut mir leid, aber – sieh mal, ich verdiene nächstes Jahr bloß sechzehnhundert. Und die Raten für dies hier sind über sechzig Dollar im Monat – das ist fast die Hälfte von meinem

Einkommen. Dann noch Steuern und Versicherungen und – ich glaube einfach nicht, dass wir das schaffen. Warum hast du bloß nicht vorher mit mir geredet?«

Mit bekümmertem Gesicht wandte sie sich von ihm ab. »Es sollte eine Überraschung sein. Ich kann doch so wenig tun, aber das hier, das *konnte* ich tun.«

Er protestierte, sagte, er sei ihr dankbar, aber Edith wollte sich nicht trösten lassen.

»Ich habe nur an dich und das Baby gedacht«, sagte sie. »Du könntest ein Arbeitszimmer haben und Grace einen Hof, in dem sie spielen kann.«

»Ich weiß«, sagte William. »Vielleicht in ein paar Jahren.«

»In ein paar Jahren?«, wiederholte Edith und schwieg dann, ehe sie schließlich matt hervorstieß: »Ich kann so nicht leben. Nicht mehr. In einer Wohnung. Wo ich hingehe, höre ich dich, und auch das Baby, und dann dieser Geruch. Ich-ertrage-ihn-nicht-länger! Tag für Tag dieser Windelgestank, ich … ich halte das nicht mehr aus, und ich weiß nicht, wie ich ihm entkommen soll. Verstehst du das nicht? *Verstehst* du das denn nicht?«

Letzten Endes nahmen sie das Geld. Stoner entschied, statt im Sommer zu arbeiten und zu schreiben, wie er es sich fest vorgenommen hatte, könnte er auch wieder unterrichten, zumindest in den nächsten Jahren.

Edith machte es sich zur Aufgabe, ein Haus zu finden. Vom späten Frühjahr bis in den Sommer hinein war sie unermüdlich in ihrer Suche, die sie auch schlagartig von ihrer Krankheit zu heilen schien. Sobald William von der Universität nach Hause kam, zog sie los und kehrte oft erst bei Anbruch der Dunkelheit zurück. Manchmal ging sie zu Fuß, manchmal ließ sie sich aber auch von Caroline Finch fahren, mit der sie sich ein wenig angefreundet hatte. Ende Juni fand sie dann das Haus, nach dem sie gesucht hatte, unterschrieb eine Kaufoption und willigte Mitte August in den Erwerb ein.

Es war ein altes, zweistöckiges Gebäude und nur wenige Häuserblocks von der Universität entfernt; die früheren Besitzer hatten es so verkommen lassen, dass sich die dunkelgrüne Farbe von der Fassade schälte; der Rasen war braun und voller Unkraut. Dafür war der Garten groß und das Haus geräumig; es besaß eine schäbige Eleganz, die Edith meinte auffrischen zu können.

Von ihrem Vater lieh sie sich weitere fünfhundert Dollar für Möbel, und in den Wochen zwischen Sommerunterricht und Beginn des Herbstsemesters strich William das Haus; Edith wünschte es sich weiß, und er musste drei Mal streichen, ehe das Dunkelgrün nicht mehr durchschimmerte. In der ersten Septemberwoche verkündete Edith dann, dass sie ein Fest feiern wolle – eine Einzugsparty, wie sie es nannte. Dies brachte sie so entschieden vor, als sollte die Feier ein Neubeginn sein.

Sie luden alle Mitglieder des Fachbereichs ein, die bereits aus den Sommerferien zurück waren, zudem einige von Ediths Bekannten aus der Stadt. Hollis Lomax sorgte für eine allgemeine Überraschung, als er die Einladung annahm, die erste seit seiner Ankunft in Columbia ein Jahr zuvor. Stoner trieb einen Schwarzbrenner auf, dem er mehrere Flaschen Gin abkaufte; Gordon Finch versprach, von seinem Bier mitzubringen, und Ediths Tante Emma steuerte zwei Flaschen alten Sherry für jene bei, die keine harten Sachen tranken. Edith zögerte, überhaupt Alkohol zu servieren, da es offiziell illegal war. Caroline Finch aber meinte, an der Universität würde es niemand unschicklich finden, und davon ließ sie sich überzeugen.

In diesem Jahr wurde es frühzeitig Herbst. Am 10. September, einen Tag vor der Einschreibung der Studenten, fiel leichter Schnee; und in der Nacht überzog eisiger Frost das Land. Ende der Woche, am Tag der Party, war es mit dem kalten Wetter vorbei, nur eine leichte Kühle lag noch in der Luft, doch hatten die Bäume ihre Blätter verloren, der Rasen begann braun zu werden, und die Natur wirkte allgemein schon recht kahl, was einen strengen Winter versprach. Das kühle Wetter draußen, im Garten die entlaubten, schroff sich abzeichnenden Pappeln und Ulmen sowie die Wärme drinnen und die diversen Utensilien der bevorstehenden Party erinnerten William Stoner an einen anderen Tag. Eine Weile kam er nicht darauf, woran er sich zu erinnern versuchte – dann fiel ihm ein, dass er an einem ebensolchen Tag vor sieben Jahren zum Haus von Josiah Claremont gegangen war und Edith zum ersten Mal gesehen hatte. Das schien ihm weit fort und lang vorbei zu sein; nicht einmal annähernd hätte er all die Veränderungen aufzählen können, die diese wenigen Jahre gebracht hatten.

Vor der Party verlor sich Edith fast eine Woche lang im Wirbel der Vorbereitungen; sie hatte für eine Woche ein schwarzes Hausmädchen eingestellt, das ihr helfen, aber auch bedienen sollte, und sie beide schrubbten die Böden und die Wände, wienerten das Holz, staubten die Möbel ab, polierten sie, stellten sie um, wieder und wieder – sodass Edith am Abend des Festes eigentlich schon völlig erschöpft war. Um die Augen zeigten sich dunkle Ringe, und ihre Stimme drohte ins Hysterische zu kippen. Gegen sechs – die Gäste sollten um sieben Uhr eintreffen – zählte sie noch einmal die Gläser und stellte fest, dass sie für die erwarteten Gäste nicht ausreichten. Sie brach in Tränen aus, stürzte nach oben und schluchzte, egal, was passiere, sie käme nicht wieder nach unten. Stoner versuchte, sie zu beruhigen, aber sie antwortete ihm nicht einmal. Er sagte, sie brauche sich keine Sorgen zu machen, er werde weitere Gläser besorgen. Dann sagte er dem Mädchen, er komme bald zurück, und eilte aus dem Haus. Fast eine Stunde lang suchte er nach einem noch geöffneten Geschäft, und als er schließlich eines gefunden, die Gläser ausgewählt und zum Haus zurückgetragen hatte, war es bereits nach sieben, und die ersten Gäste waren eingetroffen. Edith stand im Wohnzimmer mitten unter ihnen, lächelte und schwatzte, als plagte sie nicht die geringste Ungewissheit oder Sorge. Fast beiläufig grüßte sie William und sagte ihm, er möge das Paket in die Küche bringen.

Die Party verlief wie so viele Feste. Gespräche begannen, gewannen rasch an Intensität, verloren aber auch gleich wieder an Schwung und gingen bedeutungslos in andere Gespräche über; kurzes, nervöses Gelächter brandete auf, winzige Explosionen überall im Raum, ein kontinuierliches, doch zusammenhangloses Sperrfeuer, und die Partygäste schlenderten entspannt von einem Platz zum nächsten, als besetzten sie insgeheim neue strategische Positionen. Andere wanderten wie Spione durchs Haus, von Edith oder William geführt, und gaben Kommentare darüber ab, wie vorteilhaft doch solch alte Häuser im Vergleich mit jenen neuen, minderwertigen Gebäuden seien, die hier und da am Rand der Stadt errichtet wurden.

Gegen zehn Uhr hatten sich die meisten Gäste kalten Schinken und Truthahnaufschnitt auf ihre Teller geladen, eingelegte Aprikosen und verschieden garnierte Kirschtomaten, Selleriestängel, Oliven, saure Gurken, scharfe Radieschen und kleine rohe Blumenkohlröschen; einige wenige waren betrunken und wollten nichts essen. Gegen elf Uhr hatten sich die meisten Gäste verabschiedet; zu denen, die noch geblieben waren, gehörten Gordon und Caroline Finch, einige Fachbereichsmitglieder, die Stoner schon seit Jahren kannte, und Holly Lomax. Lomax war ziemlich betrunken, was man ihm allerdings kaum anmerkte; er ging so vorsichtig, als trüge er eine Last über unebenes Terrain, und ein Schweißfilm lag auf dem schmalen, blass schimmernden Gesicht. Der Alkohol lockerte ihm die Zunge, und seine Stimme hatte, obwohl er sich noch sehr präzise ausdrückte, ihren ironischen Ton verloren, weshalb er seltsam schutzlos wirkte.

Er schilderte seine einsame Kindheit in Ohio, wo sein Vater ein kleiner, mäßig erfolgreicher Geschäftsmann gewesen war, und erzählte, als redete er über einen Fremden, von der Isolation, die ihm von seiner Missbildung aufgezwungen wurde, und den frühen Schamgefühlen, deren Ursache er nicht begriff, weshalb er sich gegen sie auch nicht zu wehren wusste. Und als er die langen Tage und Abende beschrieb, die er allein in seinem Zimmer verbracht hatte, berichtete, wie er gelesen hatte, um jene Grenzen zu überwinden, die ihm sein deformierter Körper setzte, und wie er allmählich ein Gefühl von Freiheit gewann, das wuchs, je deutlicher ihm das Wesen dieser Freiheit wurde, da empfand William Stoner eine Nähe zu ihm, mit der er nicht gerechnet hatte; er wusste, Lomax hatte die gleiche Verwandlung erlebt, die Epiphanie, durch Worte etwas zu erkennen, was sich in Worte nicht fassen ließ, wie Stoner sie während Archer Sloanes Unterricht widerfahren war. Lomax hatte sie früh und allein durchlebt – weshalb dieses Wissen in höherem Maß ein Teil von ihm geworden war, als es für Stoner galt, doch auf jene Weise, auf die es letztlich ankam, waren sich die beiden Männer sehr ähnlich, auch wenn sie es einander oder auch nur sich selbst höchst ungern eingestanden hätten.

Sie redeten bis vier Uhr morgens, und obwohl sie noch mehr tranken, wurde ihre Unterhaltung immer leiser und stiller, bis schließlich niemand mehr etwas sagte. Wie auf einer Insel saßen sie inmitten der Überreste ihrer Party so eng beieinander, als suchten sie Wärme und Geborgenheit. Nach einer Weile erhoben sich Gordon und Caroline Finch und boten Lomax an, ihn zu seiner Wohnung zu fahren. Lomax gab Stoner die Hand, erkundigte sich nach dessen Buch und wünschte ihm damit Erfolg; darauf ging er zu Edith, die aufrecht im Sessel saß, und ergriff ihre Hand, um sich für das Fest zu bedanken. Und dann, wie von einem stummen, spontanen Einfall getrieben, beugte er sich ein wenig vor und legte seinen Mund auf ihre Lippen; Edith fuhr ihm mit der Hand leicht ins Haar, und einige Augenblicke verharrten sie beide in dieser Stellung, während die anderen zuschauten. Es war der keuscheste Kuss, den Stoner je gesehen hatte, und er fand ihn ganz natürlich.

Stoner brachte seine Gäste zur Tür und blieb noch einen Moment, sah sie die Stufen hinabgehen und aus dem Lichtschein der Veranda treten. Die kühle Luft drang durch seine Kleider, und er atmete tief ein; ihre scharfe Kälte belebte ihn. Widerstrebend schloss er schließlich die Tür und wandte sich um; das Wohnzimmer war leer, Edith bereits nach oben gegangen. Er machte die Lichter aus und fand durch das unaufgeräumte Zimmer den Weg zur Treppe. Das Haus wurde ihm bereits vertraut; er griff nach dem Geländer und ließ sich davon nach oben führen. Oben angelangt, konnte er den Flur sehen, den das Licht aus der halb geöffneten Schlafzimmertür erhellte. Die Dielen knarrten unter seinen Schritten.

Ihre Kleider lagen unordentlich vor dem Bett, die Decke war achtlos zurückgeschlagen, und Edith lag unbekleidet und im Licht schweißglänzend auf dem weißen, glatten Laken. So nackt ausgestreckt wirkte ihr Körper wollüstig entspannt und glitzerte wie fahles Gold. William trat ans Bett. Sie schlief fest, doch ließ ihn der Lichteinfall glauben, ihr leicht geöffneter Mund formte lautlose Worte der Leidenschaft und Liebe. Lange stand er da, schaute sie an und empfand undeutliches Mitgefühl, zögerliche Freundschaft und vertrauten Respekt, aber auch eine müde Trauer, da er wusste, dass ihr bloßer Anblick nie mehr jene Agonie des Begehrens in ihm auslösen konnte, die er einst gekannt hatte, so wie er auch wusste, dass ihre Nähe ihn nie mehr derart erregen würde, wie sie es einst getan hatte. Dann verklang die Traurigkeit, und er deckte seine Frau sanft zu, machte das Licht aus und legte sich neben sie ins Bett.

Am nächsten Morgen war Edith müde und krank, weshalb sie tagsüber auf ihrem Zimmer blieb. William putzte das Haus und kümmerte sich um seine Tochter. Am Montag sah er Lomax und redete ihn in einem herzlichen Ton an, der noch vom Abend der Party herrührte; Lomax aber antwortete mit einer Ironie, die nach kalter Wut klang, und erwähnte die Party mit keinem Wort, weder an diesem Tag noch irgendwann später. Es war, als hätte er die Chance zu einer Feindschaft entdeckt, die ihn von Stoner fernhalten würde und die er nicht mehr loslassen wollte.

*

Wie William befürchtet hatte, erwies sich das Haus bald als eine erdrückende finanzielle Last. Obwohl er mit seinem Gehalt durchaus sparsam umging, hatte er am Monatsende fast nie etwas übrig, und jeder Monat verringerte die wenigen Rücklagen, die er durch den Sommerunterricht angespart hatte. Im ersten Jahr nach dem Hauskauf blieb er Ediths Vater zwei Zahlungen schuldig und erhielt einen Brief, der ihn in frostigem Ton zu Prinzipientreue und vernünftiger Finanzplanung gemahnte.

Dennoch begann er, sich über seinen Besitz zu freuen und auf eine Weise Trost daran zu finden, wie er es nie erwartet hatte. Sein Arbeitszimmer lag ebenerdig neben dem Wohnzimmer, und ein hohes Fenster wies nach Norden, sodass tagsüber sanftes Licht eindrang; außerdem verbreitete das alte Holzpaneel den Eindruck wohliger Wärme. Im Keller fand er eine Anzahl Bretter, die gut zum Paneel passen würden, waren die von Schmutz und Fäulnis hinterlassenen Schäden erst einmal beseitigt. Und weil er von seinen Büchern umgeben sein wollte, machte er sich ans Werk und zimmerte ein Regal; in einem Trödelladen fand er ein paar klapprige Stühle, ein Sofa und einen alten Tisch, für die er ein paar Dollar zahlte, um sie dann in vielen Wochen zu restaurieren.

Durch die Arbeit an seinem Zimmer, das langsam Gestalt annahm, begriff er, dass er, ohne sich dessen bewusst gewesen zu sein, viele Jahre lang verschämt ein Bild in sich bewahrt hatte, ein Bild, das vermeintlich einen Ort zeigte, aber eigentlich ihn selbst darstellte. Er selbst war es also, den er zu definieren versuchte, wenn er an seinem Arbeitszimmer werkelte. Während er die alten Bretter für sein Regal abschmirgelte und sah, wie das raue Äußere verschwand und unter dem grau Verwitterten das eigentliche Holz hervorkam, der satte Reichtum von Maserung und Struktur, während er die Möbel reparierte und im Zimmer aufstellte, war er selbst es, der langsam Gestalt gewann, war er es, dem er irgendwie eine Ordnung verlieh, war er es, den er möglich machte.

Obwohl Schulden und Not ihn immer wieder zu erdrücken drohten, waren die nächsten Jahre glücklich, und im Großen und Ganzen führte er ein Leben, wie er es sich als junger Student und auch damals, gleich nach der Heirat, erträumt hatte. Nur spielte Edith darin eine nicht gar so große Rolle wie einst erhofft, genau genommen schien für sie beide sogar eine lange Zeit des Waffenstillstands begonnen zu haben, die ihm wie ein Schachmatt vorkam. Meist führten sie getrennte Leben; Edith hielt das Haus, in das nur selten Gäste kamen, makellos sauber. Und wenn sie nicht fegte, Staub wischte, wusch oder polierte, blieb sie auf ihrem Zimmer, womit sie ganz zufrieden zu sein schien. Williams Arbeitszimmer betrat sie kein einziges Mal; es war, als würde es für sie gar nicht existieren.

William kümmerte sich weiterhin nahezu allein um ihre Tochter. Wenn er nachmittags von der Universität kam, holte er Grace aus der oberen Schlafkammer, die er zu einem Kinderzimmer umgebaut hatte, und ließ sie in seinem Arbeitszimmer spielen. Sie beschäftigte sich still und genügsam auf dem Boden und schien gern allein zu sein. Gelegentlich redete William mit ihr, worauf sie in ihrem Tun innehielt und ernst aufschaute, ehe sich langsam ein seliges Lächeln auf ihrem Gesicht ausbreitete.

Manchmal lud er Studenten zu Treffen und Gesprächen ein, kochte Tee auf einer kleinen Heizplatte, die neben seinem Tisch stand, und spürte eine unbeholfene Zärtlichkeit für die jungen Leute, die verlegen auf den Stühlen saßen, Bemerkungen über seine Bibliothek oder Komplimente über seine hübsche Tochter machten. Er entschuldigte sich für die Abwesenheit seiner Frau und erklärte, dass sie krank sei, bis er begriff, dass seine wiederholten Entschuldigungen ihre Abwesenheit nur betonten; also erwähnte er sie nicht mehr und hoffte, sein Schweigen möge weniger kompromittierend sein als seine Erklärungen.

Hätte Edith nicht in seinem Leben gefehlt, wäre es fast vollkommen gewesen. Er las und schrieb, falls er nicht gerade Seminare vorbereitete, Klausuren korrigierte oder Doktorarbeiten durchging. Mit der Zeit hoffte er, sich als Lehrer wie als Gelehrter einen guten Ruf erarbeiten zu können. Seine Erwartungen für das erste Buch waren vorsichtig und bescheiden, und sie erwiesen sich als angemessen; ein Rezensent nannte es ›gründlich‹, ein anderer ›eine kompetente Studie‹. Anfangs war er sehr stolz darauf gewesen, hatte es in Händen gehalten, darin geblättert und mit den Fingerspitzen über den schlichten Einband gestrichen. Zart und lebendig wie ein Kind kam es ihm vor. Gedruckt las er seine Arbeit noch einmal und war gelinde überrascht, dass sie weder besser noch schlechter als erwartet ausfiel. Nach einer Weile hatte er sich allerdings daran satt gesehen, doch konnte er nie ohne ein Gefühl des Staunens und der Ungläubigkeit über die eigene Vermessenheit und die übernommene Verantwortung an sein Werk oder seine Autorenschaft denken.

VII

IM FRÜHLING DES JAHRES 1927 kam William Stoner eines Abends spät nach Hause. In der feuchtwarmen Luft hing der Duft aufgehender Blüten; Grillen zirpten im Verborgenen; in der Ferne wirbelte ein einsames Automobil Staub auf und zerriss die Stille mit lautem, trotzigem Geknatter. Er ging langsam, wie gebannt von dieser schlaftrunkenen neuen Jahreszeit, gerührt von den winzigen grünen Knospen, die aus dem Schatten von Baum und Busch hervorglühten.

Als er ins Haus kam, stand Edith am anderen Ende des Wohnzimmers, hielt den Telefonhörer am Ohr und schaute ihn an.

»Du kommst spät«, sagte sie.

»Ja«, erwiderte er freundlich. »Ich komme aus einem Rigorosum.«

Sie reichte ihm den Hörer. »Für dich. Ein Ferngespräch. Jemand versucht schon den ganzen Nachmittag, dich zu erreichen. Ich habe ihm gesagt, dass du in der Universität bist, aber er hat trotzdem alle Stunde hier angerufen.«

William nahm den Hörer und sprach in die Muschel. Niemand antwortete. »Hallo?«, sagte er noch einmal.

Ihm antwortete die unbekannte blecherne Stimme eines Mannes.

»Bill Stoner?«

»Ja. Wer spricht denn?«

»Sie kennen mich nicht. Ich bin nur zufällig vorbeigekommen, und Ihre Ma hat mich gebeten, diesen Anruf zu machen. Ich versuche schon den ganzen Nachmittag, Sie zu erreichen.«

»Ja«, sagte Stoner. Seine Hand, die den Hörer hielt, zitterte. »Was ist denn?«

»Es geht um Ihren Pa«, sagte die Stimme. »Ich weiß gar nicht, wie ich anfangen soll.«

Die trockene, lakonische, verängstigte Stimme fuhr fort, und William Stoner hörte ihr apathisch zu, als existierte sie allein in dem Hörer, den er sich ans Ohr hielt. Was er vernahm, betraf seinen Vater. Er hatte (sagte die Stimme) sich schon fast eine Woche nicht besonders gefühlt, aber da sein Landarbeiter mit dem Pflügen und Anpflanzen nicht nachkam, war er trotz hohen Fiebers früh am Morgen aufgestanden, um bei der Aussaat zu helfen. Am späten Vormittag hatte ihn der Landarbeiter gefunden, bewusstlos und mit dem Gesicht nach unten auf dem gepflügten Acker. Er hatte ihn ins Haus getragen, ins Bett gelegt und den Arzt gerufen, aber gegen Mittag war er tot.

»Vielen Dank für den Anruf«, sagte Stoner mechanisch. »Sagen Sie meiner Mutter, dass ich morgen komme.«

Er legte den Hörer auf die Gabel und starrte lange die glockenförmige Sprechmuschel am Ende des schmalen schwarzen Zylinders an. Dann drehte er sich um und blickte ins Zimmer. Edith beobachtete ihn aufmerksam.

»Und? Was ist?«, fragte sie.

»Mein Vater«, antwortete Stoner. »Er ist tot.«

»Ach, Willy!«, rief Edith und nickte. »Da wirst du wohl für den Rest der Woche fort sein.«

»Ja«, sagte Stoner.

»Dann bitte ich Tante Emma zu uns, damit sie mir mit Grace hilft.«

»Ja«, sagte Stoner gedankenverloren. »Ja.«

Er bat jemanden, für den Rest der Woche seinen Unterricht zu übernehmen, und stieg früh am nächsten Morgen in den Bus nach Booneville. Die Straße von Columbia nach Kansas City, die durch Booneville führte, war dieselbe, die er siebzehn Jahre zuvor gefahren war, als er zum ersten Mal zur Universität kam, nur war sie jetzt breit gepflastert, und ordentliche Zäune umgrenzten Mais- und Weizenfelder, die hinterm Busfenster vorüberhuschten.

In den Jahren, in denen er nicht dort gewesen war, hatte sich Booneville kaum verändert. Einige neue Häuser waren gebaut, einige alte abgerissen worden, doch wirkte die Stadt noch ebenso trostlos und baufällig wie zuvor, fast, als wäre sie etwas Provisorisches, das jeden Moment auch wieder aufgegeben werden könnte. Die meisten Straßen waren in den letzten Jahren gepflastert worden, trotzdem hing wie eh und je ein dünner Staubschleier über der Stadt, und es gab sogar noch einige von Pferden gezogene, eisenbereifte Karren, deren Räder gelegentlich Funken sprühten, wenn sie an den Bordsteinen von Straße oder Gasse entlangschrappten.

Auch das Haus hatte sich kaum verändert. Vielleicht war es noch ein wenig trockener und grauer geworden, die Schindeln hatten den letzten Rest Farbe verloren, und die ungestrichenen Dielen der Veranda waren noch ein bisschen tiefer zur nackten Erde herabgesackt.

Es waren mehrere Leute im Haus – Nachbarn –, an die Stoner sich nicht erinnerte; ein hochgewachsener, hagerer Mann mit schwarzem Anzug, weißem Hemd und schmaler

Krawatte beugte sich über seine Mutter, die auf einem harten Stuhl neben der schmalen Holzkiste saß, in der sein Vater lag. Stoner ging durch das Zimmer auf sie zu. Der hochgewachsene Mann sah ihn und kam ihm entgegen; seine Augen waren so grau wie Murmeln aus gebranntem Ton. Mit tiefem, salbungsvollem Bariton brachte er leise und heiser ein paar Worte vor, nannte Stoner »Bruder«, sprach von »Verlust« und »Gott, der ihn zu sich genommen hat«, und wollte wissen, ob Stoner nicht mit ihm beten möge. Stoner drängte sich an ihm vorbei und blieb vor seiner Mutter stehen; ihr Gesicht verschwamm vor seinem Blick. Wie durch einen Schleier sah er sie nicken und vom Stuhl aufstehen. Sie nahm seinen Arm und sagte: »Du willst sicher deinen Pa sehen.«

Mit einer so leichten Berührung, dass er sie kaum spürte, führte sie ihn zum offenen Sarg. Er sah hinein, schaute, bis sich sein Blick klärte, und wich entsetzt zurück. Der geschrumpfte, winzige Körper schien einem Fremden zu gehören, das Gesicht glich einer dünnen Maske aus braunem Papier mit tiefen schwarzen Dellen, wo seine Augen hätten sein sollen. Der dunkelblaue Anzug, in dem die Leiche steckte, war auf groteske Weise viel zu groß, und die aus den Ärmeln ragenden Hände, die gefaltet auf der Brust lagen, glichen getrockneten Tierklauen. Stoner drehte sich zu seiner Mutter um und wusste, dass ihm sein Entsetzen anzumerken war.

»Dein Pa hat in den letzten ein, zwei Wochen ziemlich viel Gewicht verloren«, sagte sie. »Ich habe ihn gebeten, nicht aufs Feld zu gehen, aber er war schon aufgestanden und verschwunden, ehe ich wach wurde. Er hatte nicht mehr alle Sinne beisammen und war so krank, so außer sich, dass er nicht wusste, was er tat. Der Arzt sagte, er hätte es nicht bis aufs Feld geschafft, wenn es anders gewesen wäre.«

Während sie redete, sah Stoner sie sehr deutlich, und ihm war, als wäre sie auch schon tot, als läge ein Teil von ihr unwiederbringlich in der Kiste neben ihrem Mann, um nie zurückzukehren. Er betrachtete sie, das Gesicht schmal und eingefallen, selbst in der Ruhe so abgespannt, dass die Zahnspitzen unter den dünnen Lippen vortraten. Sie bewegte sich, als hätte sie kein Gewicht und keine Kraft. Er murmelte irgendwas, ging, betrat das Zimmer, in dem er aufgewachsen war, und stand eine Weile einfach nur in dem kargen Raum. Seine Augen waren heiß und trocken; er konnte nicht weinen.

Er traf die nötigen Anordnungen für die Beerdigung und unterschrieb die Papiere, die unterschrieben werden mussten. Wie alle Leute auf dem Land besaßen auch seine Eltern eine Sterbeversicherung, für die sie selbst in den bittersten Zeiten jede Woche einige Pennys beiseitegelegt hatten. Sie machte einen armseligen Eindruck, diese Police, die seine Mutter aus einer alten Truhe im Schlafgemach holte; das Blattgold der verschnörkelten Schrift zerbröselt, das billige Papier altersbrüchig. William Stoner redete mit seiner Mutter über die Zukunft; er wollte, dass sie mit ihm nach Columbia zurückkehre. Es gebe genügend Platz, sagte er, und Edith (innerlich wand er sich bei dieser Lüge) würde sich über ihre Gesellschaft freuen.

Doch seine Mutter wollte nicht mitkommen. »Das käme mir nicht richtig vor«, sagte sie. »Dein Pa und ich – wir haben hier fast mein ganzes Leben gelebt. Ich glaube nicht, dass ich noch woanders hinziehen und mich da wohlfühlen könnte. Und außerdem hat Tobe …«, Stoner fiel ein, dass der schwarze Landarbeiter, den sein Vater vor vielen Jahren eingestellt hatte, Tobe hieß, »… hat Tobe gesagt, er würde so lange bleiben, wie ich ihn brauchen kann. Er hat sich ein nettes Zimmer im Keller eingerichtet. Wir kommen schon zurecht.«

Stoner stritt mit ihr, aber sie rückte von ihrem Standpunkt nicht ab. Schließlich sah er ein, dass sie nur noch sterben wollte, und zwar da, wo sie auch gelebt hatte. Und er wusste, sie verdiente jenes bisschen Würde, das sie darin fand, genau das zu tun, was sie tun wollte.

Sie begruben seinen Vater auf einem kleinen Friedhof am Stadtrand von Booneville, danach fuhr William mit seiner Mutter zurück zur Farm. In jener Nacht konnte er nicht schlafen. Er zog sich an und ging hinaus aufs Feld, das von seinem Vater jahrein, jahraus bis zu ebenjenem Ende, das er nun gefunden hatte, beackert worden war. Stoner versuchte, sich an seinen Vater zu erinnern, doch konnte er das Gesicht, das er in seiner Jugend so gut gekannt hatte, kaum mehr heraufbeschwören. Er kniete auf dem Feld nieder, nahm einen trockenen Erdklumpen in die Hand, zerbröselte ihn und musterte im Mondlicht die dunklen Brocken, zerdrückte sie und ließ die Krumen durch seine Finger rieseln. Dann wischte er sich die Hand am Hosenbein ab, stand auf und ging zurück zum Haus.

Er schlief nicht; er lag auf dem Bett und blickte aus dem einzigen Fenster, bis die Dämmerung anbrach, bis keine Schatten mehr auf dem Land lagen, bis es sich grau, ausgelaugt und schier unendlich vor ihm ausdehnte.

Nach dem Tod seines Vaters fuhr Stoner so oft wie nur möglich übers Wochenende zur Farm; und jedes Mal, wenn er seine Mutter sah, war sie dünner, blasser und stiller geworden, bis allein ihre eingesunkenen, glänzenden Augen noch am Leben zu sein schienen. Während ihrer letzten Tage sprach sie kein Wort mit ihm; nur ihre Augen flackerten noch schwach, wenn sie aus dem Bett zu ihm aufsah; und manchmal entwich ihren Lippen ein leiser Seufzer.

Er begrub sie neben ihrem Mann. Als nach der Andacht die wenigen Trauergäste gegangen waren, stand er allein im kalten Novemberwind und blickte auf die beiden Gräber, eines noch geöffnet, das andere ein mit dünnem Rasenpelz bedeckter Hügel. Er drehte sich um auf dem kleinen, kahlen, baumlosen Friedhof, auf dem Leute wie sein Vater und seine Mutter begraben lagen, und blickte über das flache Land zur Farm, auf der er geboren worden war und auf der seine Eltern ihre Leben verbracht hatten. Er dachte daran, was ihnen Jahr um Jahr die Erde abverlangt hatte, die doch blieb, wie sie gewesen war – nur vielleicht ein wenig karger, ein wenig ärmer. Nichts hatte sich geändert. Ihr Leben war in freudloser Arbeit verausgabt, ihr Wille gebrochen, ihr Verstand betäubt worden. Jetzt lagen sie in der Erde, der sie alles gegeben hatten, und langsam, Jahr um Jahr, würde die Erde sie sich holen. Feuchtigkeit und Fäulnis würden sich über die Kiefernkisten hermachen, in denen ihre toten Körper lagen, würden langsam auch auf ihr Fleisch übergreifen, bis schließlich auch die letzten Spuren ihrer Existenz vernichtet waren. Dann würden sie ein bedeutungsloser Teil der widerspenstigen Erde geworden sein, der sie sich schon vor langer Zeit verschrieben hatten.

Er ließ Tobe den Winter über auf der Farm wohnen und bot sie im Frühjahr 1928 zum Verkauf an. Mit Tobe hatte er vereinbart, dass er bis zum Verkauf bleiben und behalten durfte, was er erntete. Tobe richtete die Farm so gut her, wie er nur konnte, reparierte das Haus und strich die kleine Scheune. Dennoch fand Stoner keinen geeigneten Käufer vor dem Frühjahr 1929. Er nahm das erste Angebot an, das man ihm machte, ein wenig über zweitausend Dollar, gab Tobe davon ein paar hundert Dollar ab und schickte den Rest Ende August seinem Schwiegervater, um die Summe zu mindern, die er ihm noch für das Haus in Columbia schuldete.

*

Im Oktober des Jahres brach der Aktienmarkt zusammen, und in den regionalen Zeitungen standen Geschichten über die Wall Street, über Vermögen, die verloren gingen, und über dramatische Veränderungen im Leben berühmter Menschen. In Columbia waren davon nur wenige Leute betroffen; in dieser konservativen Stadt besaß kaum jemand Aktien oder Wertpapiere. Doch verbreiteten sich Neuigkeiten über Banken, die überall im Land vor dem Bankrott standen, und bei einigen Stadtbewohnern regten sich erste Unsicherheiten; einige Bauern hoben ihre Ersparnisse ab, andere erhöhten (von den örtlichen Bankangestellten ermuntert) ihre Einlagen. Niemand aber machte sich ernsthaft Sorgen, bis sich die Kunde vom Zusammenbruch einer kleinen Privatbank herumsprach, der Merchant's Trust in St. Louis.

Stoner aß in der Cafeteria der Universität zu Mittag, als er davon hörte, und eilte gleich nach Hause, um Edith davon zu erzählen. Merchant's Trust war jene Bank, bei der sie die Hypothek auf ihr Haus aufgenommen hatten und deren Präsident Ediths Vater war. Noch am selben Nachmittag rief Edith in St. Louis an und redete mit ihrer Mutter, die fröhlich verkündete, Mr Bostwick habe ihr versichert, es gebe keinen Grund zur Sorge und in wenigen Wochen sei alles wieder in bester Ordnung.

Drei Tage später war Horace Bostwick tot, Selbstmord. Er hatte morgens in ungewöhnlich guter Laune die Bank betreten und dabei mehrere Angestellte begrüßt, die noch hinter den geschlossenen Türen der Bank arbeiteten, war in sein Büro gegangen, nachdem er seiner Sekretärin mitgeteilt hatte, dass er keine Anrufe entgegennehmen würde, um dann die Tür hinter sich zuzuziehen. Gegen zehn Uhr vormittags schoss er sich schließlich mit einem tags zuvor gekauften und in der Aktentasche in die Bank gebrachten Revolver in den Kopf. Er hinterließ kein Schreiben, doch verrieten die sorgsam auf dem Tisch angeordneten Papiere, was er zu sagen hatte. Und sie verrieten, dass er finanziell schlechterdings ruiniert war. Wie sein Bostoner Vater hatte er unklug investiert, allerdings nicht nur eigenes Geld, sondern auch das der Bank. Sein Bankrott war so umfassend, dass er keinen anderen Ausweg sah. Erst später stellte sich heraus, dass sein Ruin keineswegs so vollständig gewesen war, wie er es im Augenblick seines Selbstmords geglaubt hatte. Laut Nachlassregelung blieb der Familie das Wohnhaus, und ein kleineres Grundstück am Stadtrand von St. Louis reichte aus, um seine Frau für den Rest ihres Lebens mit einem minimalen Einkommen zu versorgen.

Allerdings wurde dies nicht gleich bekannt. William Stoner erhielt einen Anruf, der ihn über Horace Bostwicks Bankrott und Selbstmord informierte, und er brachte Edith die Neuigkeit so schonend bei, wie es ihm sein entfremdetes Verhältnis zu ihr nur erlaubte.

Edith trug es mit Fassung, beinahe, als hätte sie damit gerechnet. Mehrere Augenblicke schaute sie Stoner an, ohne etwas zu sagen, dann schüttelte sie den Kopf und meinte nachdenklich: »Arme Mutter. Was soll sie nun tun? Es hat immer jemanden gegeben, der sich um sie kümmert. Wie wird sie jetzt leben?«

Stoner antwortete: »Sag ihr ...« Verlegen brach er ab. »... sag ihr, wenn sie mag, kann sie bei uns wohnen. Sie ist hier willkommen.«

Mit einer eigenartigen Mischung aus Zuneigung und Verachtung lächelte Edith ihn an. »Ach, Willy, sie würde lieber sterben. Das weißt du doch, nicht?«

Stoner nickte. »Ich glaube schon«, sagte er.

Und so verließ Edith Columbia am Abend des Tages, an dem Stoner besagten Telefonanruf erhalten hatte, um zur Beerdigung nach St. Louis zu fahren und dort so lange zu bleiben, wie sie gebraucht wurde. Als sie eine Woche fort war, erhielt Stoner eine kurze Notiz, die ihn informierte, dass sie weitere zwei Wochen bei ihrer Mutter bleiben werde, vielleicht noch länger. Sie blieb fast zwei Monate, und William lebte allein mit seiner Tochter in dem großen Haus.

In den ersten Tagen empfand er das leere Haus als eigenartig und unerwartet beunruhigend, doch gewöhnte er sich rasch an die Leere und begann, Gefallen daran zu finden; nach einer Woche merkte er, dass er so glücklich war wie seit Jahren nicht mehr, und wenn er an Ediths unvermeidliche Rückkehr dachte, dann mit einem stillen Bedauern, das er nicht länger vor sich zu verheimlichen brauchte.

Im Frühling jenes Jahres feierte Grace ihren sechsten Geburtstag, und im Herbst begann für sie das erste Schuljahr. Jeden Morgen machte Stoner sie für die Schule fertig, und nachmittags war er rechtzeitig von der Universität zurück, um sie zu begrüßen, wenn sie nach Hause kam.

Mit sechs Jahren war Grace ein hochgewachsenes, schlankes Kind mit eher blondem als rötlichem Haar, heller, makelloser Haut und dunkelblauen, beinahe violetten Augen. Sie war ein stilles, fröhliches Kind und konnte sich auf eine Weise über etwas freuen, die in ihrem Vater ein Gefühl von fast wehmütiger Bewunderung auslöste.

Manchmal spielte Grace mit den Nachbarskindern, meist aber saß sie bei ihrem Vater im großen Arbeitszimmer und sah zu, wie er Arbeiten korrigierte, las oder schrieb. Dann redete sie mit ihm, und sie unterhielten sich – so still und ernst, dass William Stoner eine Zärtlichkeit überkam, wie er sie nie erwartet hätte. Auf gelbe Papierbögen malte Grace unbeholfene, bezaubernde Bilder, die sie feierlich ihrem Vater überreichte, oder sie las ihm laut aus ihrem Lesebuch für Erstklässler vor. Abends, wenn Stoner sie ins Bett gebracht hatte und in sein Arbeitszimmer zurückgekehrt war, fehlte sie ihm, und er tröstete sich allein mit dem Wissen, dass sie wohlbehalten im Zimmer über ihm schlief. Auf eine ihm kaum bewusste Weise hatte er mit ihrer Erziehung begonnen und sah voll Staunen und Liebe, wie sie vor seinen Augen wuchs und ihre Klugheit sich in ihrem Gesicht abzuzeichnen begann.

Edith kehrte erst Anfang Januar des nächsten Jahres zurück, weshalb Stoner und seine Tochter Weihnachten allein verbrachten. Am Morgen des ersten Weihnachtstages beschenkten sie sich; für ihren Vater, der nicht rauchte, hatte Grace in ihrer der Universität angegliederten, behutsam progressiven Schule einen plumpen Aschenbecher modelliert; William schenkte ihr ein neues Kleid, das er selbst in einem Geschäft in der Stadt ausgesucht hatte, mehrere Bücher und einen Malkasten. Den größten Teil des Tages unterhielten sie sich und saßen vor dem kleinen Baum, um die im Baumschmuck funkelnden Lichter und das wie verstecktes Feuer aus dunkelgrüner Tanne leuchtende Lametta zu betrachten.

Während der Weihnachtsferien, dieser seltsamen, im dahineilenden Semester wie ausgesetzten Zeit, wurde William Stoner zweierlei klar: Er begriff, wie wichtig Grace für ihn geworden war, und er begann einzusehen, dass er durchaus ein guter Lehrer werden konnte.

Er war aber auch bereit, sich einzugestehen, dass er bislang kein guter Lehrer gewesen war. Seit dem Tag, an dem er mit Mühe und Not seine ersten Einführungskurse hinter sich gebracht hatte, war ihm der Abgrund bewusst, der sich zwischen dem auftat, was er für sein Fach empfand, und dem, wie er es im Seminar präsentierte. Er hatte gehofft, Zeit und Erfahrung würden diesen Abgrund überbrücken, nur war es nie dazu gekommen. Was er am höchsten schätzte, wurde aufs Schlimmste verraten, wenn er zu seinen Studenten sprach; was für ihn am lebendigsten war, verkümmerte in seinen Worten, und was ihn zutiefst bewegte, wurde kalt und blass, sobald er es aussprach. Das Wissen um dieses Ungenügen machte ihm derart zu schaffen, dass er es für selbstverständlich hielt, weshalb es ebenso ein Teil von ihm wurde wie seine krummen Schultern.

Doch während der Wochen, die Edith sich in St. Louis aufhielt, verlor er sich während seiner Vorträge manchmal derart, dass er nicht nur seine Unfähigkeit vergaß, sondern auch sich selbst und überdies die Studenten. Dann riss ihn die eigene Begeisterung mit, bis er stammelte, gestikulierte und nicht mehr an seine Notizen dachte, die üblicherweise seine Vorlesungen bestimmten. Anfangs irritierten ihn diese Aufwallungen, als erlaubte er sich eine zu große Vertraulichkeit mit seinem Thema, und er entschuldigte sich bei den

Studenten, doch als sie anfingen, nach dem Unterricht zu ihm zu kommen, und sich in ihren Arbeiten erste Zeichen von Phantasie und die Ansätze einer zaghaften Liebe zeigten, fühlte er sich ermuntert, etwas zu tun, was ihm niemand beigebracht hatte. Die Liebe zur Literatur, zur Sprache, zum Mysterium des Verstandes und des Herzens, wie sie sich in den kleinen, seltsamen und unerwarteten Kombinationen von Buchstaben und Wörtern zeigte, in der schwärzesten, kältesten Druckertinte – die Liebe, die er verborgen gehalten hatte, als wäre sie gefährlich und verboten, diese Liebe begann er nun offen zu zeigen, zögerlich zuerst, dann mutiger und schließlich voller Stolz.

Die Entdeckung dessen, was er vermochte, bekümmerte und ermutigte ihn zugleich; er fand, er hatte unabsichtlich sowohl seine Studenten wie sich selbst getäuscht. Studenten, die seine Seminare bislang durch stupides Wiederholen bestanden hatten, warfen ihm verwirrte und verärgerte Blicke zu, jene, die zuvor nicht zu ihm gekommen waren, setzten sich nun in seine Vorlesungen und nickten ihm auf den Fluren zu. Er sprach mit größerem Selbstvertrauen, spürte, wie in ihm eine warme, feste Ernsthaftigkeit heranreifte, und nahm an, dass er mit zehn Jahren Verspätung zu begreifen begann, wer er war. Die Gestalt, die er sah, war zugleich mehr und weniger, als er sich einst für sich erhofft hatte. Er spürte, dass er endlich ein richtiger Lehrer wurde, also ein Mann, der sein Buch für wahr hält und dem eine Würde der Kunst gegeben ist, die nur wenig mit seiner Dummheit, Schwäche oder menschlichen Unzulänglichkeit zu tun hat. Es war eine Erkenntnis, über die er nicht reden konnte, doch eine, die ihn derart veränderte, dass niemand ihre Wirkung zu übersehen vermochte.

Als Edith aus St. Louis zurückkam, fand sie ihn daher auf eine Weise verändert vor, die sie zwar nicht begriff, aber sofort bemerkte. Sie kam mit dem Nachmittagszug, ohne dies vorher anzukündigen, ging durchs Wohnzimmer ins Arbeitszimmer, wo ihr Mann und ihre Tochter still beieinander saßen, und hatte gehofft, beide durch ihr plötzliches Auftauchen und ihr verändertes Äußeres zu schockieren, doch als William zu ihr aufsah und sie die Überraschung in seinen Augen bemerkte, wusste sie gleich, dass die eigentliche Veränderung mit ihm vorgegangen war, eine Veränderung, die so tief reichte, dass ihr neues Aussehen seine Wirkung auf ihn verfehlte. Ein wenig distanziert und doch auch verblüfft dachte sie: Ich kenne ihn besser, als mir je klar gewesen ist.

William war von ihrer Anwesenheit und ihrem veränderten Äußeren überrascht, doch kümmerte ihn beides nicht in dem Maße, wie es das früher vielleicht getan hätte. Er musterte sie einige Augenblicke lang, dann erhob er sich von seinem Tisch, ging durchs Zimmer und begrüßte sie ernst.

Edith hatte sich das Haar zu einem Bubikopf frisiert und einen jener Hüte aufgesetzt, die sich so eng an den Kopf anpassten, dass das gestutzte Haar wie ein unregelmäßiger Rahmen ihr Gesicht umschmiegte; die Lippen glänzten orangerot, und zwei kleine Flecken Rouge betonten die Wangenknochen. Sie trug eines der kurzen Kleider, die bei jungen Frauen in den letzten Jahren Mode geworden waren; es hing glatt von den Schultern herab und endete kurz über den Knien. Verlegen lächelte sie ihren Mann an und ging dann zu ihrer Tochter, die auf dem Boden saß und sie still und aufmerksam betrachtete. Edith kniete sich umständlich hin; das neue Kleid spannte um die Beine.

»Gracie, mein Liebes«, sagte sie mit einer Stimme, die für William angespannt und brüchig klang, »hast du deine Mommy vermisst? Hast du geglaubt, sie kommt nie zurück?«

Grace küsste ihre Mutter auf die Wange und betrachtete sie ernst. »Du siehst anders aus«, sagte sie.

Edith lachte und erhob sich vom Boden, wirbelte herum und hielt die Hände über dem Kopf. »Ich habe ein neues Kleid, neue Schuhe und eine neue Frisur. Gefällt's dir?«

Grace nickte zögerlich. »Du siehst anders aus«, wiederholte sie.

Ediths Lächeln wurde breiter; auf einem der Zähne war ein blasser Lippenstiftfleck zu sehen. Sie wandte sich zu William um und fragte: »Sehe ich anders aus?«

»Ja«, sagte William. »Sehr charmant. Sehr hübsch.«

Sie lachte und schüttelte den Kopf. »Armer Willy«, sagte sie, um sich dann wieder ihrer Tochter zuzuwenden. »Ich glaube, ich bin auch anders«, sagte sie ihr. »Ich glaube, ich bin wirklich anders.«

William Stoner wusste, dass ihre Worte ihm galten. Und irgendwie wusste er im selben Moment auch, dass Edith ihm, ohne es zu wissen, ohne es zu beabsichtigen oder es wirklich zu begreifen, eine neue Kriegserklärung zu machen versuchte.

VIII

IHRE ERKLÄRUNG WAR TEIL DER VERÄNDERUNGEN, die von Edith während jener Wochen eingeleitet worden waren, die sie nach dem Tod ihres Vaters ›daheim‹ in St. Louis verbracht hatte. Veränderungen, die verschärft und schließlich konkret und auf brutale Weise durch jene andere Veränderung wirksam wurden, die allmählich mit William Stoner vorging, als er merkte, dass er ein guter Lehrer werden könnte.

Edith hatte die Beerdigung ihres Vaters seltsam unberührt gelassen. Während der langatmigen Zeremonie saß sie aufrecht und mit einer wie versteinerten Miene da, die sich auch dann nicht änderte, als sie an dem prächtig hergerichteten, fülligen Leichnam ihres Vaters in dem prunkvollen Sarg vorüberging. Auf dem Friedhof aber, als der Sarg ins schmale, mit Kunstrasenmatten ausgelegte Loch hinabgelassen wurde, barg sie das ausdruckslose Gesicht in den Händen und hob erst wieder den Kopf, als ihr jemand eine Hand auf die Schulter legte.

Nach der Beerdigung verbrachte sie mehrere Tage auf ihrem alten Zimmer, jenem, in dem sie groß geworden war; ihre Mutter sah sie nur zum Frühstück und zum Abendessen. Besucher glaubten, sie habe sich vor Kummer zurückgezogen. »Sie standen sich sehr nahe«, deutete Ediths Mutter geheimnisvoll an. »Weit näher, als es den Anschein hatte.«

Wie zum allerersten Mal aber ging Edith in ihrem Zimmer auf und ab, frei, berührte Wände und Fenster und prüfte, wie solide sie waren. Sie ließ sich einen Koffer voll mit Kindheitssachen vom Dachboden bringen und durchforstete die Schubladen ihrer Kommode, die über ein Jahrzehnt nicht mehr geöffnet worden waren. Leicht irritiert, doch mit einer Muße, als verfügte sie über alle Zeit der Welt, ging sie ihre Sachen durch, streichelte sie, drehte sie mal so, mal so und untersuchte sie mit einer fast feierlichen Sorgfalt. Als sie einen Brief entdeckte, den sie in Kindertagen erhalten hatte, las sie ihn so aufmerksam von Anfang bis Ende, als läse sie ihn zum ersten Mal; als sie eine vergessene Puppe fand, lächelte sie und strich über die angemalten Keramikwangen, als wäre sie wieder ein Kind, das beschenkt worden ist.

Schließlich verteilte sie all ihre Kindersachen auf zwei ordentliche Haufen; zu dem einen gehörten Spielzeug und Nippes, das sie sich selbst zugelegt hatte, heimliche Fotos und Briefe von Schulfreundinnen, Geschenke, die ihr von fernen Verwandten gemacht worden waren; der andere Haufen enthielt all das, was ihr Vater ihr gegeben hatte, sowie Dinge, die in direktem oder indirektem Zusammenhang mit ihm standen. Letzterem Haufen widmete sie dann ihre ganze Aufmerksamkeit. Methodisch und mit einem ausdruckslosen Gesicht, das weder Wut noch Freude verriet, nahm sie diese Dinge und vernichtete sie eines nach dem anderen. Die Briefe und Kleider, die Füllung der Puppen, die Nadelkissen und Bilder verbrannte sie im Kamin; Ton- und Porzellanköpfe, Hände, Arme und Beine der Puppen zerstampfte sie in der Feuerstelle zu feinem Pulver; und was nach Brennen und Zerstampfen übrig blieb, fegte sie zusammen und spülte es die Toilette im angrenzenden Badezimmer hinunter.

Als die Arbeit getan war – der Rauch aus dem Zimmer abgezogen, der Kamin gefegt und der verbliebene Besitz wieder in den Schubladen lag –, setzte sich Edith Bostwick Stoner an die Frisierkommode und betrachtete sich in dem kleinen Spiegel, dessen abgegriffene silberne Rückseite sich stellenweise schon löste, sodass ihr Bild hier und da nur unvollständig oder überhaupt nicht wiedergegeben wurde, was ihrem Gesicht ein eigenartig unvollständiges Aussehen verlieh. Sie war dreißig Jahre alt. Ihr Haar verlor den jugendlichen Glanz, winzige Fältchen zeigten sich rund um die Augen, und die Haut über ihren vorspringenden Wangenknochen begann sich zu straffen. Sie nickte dem Bild im Spiegel zu, stand abrupt auf und ging nach unten, wo sie sich zum ersten Mal seit Tagen vergnügt und fast vertraulich mit ihre Mutter unterhielt.

Sie wolle, sagte sie, sich verändern. Zu lange sei sie gewesen, was sie war; sie erzählte von ihrer Kindheit, ihrer Ehe. Und aus Quellen, über die sie reden konnte, wenn auch nur vage und unbestimmt, schuf sie sich ein Bild, dem sie gerecht zu werden wünschte. Fast die gesamten zwei Monate, die sie in St. Louis bei ihrer Mutter blieb, strebte sie nach dieser Selbstverwirklichung.

Sie bat darum, sich eine gewisse Summe borgen zu dürfen, doch ihre Mutter machte ihr das Geld spontan zum Geschenk. Daraufhin kaufte sich Edith eine neue Garderobe und verbrannte die alten, aus Columbia mitgebrachten Kleider; sie ließ sich das Haar kurz schneiden und nach neuester Mode frisieren; und sie kaufte Kosmetikartikel und Parfüms, deren Gebrauch sie täglich auf ihrem Zimmer übte. Sie lernte zu rauchen und gewöhnte sich eine neue Art zu reden an, ein sprödes, unbestimmtes, leicht schrill klingendes

Englisch. Nach Columbia kehrte sie erst zurück, als sie eins mit den äußeren Veränderungen geworden war; eine weitere mögliche Veränderung hielt sie noch geheim.

Während der ersten Monate nach ihrer Rückkehr sprühte sie vor Energie und hielt es offenbar nicht länger für nötig, sich einzureden, dass sie krank oder schwach war. Sie trat einer kleinen Theatergruppe bei und widmete sich ganz den Aufgaben, die ihr zugewiesen wurden, entwarf und malte Bühnenbilder, sammelte Geld für die Truppe und übernahm sogar einzelne kleine Rollen. Wenn Stoner nachmittags nach Hause kam, war das Wohnzimmer voll mit ihren Freunden, fremden Menschen, die ihn wie einen Eindringling anstarrten und denen er freundlich zunickte, ehe er sich in sein Arbeitszimmer verzog, durch dessen Wände gedämpft ihre deklamierenden Stimmen drangen.

Edith kaufte ein gebrauchtes Klavier und ließ es ins Wohnzimmer stellen, direkt an die Wand zu Williams Arbeitszimmer. Sie hatte das Klavierspielen kurz vor der Heirat aufgegeben und musste fast wieder von vorn beginnen, übte Tonleitern, probierte Stücke, die viel zu schwer für sie waren, und spielte oft zwei, drei Stunden am Tag, meist abends, wenn Grace bereits im Bett lag.

Die Studentengruppen, die Stoner zu Gesprächen in sein Arbeitszimmer lud, wurden größer, die Treffen häufiger, und Edith gab sich nicht länger damit zufrieden, oben zu bleiben und sich von diesen Versammlungen fernzuhalten. Sie bestand darauf, Tee oder Kaffee zu servieren, und blieb danach gleich im Zimmer, redete laut und aufgekratzt und schaffte es, das Gespräch auf ihre Arbeit im kleinen Theater zu lenken, auf ihre Musik, ihre Malerei und Bildhauerei, mit der sie (wie sie verkündete) beginnen wolle, sobald sie Zeit dafür finde. Die so verblüfften wie verlegenen Studenten blieben bald aus, und Stoner begann, sich mit ihnen auf einen Kaffee in der Cafeteria der Universität oder in einem der kleinen Cafés auf dem Campus zu verabreden.

Ihr verändertes Benehmen ärgerte ihn nicht besonders, weshalb er sie deswegen nicht zur Rede stellte; sie schien ihm glücklich zu sein, wenn auch ihr Glück etwas aufgesetzt wirkte. Letztlich schrieb er es sich selbst zu, dass ihr Leben eine neue Richtung nahm, da er es ihr nicht möglich gemacht hatte, einen Sinn in ihrem gemeinsamen Leben zu finden, in ihrer Ehe. Folglich war es ihr gutes Recht, einen Sinn auf Gebieten zu finden, die mit ihm nichts zu tun hatten, und Wege zu gehen, auf denen er ihr nicht folgen konnte.

Von seinem Erfolg als Lehrer und seiner wachsenden Popularität unter den besseren Magisteranwärtern ermutigt, begann Stoner im Sommer des Jahres 1930 mit einem neuen Buch. Er verbrachte jetzt nahezu seine gesamte freie Zeit im Arbeitszimmer. Zwar wahrten sie den Anschein, das Schlafgemach zu teilen, doch betrat er diesen Raum nur noch selten und niemals in der Nacht. Er schlief auf dem Sofa im Arbeitszimmer und bewahrte dort sogar seine Kleider in einem kleinen Eckschrank auf, den er selbst gebaut hatte.

Er konnte mit Grace zusammen sein. Wie sie es sich während der langen Abwesenheit ihrer Mutter angewöhnt hatte, verbrachte sie viel Zeit mit ihrem Vater im Arbeitszimmer; Stoner beschaffte ihr sogar einen kleinen Stuhl und Tisch, damit sie einen Platz für ihre Hausarbeiten und zum Lesen hatte. Die Mahlzeiten nahmen sie meist allein ein, da Edith sich oft außer Haus aufhielt, und blieb sie doch einmal daheim, gab sie gewöhnlich kleine Partys für ihre Theaterfreunde, bei denen ein Kind unerwünscht war.

Urplötzlich aber begann Edith wieder, länger zu Hause zu bleiben. Erneut nahmen sie ihre Mahlzeiten zu dritt ein, und Edith unternahm sogar gewisse Anstrengungen, sich um den Haushalt zu kümmern. Es wurde still; selbst das Klavier blieb ungenutzt, sodass sich Staub auf den Tasten sammelte.

In ihrem gemeinsamen Leben waren sie an einem Punkt angelangt, an dem sie nur noch selten über sich oder übereinander sprachen, um das heikle Gleichgewicht nicht zu gefährden, das ihnen ihr Zusammenleben ermöglichte. Deshalb fragte Stoner erst, nachdem er lange gezögert und die möglichen Folgen bedacht hatte, ob etwas nicht in Ordnung sei.

Sie saßen am Esstisch; Grace hatte sich entschuldigt und war mit einem Buch in Stoners Arbeitszimmer gegangen.

»Wie meinst du das?«, fragte Edith.

»Deine Freunde«, erwiderte William. »Sie sind schon seit einer Weile nicht mehr hier gewesen, und du scheinst auch nichts mehr mit dem Theater zu tun zu haben. Also frage ich mich, ob irgendwas nicht in Ordnung ist.«

Mit einer fast männlichen Geste schüttelte Edith eine Zigarette aus der Packung neben ihrem Teller, steckte sie sich zwischen die Lippen und zündete sie am Stummel einer nur halb gerauchten Zigarette an. Dann inhalierte sie tief, ohne die Zigarette aus dem Mund zu nehmen, und legte den Kopf in den Nacken, sodass sie, als sie William ansah, die Augen zusammenkneifen musste, was ihr einen fragenden, berechnenden Blick verlieh.

»Alles in Ordnung«, sagte sie. »Die Leute und ihre Arbeit fingen nur an, mich zu langweilen. Muss denn immer gleich irgendwas nicht stimmen?«

»Nein«, erwiderte William. »Ich habe mich nur gefragt, ob du dich vielleicht nicht wohlfühlst oder so.«

Er dachte nicht weiter über ihr Gespräch nach, stand kurz darauf vom Tisch auf und ging ins Arbeitszimmer, wo Grace an ihrem Tisch saß, vertieft in ein Buch. Das Licht der Tischlampe spiegelte sich in ihrem Haar und zeigte ihr schmales, ernstes Gesicht als klare Silhouette. Sie ist im letzten Jahr gewachsen, dachte William; und eine nicht unangenehme Traurigkeit ließ einen kleinen Kloß in seiner Kehle aufsteigen. Er lächelte und setzte sich leise an den Schreibtisch.

Wenige Augenblicke später war er in seine Arbeit vertieft. Am Abend zuvor hatte er die Routineaufgaben erledigt, Seminararbeiten durchgesehen und Vorlesungen für die kommende Woche vorbereitet. Er dachte an den Abend, der sich vor ihm erstreckte, und an die vielen weiteren Abende, an denen er an seinem neuen Buch arbeiten konnte. Worüber er schreiben wollte, war ihm noch nicht genau klar; im Großen und Ganzen wollte er seine erste Studie sowohl zeitlich wie inhaltlich erweitern, wollte über die englische Renaissance arbeiten und die Einflüsse klassischen und mittelalterlichen Lateins auf diese Zeit einbeziehen. Er war in der Planungsphase, eine Phase, die ihm größtes Vergnügen bereitete – die Wahl zwischen unterschiedlichen Vorgehensweisen, die Entscheidung gegen bestimmte Strategien, das Geheimnisvolle und Ungewisse, das unerforschte Möglichkeiten barg, die Folgen seiner Entscheidungen … Was sich ihm an Perspektiven auftat, begeisterte ihn derart, dass er nicht länger stillsitzen konnte. Er stand vom Tisch auf, schritt auf und ab und begann aus einer unerfüllten Vorfreude heraus mit seiner Tochter zu reden, die von ihrem Buch aufsah und ihm antwortete.

Sie spürte seine Stimmung, und etwas, das er sagte, brachte sie zum Lachen. Dann lachten sie zusammen, lachten so hemmungslos, als wäre sie beide Kinder. Plötzlich ging die Tür zum Arbeitszimmer auf, und das harsche Licht vom Wohnzimmer fiel bis in die letzten schattigen Winkel. Edith stand da, von diesem Licht umrahmt, und sagte langsam und deutlich: »Dein Vater versucht zu arbeiten, Grace. Du musst ihn nicht stören.«

Einige Augenblicke lang waren William und seine Tochter über dieses unvermittelte Eindringen so verblüfft, dass sich keiner von beiden regte oder etwas sagte. »Ist schon gut, Edith«, konnte William schließlich hervorbringen. »Sie stört mich nicht.«

Als hätte er nichts gesagt, fuhr Edith fort: »Hast du mich nicht gehört, Grace? Komm bitte sofort aus dem Zimmer.«

Perplex erhob sich Grace von ihrem Stuhl und ging zur Tür. Mitten im Zimmer aber blieb sie stehen und sah erst ihren Vater, dann ihre Mutter an. Edith setzte an und wollte etwas sagen, aber William kam ihr zuvor.

»Ist schon gut, Grace«, sagte er, so sanft er konnte. »Ist schon gut. Geh mit deiner Mutter.«

Als Grace durchs Arbeitszimmer ins Wohnzimmer ging, sagte Edith zu ihrem Mann: »Dem Kind wird zu viel Freiheit gelassen. Es ist doch nicht normal, so still zu sein, so zurückgezogen; außerdem ist sie viel zu viel allein. Sie sollte mehr unternehmen und mit Kindern ihres Alters spielen. Merkst du denn nicht, wie unglücklich sie ist?«

Sie schloss die Tür, ehe er antworten konnte.

Lange Zeit regte er sich nicht, blickte auf den mit Notizen und aufgeschlagenen Büchern übersäten Schreibtisch, ging dann langsam durchs Zimmer und begann gedankenlos, die

Papiere und Bücher zu ordnen. Mehrere Minuten stand er darauf nur da, die Stirn in Falten gelegt, als versuche er, sich an etwas zu erinnern. Dann drehte er sich um, ging zu Grace' kleinem Tisch und blieb wieder wie zuvor am eigenen Tisch einfach nur stehen. Schließlich knipste er die Lampe aus, was den kleinen Tisch grau und leblos aussehen ließ, ging zum Sofa, legte sich hin, die Augen offen, und starrte an die Zimmerdecke.

*

Das Ungeheuerliche wurde ihm erst allmählich klar, sodass es etliche Wochen dauerte, ehe er sich eingestand, was für ein Spiel Edith trieb; und als er es schließlich konnte, geschah es fast ohne jede Überraschung. Edith führte ihren Feldzug so geschickt und klug, dass er keinen vernünftigen Grund zur Klage fand. Nach dem abrupten, fast brutalen Auftritt in seinem Arbeitszimmer, der ihm im Nachhinein wie ein Überraschungsangriff vorkam, änderte Edith ihre Strategie, um nun indirekter, stiller und zurückhaltender vorzugehen. Es war eine Strategie, die sich als Liebe und Fürsorge tarnte, weshalb er sich gegen sie machtlos fühlte.

Edith war jetzt fast ständig zu Hause. Morgens und am frühen Nachmittag, wenn sich Grace in der Schule aufhielt, machte sie sich daran, Grace' Schlafzimmer neu zu gestalten. Sie holte den kleinen Tisch aus Stoners Arbeitszimmer, strich ihn blassrosa an und beklebte den Rand der Platte mit einem breiten Band aus farblich passendem Rüschensatin, sodass er keine Ähnlichkeit mehr mit dem Tisch besaß, an den sich Grace gewöhnt hatte. Mit einer stummen Grace an ihrer Seite ging sie eines Nachmittags sämtliche Kleider durch, die William ihr gekauft hatte, warf das meiste davon fort und versprach ihrer Tochter, noch am Wochenende mit ihr in die Stadt zu gehen und die entsorgten Sachen durch passendere Kleidung zu ersetzen, durch »etwas Mädchenhaftes«. Und das taten sie. Am späten Nachmittag kehrte dann eine müde, doch triumphierende Edith mit einem Stapel Pakete und einer erschöpften Tochter zurück, die sich offenbar äußerst unwohl fühlte in dem neuen, steif gestärkten und mit Myriaden von Rüschen behafteten Kleid, unter dessen glockenförmigem Saum Beine dünn wie jämmerliche Stöckchen hervorlugten.

Edith kaufte ihrer Tochter Puppen und Spielzeug und blieb in der Nähe, während Grace pflichtbewusst damit spielte. Sie verordnete Klavierstunden und saß beim Üben neben ihrer Tochter auf der Bank. Aus nichtigstem Anlass organisierte sie kleine Partys, zu denen die Nachbarskinder kamen, mürrisch und verbittert, weil sie ihre steifen, besten Kleider tragen mussten. Außerdem überwachte Edith Lektüre und Hausarbeit ihrer Tochter und achtete streng darauf, dass sie nicht mehr Zeit dafür verwandte, als sie ihr zugestand.

Ediths Besucher waren jetzt Mütter aus der Nachbarschaft. Sie kamen vormittags, tranken Kaffee und redeten, solange ihre Kinder in der Schule waren; nachmittags brachten sie die Kinder mit, sahen ihnen zu, wie sie im großen Wohnzimmer spielten, und trotz des Getöses unterhielten sie sich über Gott und die Welt.

Während dieser Nachmittage saß Stoner meist am Schreibtisch und konnte verstehen, was die Mütter sagten, da sie sich quer durchs Zimmer unterhielten und die Stimmen ihrer Kinder übertönten.

Als der Lärm einmal abflaute, hörte er Edith sagen: »Die arme Grace. Sie hat ihren Vater wirklich gern, aber der findet kaum Zeit für sie. Die Arbeit, wissen Sie, und jetzt das neue Buch …«

Seltsam neugierig und doch beinahe distanziert beobachtete er, wie seine Hände, die ein Buch hielten, zu zittern begannen. Sie zitterten mehrere Sekunden lang, ehe er sie wieder in seine Gewalt brachte, indem er sie tief in die Taschen grub und zu Fäusten ballte.

Er sah seine Tochter nur noch selten. Zwar nahmen sie ihre Mahlzeiten zu dritt ein, doch wagte er bei diesen Gelegenheiten kaum, mit ihr zu reden, denn wenn er es tat und Grace ihm antwortete, fand Edith bald etwas an ihren Tischmanieren auszusetzen oder an der Art, wie sie auf dem Stuhl hockte, um sie dann so scharf zurechtzuweisen, dass Grace für den Rest der Mahlzeit nur noch stumm und deprimiert am Tisch saß.

Die schlanke Grace wurde noch schlanker, was Edith nur lachend mit den Worten kommentierte, dass sie zwar ›in die Höhe, aber nicht in die Breite‹ wachse. Ihr Blick wurde wachsam, geradezu misstrauisch; ihre Miene, früher meist ernst und ruhig, war nun entweder leicht mürrisch oder die eines ausgelassenen, übergedrehten Kindes, das sich am schmalen Rand der Hysterie entlangbewegte. Grace lächelte nur noch selten, lachte aber viel. Wenn sie allerdings lächelte, dann war es, als huschte ein Geist über ihr Gesicht. Einmal war Edith oben, als William seiner Tochter im Wohnzimmer begegnete. Schüchtern lächelte Grace ihm zu, woraufhin er sich unwillkürlich auf den Boden kniete und sie umarmte. Er spürte, wie sich seine Tochter versteifte, und merkte ihrem bestürzten Gesicht an, dass sie Angst hatte, also stand er auf, wich behutsam von ihr zurück, sagte irgendetwas Belangloses und zog sich in sein Arbeitszimmer zurück.

Am Morgen nach diesem Vorfall blieb er am Frühstückstisch sitzen, bis Grace zur Schule gegangen war, obwohl er wusste, dass er sich zu seinem Seminar um neun Uhr verspäten würde. Nachdem Edith ihre Tochter zur Tür gebracht hatte, kam sie nicht ins Esszimmer zurück; sie ging ihm aus dem Weg. Also betrat er das Wohnzimmer, in dem seine Frau mit einer Tasse Kaffee und einer Zigarette auf dem Sofa saß, und sagte ohne jede Einleitung: »Edith, mir gefällt nicht, was mit Grace passiert.«

Wie auf ihr Stichwort hin sagte sie: »Was meinst du?«

Er setzte sich ans andere Ende des Sofas, weit fort von ihr. Ein Gefühl der Hilflosigkeit überkam ihn. »Du weißt, was ich meine«, sagte er müde. »Lass ihr ein wenig Luft. Nimm sie nicht so hart ran.«

Edith drückte ihre Zigarette auf dem Unterteller aus. »Grace ist es noch nie besser gegangen. Sie hat jetzt Freundinnen und Sachen, mit denen sie sich beschäftigen kann. Ich weiß, du bist viel zu beschäftigt, um so etwas wahrzunehmen, aber … dir muss doch auch aufgefallen sein, dass sie in letzter Zeit viel mehr aus sich herausgeht. Und sie lacht. Früher hat sie nie gelacht. Fast nie.«

William betrachtete sie in stillem Erstaunen. »Glaubst du das wirklich?«

»Natürlich glaube ich das«, sagte Edith. »Ich bin ihre Mutter.«

Und sie glaubte es tatsächlich, begriff Stoner. Er schüttelte den Kopf.

»Ich habe es mir nie eingestehen wollen«, sagte er, innerlich fast ruhig, »aber du hasst mich, nicht wahr, Edith?«

»Was?« Das Erstaunen in ihrer Stimme war echt. »Ach, Willy!« Sie lachte laut und hemmungslos. »Sei doch kein Narr. Natürlich nicht. Du bist mein Mann.«

»Lass es nicht an dem Kind aus.« Er konnte das Zittern in seiner Stimme nicht länger verhindern. »Das brauchst du nicht mehr, das weißt du. Nimm alles, nur nicht das Kind. Wenn du Grace weiter so missbrauchst, dann werde ich …« Er sprach nicht zu Ende.

Nach einem Moment fragte Edith: »Was wirst du dann?« Sie sprach leise und ohne ihn provozieren zu wollen. »Alles, was du tun kannst, ist, mich zu verlassen, und das würdest du nie tun. Das wissen wir beide.«

Er nickte. »Wahrscheinlich hast du recht.« Blindlings stand er auf, ging in sein Arbeitszimmer, holte den Mantel aus dem Schrank und griff nach der Mappe, die auf ihrem Platz neben dem Schreibtisch lag. Als er durchs Wohnzimmer kam, wandte sich Edith noch einmal an ihn.

»Ich würde Grace nie wehtun, Willy. Das solltest du wissen. Ich liebe sie. Schließlich ist sie meine Tochter.«

Er wusste, dass das stimmte; sie liebte Grace, und diese Einsicht trieb ihm fast die Tränen in die Augen. Er schüttelte den Kopf und ging nach draußen.

Als er an diesem Abend nach Hause kam, musste er feststellen, dass Edith tagsüber mithilfe eines Arbeiters aus der Nachbarschaft all seine Habe aus dem Arbeitszimmer geräumt hatte. In einer Ecke des Wohnzimmers zusammengedrängt standen Schreibtisch und Sofa, drum herum lagen in achtlosem Durcheinander Kleider, Papiere und all seine Bücher.

*

Da sie jetzt mehr Zeit zu Hause verbringe, habe sie (erzählte sie ihm) sich entschlossen, wieder mit dem Malen und der Bildhauerei zu beginnen; und sein Arbeitszimmer mit dem Fenster nach Norden sei nun mal das einzige Zimmer im Haus mit anständigem Licht. Sie wusste, umzuziehen mache ihm nichts aus; er könne ja den Wintergarten hinten im Haus nutzen, der sei weiter vom Wohnzimmer entfernt, also hätte er da auch mehr Ruhe für seine Arbeit.

Doch der Wintergarten war so klein, dass er seine Bücher nicht ordentlich darin unterbringen konnte; außerdem gab es dort weder Platz für seinen Schreibtisch noch für das Sofa, weshalb er beides im Keller lagern musste. Im Winter war der Raum schwierig zu heizen, und im Sommer, das wusste er, fiel das pralle Sonnenlicht so auf die Glasscheiben, dass der Raum nahezu unbewohnbar sein würde. Trotzdem arbeitete er dort mehrere Monate. Er besorgte sich einen kleinen Tisch, den er als Schreibtisch nutzte, und kaufte sich einen tragbaren Heizkörper, um die Kälte ein wenig zu mindern, die abends durch die dünne Bretterverschalung drang. Nachts schlief er in eine Decke gewickelt auf dem Sofa im Wohnzimmer.

Nach einigen Monaten relativen, wenn auch unbequemen Friedens fand er, wenn er nachmittags von der Universität nach Hause kam, immer öfter ausrangierte Haushaltsgegenstände – kaputte Lampen, zerschlissene Decken, kleine Truhen und Kisten mit irgendwelchem Tand – achtlos in jenem Raum abgestellt, der jetzt als sein Arbeitszimmer diente.

»Im Keller ist es zu feucht«, sagte Edith, »da sind die Sachen gleich ruiniert. Es macht dir doch nichts aus, wenn ich sie eine Weile hier abstelle, oder?«

An einem Nachmittag im Frühling kehrte er während eines heftigen Unwetters heim, um festzustellen, dass eine der Glasscheiben zerbrochen war und der Regen mehrere Bücher beschädigt sowie einige seiner Notizen unleserlich gemacht hatte; wenige Wochen später kam er nach Hause und fand heraus, dass es Grace und einigen ihrer Freundinnen erlaubt worden war, in seinem Zimmer zu spielen, wobei mehrere Notizblätter und die ersten Seiten des Manuskripts seines neuen Buches zerrissen worden waren. »Ich habe sie nur ein paar Minuten hereingelassen«, sagte Edith, »aber irgendwo müssen sie ja spielen. Ich hatte doch keine Ahnung. Du solltest ein ernstes Wort mit Grace reden. Schließlich habe ich ihr oft genug gesagt, wie wichtig dir deine Arbeit ist.«

Da gab er auf. So viele Bücher wie nur möglich stellte er in seinem Büro unter, das er mit drei jüngeren Dozenten teilte, und verbrachte danach jene Zeit, die er zuvor daheim verbracht hatte, überwiegend in der Universität. Früh kam er nur noch nach Hause, wenn seine Einsamkeit und das Verlangen, ein Wort mit seiner Tochter zu reden oder auch nur einen flüchtigen Blick auf sie zu werfen, es ihm unmöglich machten, noch länger fortzubleiben.

Im Büro hatte er allerdings bloß Platz für wenige Bücher, und die Arbeit am Manuskript wurde oft unterbrochen, da ihm die notwendigen Texte fehlten; außerdem besaß einer seiner Bürokollegen, ein ernster junger Mann, die Angewohnheit, für den Abend Treffen mit seinen Studenten anzuberaumen. Das Gezischel ihrer unterdrückten Gespräche war im ganzen Raum zu hören und lenkte ihn dermaßen ab, dass es ihm schwerfiel, sich zu konzentrieren. Schließlich verlor er das Interesse an seinem neuen Buch; die Arbeit daran verlangsamte sich, bis sie bald ganz zum Erliegen kam, und ihm wurde klar, dass sie für ihn zur Zuflucht geworden war, zu einem Vorwand, sich zurückzuziehen und abends ins Büro zu kommen. Er las und arbeitete jedoch weiterhin und fand in dem, was er tat, zu guter Letzt sogar ein wenig Trost, ein wenig Vergnügen, gar einen Hauch der alten Freude, da er sich bildete, ohne damit einen bestimmten Zweck zu verfolgen.

Edith hatte in der Bevormundung ihrer Tochter und der besessenen Sorge um Grace etwas nachgelassen, sodass das Kind gelegentlich wieder lächelte und sich manchmal beinahe entspannt mit ihm unterhielt. So fand er es möglich zu leben und auch, glücklich zu sein, jedenfalls dann und wann.

IX

DER INTERIMSVORSITZ DES ENGLISCHEN FACHBEREICHS, den Gordon Finch seit dem Tod von Archer Sloane innehatte, wurde Jahr für Jahr erneuert, bis sich die Mitglieder der Fakultät schließlich an jene lässige Anarchie gewöhnt hatten, die irgendwie dafür sorgte, dass Seminare anberaumt und unterrichtet, neue Mitarbeiter eingestellt, die trivialen Details des Fachbereichsbetriebs erledigt wurden und ein Jahr aufs andere folgte. Man ging allgemein davon aus, dass der Vorsitz dauerhaft neu besetzt werden würde, sobald Finch Dekan des Fachbereichs Kunst und Wissenschaften werden konnte, eine Stellung, die er de facto, aber nicht offiziell innehatte. Josiah Claremont drohte, niemals zu sterben, auch wenn man ihn nur noch selten über die Flure wandern sah.

Die Mitglieder des Fachbereichs gingen ihrer Wege, hielten Vorlesungen, die sie schon im Jahr zuvor gehalten hatten, und besuchten sich zwischen den Seminaren gegenseitig in ihren Büros. Formell trafen sie nur zu Beginn eines jeden Semesters zusammen, wenn Gordon Finch ein allgemeines Fachbereichstreffen einberief, sowie dann, wenn ihnen der Dekan des Graduiertenkollegs Aktennotizen schickte, in denen er sie bat, für die älteren Semester, die kurz vor Abschluss ihres Studiums standen, mündliche und schriftliche Prüfungen anzusetzen.

Solche Prüfungen nahmen einen wachsenden Teil von Stoners Zeit in Anspruch. Überrascht stellte er fest, dass er sich als Dozent einer bescheidenen Popularität erfreute und sogar Studenten abweisen musste, die an seinem Fortgeschrittenenseminar über Latein und die Literatur der Renaissance teilnehmen wollten; seine Einführungskurse für Erstsemester waren immer voll. Mehrere Doktoranden baten ihn, ihre Doktorarbeit zu betreuen, und noch mehr wählten ihn zum Prüfer für ihre kommissionelle Prüfung.

Im Herbst des Jahres 1931 war das Seminar schon vor dem Tag der Anmeldung nahezu komplett belegt; viele Studenten hatten sich bei Stoner bereits am Ende des vorhergehenden akademischen Jahres oder im Laufe des Sommers gemeldet. Eine Woche nach Semesterbeginn, als das Seminar bereits einmal stattgefunden hatte, kam ein Student in Stoners Büro und bat darum, noch aufgenommen zu werden.

Stoner saß an seinem Schreibtisch, vor sich eine Liste der Seminarstudenten, und versuchte, ihnen Themen für ihre Seminararbeiten zuzuteilen, was er besonders knifflig fand, da er viele Teilnehmer noch gar nicht kannte. Es war ein Nachmittag im September, und das Fenster neben dem Schreibtisch stand offen; die Fassade des großen Gebäudes lag im Schatten, und auf dem grünen Rasen davor zeichneten sich deutlich die Umrisse des Gebäudes, das Halbrund des Kuppelbaus und die unregelmäßige Dachsilhouette ab, die das Grün verdunkelten und unmerklich über den Campus wanderten. Eine kühle Brise drang durchs Fenster und brachte frischen Herbstgeruch mit.

Als es klopfte, drehte er sich zur offenen Tür um und sagte: »Herein.«

Eine Gestalt schob sich aus dem dunklen Flur ins helle

Zimmer. Stoner blinzelte träge gegen das Zwielicht an und bemerkte einen Studenten, der ihm bereits auf den Fluren aufgefallen war, obwohl er ihn nicht kannte. Der linke Arm des jungen Mannes hing steif nach unten, und er zog den linken Fuß beim Gehen nach. Das Gesicht war blass und voll, die Hornbrille rund, das schüttere schwarze Haar präzise gescheitelt und flach am Kopf anliegend.

»Dr. Stoner?«, fragte er, die Stimme durchdringend und abgehackt, die Aussprache präzise.

»Ja«, erwiderte Stoner. »Wollen Sie sich nicht setzen?«

Der junge Mann nahm auf dem harten Holzstuhl vor Stoners Schreibtisch Platz; das linke Bein gerade ausgestreckt, darauf ruhte die dauerhaft zu einer halb geschlossenen Faust verkrümmte linke Hand. Er lächelte, nickte und sagte in eigenartig selbstironischem Ton: »Sie kennen mich vielleicht noch nicht; ich bin Charles Walker, Doktorand im zweiten Jahr. Ich bin der Assistent von Dr. Lomax.«

»Ja, Mr Walker«, sagte Stoner. »Was kann ich für Sie tun?«

»Nun, ich bin gekommen, um Sie um einen Gefallen zu bitten, Sir.« Wieder lächelte Walker. »Ich weiß, Ihr Seminar ist schon voll, aber ich möchte trotzdem noch gern daran teilnehmen.« Er schwieg und setzte dann ein wenig nachdrücklich hinzu: »Dr. Lomax meinte, ich solle mit Ihnen reden.«

»Ich verstehe«, antwortete Stoner. »Und was ist Ihr Spezialgebiet, Mr Walker?«

»Die romantischen Dichter«, sagte Walker. »Dr. Lomax ist mein Doktorvater.«

Stoner nickte. »Wie weit sind Sie mit Ihrer Arbeit?«

»Ich hoffe, in zwei Jahren fertig zu sein«, erwiderte Walker.

»Tja, das macht die Sache einfacher«, sagte Stoner. »Ich biete das Seminar jedes Jahr an. Es ist jetzt wirklich schon so voll, dass man es kaum noch ein Seminar nennen kann, und ein Student mehr würde gleichsam das Fass zum Überlaufen bringen. Warum warten Sie nicht bis zum nächsten Jahr, wenn Sie das Seminar unbedingt mitmachen wollen?«

Walker wandte den Blick von ihm ab. »Nun, ehrlich gesagt«, antwortete er und bedachte Stoner dann wieder mit einem strahlenden Lächeln, »bin ich das Opfer eines Missverständnisses. Was natürlich allein meine Schuld ist. Mir war nicht klar, dass jeder Doktorand mindestens vier Fortgeschrittenenseminare absolvieren muss, weshalb ich bis zum letzten Jahr überhaupt keines belegt habe. Und wie Sie wissen, ist mehr als eines pro Semester nicht gestattet. Wenn ich also in zwei Jahren meinen Abschluss machen will, muss ich nun jedes Semester eines dieser Seminare belegen.«

Stoner seufzte. »Ich verstehe. Also interessieren Sie sich gar nicht spezifisch für die Einflüsse der lateinischen Tradition?«

»Doch, natürlich, Sir. Ganz bestimmt. Das Thema wäre für meine Arbeit überaus hilfreich.«

»Sie sollten wissen, Mr Walker, dass dies ein hochspezielles Oberseminar ist, weshalb ich niemanden ermuntere, daran teilzunehmen, wenn er sich nicht ernsthaft dafür interessiert.«

»Aber ja, Sir«, erwiderte Walker. »Ich kann Ihnen versichern, dass ich mich wirklich ernsthaft dafür interessiere.«

Stoner nickte. »Wie ist Ihr Latein?«

Walker wackelte mit dem Kopf. »Ach, bestens, Sir. Ich habe die Lateinprüfung zwar noch nicht abgelegt, kann es aber recht gut lesen und verstehen.«

»Und wie sieht es mit Französisch und Deutsch aus?«

»Aber ja, Sir. Auch da habe ich die Prüfungen allerdings noch nicht bestanden; ich dachte, ich räume sie mir Ende dieses Jahres alle zusammen aus dem Weg. Allerdings beherrsche ich die beiden Sprachen ziemlich gut.« Walker schwieg und setzte dann hinzu: »Dr. Lomax sagte, er glaube, ich werde mit der Arbeit im Seminar keine Schwierigkeiten haben.«

Stoner seufzte erneut. »Also gut«, sagte er. »Ein Großteil der Lektüre ist auf Latein, manches auf Französisch und Deutsch, aber notfalls behalten Sie auch ohne Kenntnis der letzteren Sprachen den Anschluss. Ich gebe Ihnen eine Leseliste, und wir sprechen nächsten Mittwochnachmittag über das Thema Ihrer Seminararbeit.«

Walker dankte ihm überschwänglich und erhob sich mit einiger Mühe von seinem Stuhl. »Ich fang gleich mit der Lektüre an«, erklärte er. »Ich bin mir sicher, Sie werden es nicht bedauern, Sir, dass Sie mich noch in das Seminar aufgenommen haben.«

Stoner blickte ihn leicht überrascht an. »Mir ist nicht einmal der Gedanke gekommen, Mr Walker«, sagte er trocken. »Wir sehen uns am Mittwoch.«

*

Das Seminar fand in einem kleinen Kellerraum im Südflügel von Jesse Hall statt. Die Wände verströmten einen klammen, aber keineswegs unangenehmen Geruch, und Füße scharrten mit hohlem Geflüster über nackten Zementboden. Eine einzelne Glühbirne hing an der Decke und leuchtete so herab, dass jene, die an ihren Pulten in der Zimmermitte Platz nahmen, in einem hellen Lichtklecks saßen; die Wände jedoch waren dämmriggrau und die Ecken so schwarz, als saugte der glatte, unverputzte Beton alles Licht auf, das von der Decke fiel.

An jenem zweiten Mittwoch im Semester kam William Stoner einige Minuten zu spät, begrüßte die Studenten und begann, Bücher und Papiere auf dem schmalen gebeizten Eichentisch anzuordnen, der quer vor der Tafel stand. Stoner musterte die über den Raum verteilte kleine Gruppe. Einige Studenten kannte er, zwei waren Doktoranden, deren Arbeiten er betreute, vier Magisterstudenten am Fachbereich, die er schon in ihren ersten Semestern unterrichtet hatte, von den verbleibenden Studenten strebten drei einen Abschluss im Fach Moderne Sprachen an, einer war Philosophiestudent, der seine Dissertation über die Scholastik schrieb, eine Frau mittleren Alters war Lehrerin an einer Highschool und wollte während eines Freisemesters ihren Magister nachholen, und die letzte eine dunkelhaarige junge Frau, eine neue Dozentin am Fachbereich, die für zwei Jahre einen Lehrauftrag übernahm, um in dieser Zeit ihre Dissertation zu beenden, mit der sie angefangen hatte, als sie den Unterricht an einer der Ostküsten-Universitäten aufgab. Sie hatte Stoner gefragt, ob sie als Gasthörerin an seinem Seminar teilnehmen dürfe, und er hatte eingewilligt. Charles Walker war nicht anwesend. Stoner wartete noch einige Augenblicke, sortierte seine Papiere, räusperte sich dann und begann.

»Bei unserem ersten Treffen haben wir den inhaltlichen Rahmen dieses Seminars abgesteckt und beschlossen, unser Studium des mittelalterlichen Lateins auf die ersten drei der sieben freien Künste zu beschränken – also auf Grammatik, Rhetorik und Dialektik.« Er legte eine Pause ein und beobachtete die Studenten, die ihm ihre aufmerksamen, neugierigen, maskenhaften Gesichter zuwandten und auf jedes seiner Worte achteten.

»Eine solch rigide Begrenzung mag einigen von Ihnen töricht erscheinen, doch zweifle ich nicht daran, dass wir genügend Stoff haben, um uns selbst dann noch zu beschäftigen, wenn wir auch nur oberflächlich die Entwicklung des Triviums bis ins 16. Jahrhundert hinein verfolgen. Dabei gilt es unbedingt zu begreifen, dass diese Künste, also Rhetorik, Grammatik und Dialektik, für den Menschen des späten Mittelalters und der frühen Renaissance eine Bedeutung hatten, die wir heute ohne jede historische Imagination nur noch ungefähr erahnen können. Für einen damaligen Gelehrten ging es bei der Kunst der Grammatik beispielsweise nicht bloß um eine eher mechanische Anordnung der einzelnen Teile seiner Rede, da Studium und Praxis der Grammatik von der späthellenistischen Zeit bis tief ins Mittelalter nicht allein die bei Platon und Aristoteles erwähnte ›Kunst des Lesens und Schreibens‹ umfassten, sondern auch, und dies wurde immer wichtiger, ein Studium der Dichtkunst in all ihrer sprachlichen Raffinesse einschlossen, eine Exegese der Lyrik sowohl nach Form und Inhalt als auch nach den Schönheiten des Stils, sofern Letzterer sich von der Rhetorik unterschied.«

Er erwärmte sich für sein Thema und merkte, wie mehrere Studenten sich vorbeugten und aufhörten, sich Notizen zu machen. Er fuhr fort: »Würden wir im 20. Jahrhundert gefragt, welche dieser drei Künste die wichtigste sei, entschieden wir uns gewiss für Dialektik oder Rhetorik und wohl kaum für die Grammatik. Der römische oder mittelalterliche Gelehrte aber – und der Dichter – hätte höchstwahrscheinlich die Grammatik als die Wichtigste dieser drei Künste genannt. Wir dürfen nicht vergessen …«

Ein lautes Geräusch unterbrach ihn. Die Tür war aufgegangen, und Charles Walker betrat den Raum. Als er die Tür schloss, glitten ihm seine Bücher aus dem verkrüppelten Arm und krachten zu Boden. Umständlich beugte er sich vor, wobei er das steife Bein nach hinten ausstreckte, um bedächtig seine Bücher und Papiere wieder einzusammeln. Dann richtete er sich auf und schlurfte nach vorn, wobei die über den nackten Zement schleifenden Füße ein vernehmliches, durchdringendes Scharren erzeugten, das seltsam hohl und zischelnd klang. Er entschied sich für einen Stuhl in der ersten Reihe und setzte sich.

Nachdem Walker Platz genommen und seine Papiere und Bücher auf dem Pult geordnet hatte, fuhr Stoner fort: »Wir dürfen nicht vergessen, dass das mittelalterliche Verständnis von Grammatik noch allgemeiner als das im späten Griechenland oder in Rom war. Man meinte damit nicht nur die Wissenschaft der korrekten Rede und die Kunst der Textauslegung, sondern auch das, was wir heute unter Analogie verstehen, Etymologie, Methoden der Präsentation sowie der Konstruktion und Kondition poetischer Freizügigkeit und deren entsprechende Ausnahmen – sie beinhaltete selbst Metaphorik und Redewendungen.«

Während er fortfuhr, die genannten Kategorien der Grammatik weiter auszuführen, streifte Stoners Blick über die Studenten, und er bemerkte, dass er ihre Aufmerksamkeit durch Walkers Ankunft verloren hatte; bis er sie erneut aus sich herauslocken konnte, würde es eine Weile dauern, das war ihm klar. Immer wieder sah er neugierig zu Walker hinüber, der, nachdem er sich eine Weile eifrig Notizen gemacht hatte, nun langsam den Stift auf das Blatt sinken ließ, während er Stoner mit verwirrtem Stirnrunzeln betrachtete. Schließlich schoss seine Hand in die Höhe; Stoner beendete den Satz, den er angefangen hatte, und nickte ihm zu.

»Sir«, sagte Walker, »entschuldigen Sie, aber das verstehe ich nicht. Was kann …«, er legte eine Pause ein und ließ zu, dass sich seine Lippen um das nächste Wort kräuselten, »… *Grammatik* mit Lyrik zu tun haben? Fundamental, meine ich. Mit *echter* Lyrik.«

Besonnen antwortete Stoner: »Wie ich bereits vor Ihrer Ankunft erklärt habe, Mr Walker, verstanden sowohl die römischen wie die mittelalterlichen Rhetoriker unter ›Grammatik‹ weit mehr, als wir dies heutzutage tun. Für sie bedeutete …« Er hielt inne, als ihm auffiel, dass einige Studenten unruhig wurden, weil er im Begriff stand, den ersten Teil seines Vortrags zu wiederholen. »Nun, ich denke, dieser Bezug wird für Sie im weiteren Verlauf deutlich, wenn wir sehen werden, wie viel die Dichter und Theaterschriftsteller selbst der mittleren und späten Renaissance den lateinischen Rhetorikern verdankten.«

»Alle, Sir?« Walker lächelte und lehnte sich zurück. »War es nicht Samuel Johnson, der von Shakespeare sagte, er habe kaum Latein und noch weniger Griechisch gekonnt?«

Als ein unterdrücktes Lachen im Raum laut wurde, spürte Stoner, wie ihn eine Art Mitleid überkam. »Sie meinen natürlich Ben Jonson.«

Walker nahm die Brille ab, putzte sie und blinzelte hilflos. »Natürlich«, erwiderte er. »Ein Versprecher.«

Obwohl Walker ihn noch mehrfach unterbrach, gelang es Stoner, seinen Vortrag ohne allzu große Mühe zu Ende zu bringen und sogar Themen für die ersten Seminararbeiten zu verteilen. Er entließ die Studenten eine halbe Stunde früher und eilte zur Tür, als er sah, dass Walker mit einem starren Grinsen im Gesicht in seine Richtung schlurfte. Während er polternd über die Holztreppe aus dem Keller nach oben hastete und auf der glatten Marmortreppe, die in den ersten Stock führte, immer zwei Stufen auf einmal nahm, wurde er das seltsame Gefühl nicht los, dass Walker beharrlich hinter ihm her schlurfte und versuchte, seine Flucht zu vereiteln. Scham und schlechtes Gewissen schlugen wie eine Welle über ihm zusammen.

Im zweiten Stock ging er direkt in Lomax' Büro. Lomax unterhielt sich mit einem Studenten. Stoner steckte den Kopf durch die Tür und sagte: »Kann ich Sie eine Minute sprechen, Holly, wenn Sie so weit sind?«

Lomax winkte ihm freundlich zu. »Kommen Sie ruhig herein. Wir sind gerade fertig.«

Stoner trat ein und tat, als studiere er die Titel der Bücher auf den Regalen, während Lomax und der Student sich verabschiedeten. Kaum war der Student fort, setzte sich Stoner auf den Stuhl, der soeben frei geworden war. Lomax sah ihn fragend an.

»Es geht um einen Studenten«, sagte Stoner. »Charles Walker. Er behauptet, Sie hätten ihn zu mir geschickt.«

Lomax legte die Fingerspitzen aneinander, betrachtete sie und nickte. »Ja, ich glaube, ich habe angedeutet, dass ein Besuch Ihres Seminars für ihn sinnvoll sein könnte. Was war es noch gleich? – der Einfluss des Lateinischen?«

»Können Sie mir etwas über ihn erzählen?«

Lomax blickte von seinen Händen auf, schaute an die Zimmerdecke und schob nachdenklich die Unterlippe vor. »Ein guter Student. Ein überragender Student, wage ich zu behaupten. Schreibt seine Dissertation über Shelley und das hellenistische Ideal, und sie verspricht brillant zu werden, wirklich brillant. Wird zwar nicht das sein, was man gewöhnlich« – er zögerte, suchte bedachtsam nach dem Wort – »*solide* nennt, doch wird sie zweifellos höchst einfallsreich sein. Warum? Gibt es einen bestimmten Grund für Ihre Frage?«

»Ja«, sagte Stoner. »Er hat sich heute im Seminar ziemlich danebenbenommen, und ich habe mich gefragt, ob ich dem eine besondere Bedeutung beimessen soll.«

Lomax' frühere Freundlichkeit war verschwunden, und die vertrautere Maske der Ironie hatte sich erneut über sein Gesicht gelegt. »Ach ja«, sagte er mit frostigem Lächeln. »Die Unvernunft und Taktlosigkeit der Jugend. Aus Gründen, die Sie gewiss verstehen werden, ist Walker auf eine linkische Weise eher schüchtern und deshalb manchmal zu defensiv oder im Ton auch zu bestimmend. Wie wir alle hat er so seine Probleme, nur will ich nicht hoffen, dass seine wissenschaftlichen und kritischen Fähigkeiten im Lichte seiner doch recht verständlichen psychischen Störungen beurteilt werden.« Er sah Stoner direkt an und fügte noch mit boshaftem Vergnügen hinzu: »Er ist ein Krüppel, wie Ihnen kaum entgangen sein dürfte.«

»Vielleicht liegt es daran«, erwiderte Stoner nachdenklich. Er seufzte und erhob sich von seinem Stuhl. »Ist wohl wirklich noch zu früh, um mir Sorgen zu machen. Ich wollte bloß mal bei Ihnen rückfragen.«

Mit einem Mal klang Lomax angespannt, und seine Stimme zitterte fast vor unterdrückter Wut. »Sie werden feststellen, dass er ein hervorragender Student ist. Ich kann Ihnen sogar versichern, dass Ihnen bald aufgehen wird, was für ein wirklich *exzellenter* Student er ist.«

Stoner musterte ihn kurz mit verblüfftem Stirnrunzeln, dann nickte er und verließ das Zimmer.

*

Das Seminar fand wöchentlich statt. Die ersten Sitzungen störte Walker mit Fragen und Kommentaren, die so weit ab vom Thema lagen, dass Stoner nicht wusste, wie er darauf reagieren sollte. Bald wurden Walkers Fragen und Bemerkungen mit Gelächter oder deutlicher Missachtung seitens der Studenten selbst quittiert, sodass er nach wenigen Wochen gar nichts mehr sagte und nur noch mit steinerner Miene dasaß, während um ihn herum das Seminar ablief. Es wäre, dachte Stoner, ja amüsant, zeigte sich in Walkers Wut und Widerwillen nicht so etwas Nacktes.

Trotz Walker war es ein erfolgreiches Seminar, eines der besten, die Stoner je gehalten hatte. Fast von Anfang an wurde die Aufmerksamkeit der Studenten von den thematischen Verwicklungen gefesselt, und sie empfanden eine Entdeckerfreude, wie sie wohl nur aufkommt, wenn man spürt, dass die gestellten Fragen im Zentrum eines noch weit größeren Themenfeldes liegen und man, geht man dem Thema nach, zu Neuem geführt wird, auch wenn man nicht weiß, was dies sein mag. Das Seminar organisierte sich selbst, und die Studenten waren so sehr bei der Sache, dass Stoner zu einem von ihnen wurde und sich ebenso eifrig wie sie der Suche hingab. Selbst die Gasthörerin – die junge Dozentin, die sich vorübergehend an der Columbia aufhielt, um ihre Doktorarbeit zu schreiben – fragte, ob sie über eines der Seminarthemen eine Arbeit schreiben dürfe. Sie meinte, auf etwas gestoßen zu sein, was auch für die übrigen Studenten von

Interesse sein könnte. Sie hieß Katherine Driscoll und war Ende zwanzig. Stoner hatte sie kaum wahrgenommen, bis sie sich nach dem Unterricht wegen der Arbeit an ihn wandte und fragte, ob er nicht ihre Doktorarbeit lesen könne, sobald sie fertig sei. Er sagte, er würde ihre Seminararbeit begrüßen und sei gern bereit, sich mit ihrer Doktorarbeit zu befassen.

Die Seminararbeiten waren für die zweite Hälfte des Semesters angesetzt, also für die Zeit nach den Weihnachtsferien. Walkers Aufsatz über ›Hellenismus und die mittelalterliche Lateintradition‹ war früh fällig, doch schob er ihn immer wieder auf und erklärte Stoner, wie schwierig es sei, benötigte Bücher zu bekommen, da sie in der Universitätsbibliothek ausgeliehen seien.

Es war ausgemacht, dass die Gasthörerin Miss Driscoll ihre Arbeit erst präsentierte, nachdem die regulären Studenten ihre Vorträge gehalten hatten, doch an dem letzten von Stoner für Seminararbeiten vorgesehenen Tag, zwei Wochen vor Ende des Semesters, bat Walker erneut um eine Woche Aufschub; er sei krank gewesen, die Augen hätten ihm wehgetan, und ein wichtiges Buch sei über die Fernleihe nicht rechtzeitig eingetroffen. Also hielt Miss Driscoll ihren Vortrag an dem Tag, der durch Walkers Absage frei geworden war.

Ihr Thema lautete ›Donatus und die Tragödie der Renaissance‹. Sie konzentrierte sich auf Shakespeares Gebrauch der donatischen Tradition, die bis in Grammatiken und Handbücher des Mittelalters Bestand gehabt hatte. Schon nach wenigen Augenblicken wusste Stoner, dass ihr Vortrag gut sein würde, und er hörte mit einer Begeisterung zu, wie er sie schon lange nicht mehr empfunden hatte. Nachdem sie geendet und das Seminar über ihre Arbeit diskutiert hatte, hielt er sie noch einen Moment zurück, während die Studenten den Raum verließen.

»Ich wollte Ihnen nur sagen, Miss Driscoll …« Er verstummte, und einen Moment lang packte ihn ein Gefühl der Verlegenheit und Betretenheit. Mit ihren großen dunklen Augen schaute sie ihn fragend an, das schneeweiße Gesicht ein deutlicher Gegensatz zu dem strengen schwarzen Rahmen ihrer Haare, die straff nach hinten gekämmt und zu einem kleinen Knoten zusammengebunden waren. Er fuhr fort: »Ich wollte Ihnen nur sagen, dass Ihre Arbeit der beste mir bekannte Beitrag zu diesem Thema ist, weshalb es mich sehr freut, dass Sie sich freiwillig bereit erklärt haben, diesen Vortrag zu halten.«

Sie gab keine Antwort und änderte auch ihre Miene nicht, doch fürchtete Stoner einen Moment lang, sie sei verärgert, da er etwas Wildes in ihren Augen aufblitzen sah. Dann lief sie dunkelrot an und senkte den Kopf, ob aber aus Unmut oder Freude, konnte Stoner nicht sagen; gleich darauf eilte sie davon. Beunruhigt und verwirrt ging Stoner langsam aus dem Zimmer, während er sich zugleich besorgt fragte, ob er sie in seinem Ungeschick irgendwie verletzt haben könnte.

So behutsam wie nur möglich hatte er Walker gewarnt, dass seine Arbeit am nächsten Mittwoch abzuliefern sei, falls er denn einen Schein für das Seminar erhalten wolle, doch wie beinahe erwartet, reagierte Walker bei allem Respekt kühl und verstimmt auf seine Warnung und beschrieb erneut die vielen Hindernisse und Schwierigkeiten, die sich ihm in den Weg gestellt hatten, während er Stoner zugleich versicherte, dass es keinen Anlass zur Sorge gäbe, da die Arbeit an seinem Vortrag fast abgeschlossen sei.

An jenem letzten Mittwoch wurde Stoner mehrere Minuten von einem Studenten in seinem Büro aufgehalten, der unbedingt von ihm hören wollte, dass er für den Einführungskurs im zweiten Studienjahr noch ein Ausreichend bekomme, da man ihn ansonsten aus der Burschenschaft werfe. Stoner eilte nach unten, und als er ein wenig außer Atem den Seminarraum im Keller betrat, sah er Charles Walker an seinem eigenen Platz sitzen, wie er ein wenig herrisch und ernst den Blick über die kleine Studentengruppe schweifen ließ. Es war nicht zu übersehen, dass er sich seinen Träumereien auch dann noch hingab, als er sich zu Stoner umwandte und ihn so hochmütig musterte, als wäre er ein Professor, der einen störenden Erstsemestler zurechtwies. Gleich darauf aber fiel Walkers Miene in sich zusammen, und er sagte: »Wir wollten gerade ohne Sie anfangen …« In letzter Sekunde verstummte er, setzte ein Lächeln auf, nickte und fügte, um Stoner zu verstehen zu geben, dass dies als Scherz gemeint sei, ein »Sir« hinzu.

Stoner schaute ihn kurz an, um sich darauf ans Seminar zu wenden. »Entschuldigen Sie bitte meine Verspätung. Wie Sie wissen, wird Mr Walker heute seinen Vortrag über ›Hellenismus und die mittelalterliche Lateintradition‹ halten.« Nach diesen Worten fand er einen freien Platz in der ersten Reihe, gleich neben Katherine Driscoll.

Charles Walker kämpfte einen Moment lang mit dem Stapel Papiere auf dem Tisch, während er zuließ, dass sich auf seinem Gesicht wieder eine abwesende Miene breitmachte. Mit dem Zeigefinger der rechten Hand tippte er dann auf das Manuskript und schaute in die Stoner und Katherine Driscoll gegenüberliegende Zimmerecke, als würde er auf etwas warten, ehe er schließlich – mit einem gelegentlichen Blick auf den Stapel Papier auf seinem Tisch – begann.

»In Anbetracht des Mysteriums der Literatur und ihrer unbeschreiblichen Macht obliegt es uns, den Quell dieser Macht und dieses Mysteriums zu erforschen. Und doch, was vermag uns dies letztlich zu nützen? Das Werk der Literatur lässt einen Schleier vor uns herab, den wir nicht durchdringen können, denn vor ihm sind wir nur demütige Verehrer, hilflos dem Spiel seiner wogenden Falten ausgeliefert. Wer besäße die Tollkühnheit, den Schleier beiseiteziehen zu wollen, um das Unerforschbare zu erforschen, das Unerreichbare zu erreichen? Vor diesem ewigen Geheimnis sind auch die Stärksten unter uns nur matte Schwächlinge, nichts als klirrende Zimbeln und lauter Trompetenschall.«

Die Stimme hob und senkte sich, die rechte Hand wurde ausgestreckt, die Finger flehentlich aufwärts gekrümmt, und der ganze Körper schwankte im Rhythmus der Worte; die Augen waren leicht nach oben gerollt, als trüge Walker eine Fürbitte vor. Was er sagte und tat, wirkte auf groteske Weise vertraut, und plötzlich wusste Stoner, was es war. Das hier war Hollis Lomax – oder vielmehr eine unbeholfene Karikatur, die dem Karikaturisten selbst unbewusst unterlief, eine Geste nicht der Verachtung, der Ablehnung, sondern des Respekts und der Bewunderung.

Walkers Stimme sank auf Gesprächsniveau, und er sprach zur hinteren Zimmerwand in einem stillen, vernunftbestimmten Ton. »Vor kurzem haben wir einen Vortrag gehört, der im akademischen Sinne gewiss als höchst bemerkenswert gelten darf. Die nun folgenden Anmerkungen sind nicht persönlich gemeint. Dies möchte ich betonen. Im Verlauf des erwähnten Vortrags haben wir einen Bericht vernommen, in dem behauptet wird, eine Erklärung für das Mysterium und die erhebende Lyrik der shakespeareschen Kunst gefunden zu haben. Nun, ich kann Ihnen sagen« – er streckte dem Publikum den Zeigefinger hin, als wollte er es aufspießen –, »ich kann Ihnen sagen, das ist falsch.« Er lehnte sich auf dem Stuhl zurück und warf einen Blick in die Papiere. »Man bat uns zu glauben, ein gewisser Donatus – ein obskurer römischer *Grammatiker* des 4. Jahrhunderts vor Christus –, man bat uns also zu glauben, dass dieser Mann genügend Einfluss besessen habe, die Arbeit eines der größten Genies in der gesamten Literaturgeschichte prägen zu können. Sollten wir dieser Theorie nicht gleich auf Anhieb misstrauen? *Müssen* wir ihr nicht sogar misstrauen?«

Ärger stieg in Stoner auf, schlichter, dumpfer Ärger, der die Komplexität der Gefühle verdrängte, die er noch zu Beginn des Vortrags gehegt hatte. Am liebsten wäre er sofort aufgestanden, um der sich entwickelnden Farce Einhalt zu gebieten; er wusste, wenn er Walker nicht gleich das Wort verbot, würde er ihn reden lassen müssen, solange es ihm beliebte. Er wandte ein wenig den Kopf, um Katherine Driscolls Gesicht sehen zu können, doch wirkte sie ernst und ungerührt, und nur ein höfliches, distanziertes Interesse war ihr anzumerken; ihre dunklen Augen betrachteten Walker mit einer Ungerührtheit, die schon fast an Langeweile grenzte. Verstohlen beobachtete Stoner sie noch einige Augenblicke und ertappte sich dabei, dass er sich fragte, was sie wohl empfand und ob es etwas gab, dass er ihrer Meinung nach tun sollte. Als er dann endlich den Blick von ihr abwandte, musste er einsehen, dass ihm seine Entscheidung abgenommen worden war. Er hatte zu lange gewartet, um Walker noch unterbrechen zu können, sodass der nun ungestört vorbrachte, was er zu sagen hatte.

»... das monumentale Bauwerk, welches die Literatur der

Renaissance darstellt, ein Bauwerk, das den Eckstein der großen Dichtkunst des 19. Jahrhunderts bildet. An Beweisen, der eintönigen Gelehrsamkeit so wohlvertraut wie der Kritik fremd, herrscht gleichfalls trauriger Mangel. Denn welcher *Beweis* wurde erbracht, dass Shakespeare tatsächlich diesen obskuren römischen Grammatiker gelesen hat? Wir sollten uns in Erinnerung rufen, dass es Ben Jonson war –«, er zögerte kurz, »– dass es Ben Jonson selbst war, Shakespeares Freund und Zeitgenosse, der über ihn sagte, er könne kaum Latein und noch weniger Griechisch. Und Jonson, der Shakespeare auf eine an Vergötterung grenzende Weise verehrte, wollte seinem Freund gewiss keinen Mangel unterstellen. Im Gegenteil, er deutete damit an – und dem möchte ich mich anschließen –, dass die erhabene Lyrik Shakespeares sich nicht dem mitternächtlichen Schein einer Petroleumlampe, sondern seinem angeborenen Genie verdankte, das hoch über allen Regeln und dem profanen Gesetz stand. Anders als mindere Poeten wurde Shakespeare nicht geboren, um ungesehen zu erröten und seinen Liebreiz in der Wüstenluft zu vergeuden; denn was brauchte der unsterbliche Barde solch lähmende Regeln, wie sie in einer schnöden Grammatik stehen, da er doch Anteil an jener geheimnisvollen Quelle hatte, der alle Dichter sich Stärkung heischend zuwenden? Was hätte ihm Donatus denn bedeuten können, selbst wenn er ihn gelesen hätte? Das Genie, einzigartig und nur sich selbst Gesetz, bedarf keiner Unterstützung durch eine solche ›Tradition‹, wie sie uns beschrieben wurde, leite sie sich nun aus dem Lateinischen her, von Donatus oder sonstwo. Das erhabene, freie Genie muss …«

Nachdem er sich mit seinem Ärger abgefunden hatte, spürte Stoner, wie ihn eine widerwillige, geradezu abwegige

Bewunderung überkam. Mochte der Mann noch so blumig und waghalsig argumentieren, waren seine rhetorischen und innovativen Fähigkeiten doch auf bestürzende Weise beachtlich, und seine Anwesenheit war real, auch wenn sie ihm geradezu grotesk erschien. In seinem Blick lag etwas Kaltes, Berechnendes und Wachsames, etwas unnötig Rücksichtsloses und doch verzweifelt Vorsichtiges. Stoner begriff, dass er einen so kolossalen wie kühnen Bluff erlebte und unmittelbar nicht wusste, wie er damit umgehen sollte.

Denn selbst für den unaufmerksamsten Studenten war es offenkundig, dass Walker seinen Vortrag gänzlich aus dem Stegreif hielt. Stoner bezweifelte, dass er auch nur annähernd wusste, was er sagen wollte, als er sich vor dem Seminar an den Tisch setzte und die Studenten auf seine kalte, herrische Weise musterte. Gleichfalls war nicht zu übersehen, dass der Stapel Papiere vor ihm auf dem Tisch nichts mehr als eben nur ein Stapel Papiere war; sobald Walker sich in Fahrt geredet hatte, gab er nicht einmal mehr vor, hin und wieder einen Blick darauf werfen zu müssen, und gegen Ende seiner Rede schob er die Papiere in seiner Aufregung und Inbrunst vollends beiseite.

Er redete fast eine Stunde lang. Zum Ende hin warfen die Studenten einander besorgte Blicke zu, beinahe, als schwebten sie in Gefahr oder sännen über Fluchtmöglichkeiten nach; und sie mieden es sorgsam, zu Stoner oder der jungen Frau hinüberzusehen, die so reglos an seiner Seite saß. Als spürte Walker diese Unruhe, brachte er seinen Vortrag beinahe abrupt zu Ende, lehnte sich auf seinem Stuhl zurück und lächelte triumphierend.

Im selben Moment, in dem Walker aufhörte zu reden, erhob sich Stoner und entließ das Seminar; und auch wenn er es damals nicht wusste, trieb ihn dazu ein vages Gefühl der Rücksicht auf Walker, da er nicht wollte, dass jemand Gelegenheit bekam, über das soeben Gehörte öffentlich zu diskutieren. Anschließend trat Stoner an den Tisch, an dem Walker saß, und bat den Studenten, noch einen Moment zu bleiben, woraufhin Walker so reserviert nickte, als wäre er in Gedanken woanders. Stoner drehte sich um, um einigen Nachzüglern hinaus auf den Flur zu folgen. Als er sah, wie Katherine Driscoll allein aufbrechen wollte, rief er ihr nach. Sie blieb stehen, und er ging zu ihr, doch kaum begann er zu sprechen, fühlte er sich erneut so verlegen wie letzte Woche, als er sie zu ihrer Arbeit beglückwünscht hatte.

»Miss Driscoll, es … es tut mir leid. Das war wirklich höchst unfair, und ich fühle mich irgendwie verantwortlich. Vielleicht hätte ich ihm ins Wort fallen sollen.«

Sie erwiderte nichts, auch blieb ihre Miene so unbeweglich wie zuvor; und sie blickte zu ihm auf, wie sie quer durchs Kellerzimmer zu Walker hinübergesehen hatte.

»Jedenfalls«, fuhr er nun noch verlegener fort, »tut es mir leid, dass er Sie so angegriffen hat.«

Und da lächelte sie. Es war ein Lächeln, das in den Augenwinkeln langsam begann und dann an ihren Lippen zupfte, bis ein strahlendes, warmes, überaus anheimelndes Entzücken ihr ganzes Gesicht erhellte. Stoner wäre vor dieser plötzlichen, unwillkürlichen Vertrautheit fast zurückgewichen.

»Ach, um mich ging es doch nicht«, sagte sie, und ein leises Zittern unterdrückten Lachens verlieh ihrer tiefen Stimme ein leichtes Timbre. »Um mich ging es überhaupt nicht. *Sie* hat er angegriffen. Ich hatte damit kaum etwas zu tun.«

Stoner fühlte sich wie von einer Last befreit, einer Last des Bedauerns und der Sorge, von der er kaum gewusst hatte, dass er sie trug; die Erleichterung war geradezu körperlich spürbar, und er fühlte sich leicht, fast ein wenig schwindlig. Er lachte.

»Natürlich«, sagte er. »Natürlich, das stimmt.«

Ihr Lächeln versiegte, und sie blickte ihn noch einen Moment ernst an. Dann nickte sie, wandte sich ab und ging rasch den Flur hinunter. Sie war schlank, hielt sich gerade und wirkte unaufdringlich. Noch mehrere Sekunden, nachdem sie verschwunden war, stand Stoner da und sah den Flur entlang. Dann seufzte er und ging zurück in den Raum, in dem Walker auf ihn wartete.

Walker hatte sich nicht gerührt und schaute Stoner nun lächelnd entgegen, seine Miene eine seltsame Mischung aus Unterwürfigkeit und Arroganz. Stoner setzte sich wieder auf den Stuhl, von dem er wenige Minuten zuvor aufgestanden war, und musterte Walker neugierig.

»Nun, Sir?«, fragte Walker.

»Können Sie mir dafür eine Erklärung geben?«, fragte Stoner leise zurück.

Überraschung spiegelte sich auf Walkers rundem Gesicht. »Was meinen Sie, Sir?«

»Bitte, Mr Walker«, sagte Stoner matt. »Es war ein langer Tag, und wir sind beide müde. Haben Sie eine Erklärung für Ihren heutigen Auftritt?«

»Ich kann Ihnen versichern, dass ich keinen Anstoß erregen wollte.« Er nahm die Brille ab und putzte sie mit schnellen Bewegungen; wieder verblüffte Stoner die nackte Empfindlichkeit seines Gesichtes. »Ich habe doch gesagt, dass meine Bemerkungen nicht persönlich gemeint waren. Falls also Gefühle verletzt wurden, bin ich nur zu gern bereit, der jungen Dame …«

»Mr Walker«, unterbrach ihn Stoner. »Sie wissen genau, dass es nicht darum geht.«

»Hat sich die junge Dame bei Ihnen beschwert?«, fragte Walker und setzte sich mit zitternden Fingern die Brille wieder auf, wodurch es ihm gelang, das Gesicht in verärgerte Falten zu legen. »Also ehrlich, Sir, die Klagen einer Studentin, deren Gefühle verletzt wurden, sollten doch nicht …«

»Mr Walker!« Stoner hörte, wie er ein wenig die Beherrschung über seine Stimme verlor, weshalb er tief Luft holte. »Dies hat nichts mit der jungen Dame, mit mir selbst oder mit irgendetwas anderem außer Ihrem Vortrag zu tun. Und ich warte immer noch darauf, dass Sie mir dafür eine Erklärung liefern.«

»Dann fürchte ich, dass ich Sie nicht verstehe, Sir. Es sei denn …«

»Es sei denn, was, Mr Walker?«

»Es sei denn, es handelt sich schlichtweg darum, dass wir unterschiedlicher Ansicht sind«, sagte Walker. »Mir ist klar, dass meine Auffassungen nicht mit Ihren übereinstimmen, doch hatte ich bislang stets angenommen, dass Meinungsunterschiede eher förderlich sind. Außerdem hatte ich geglaubt, Sie seien großmütig genug …«

»Ich lasse nicht zu, dass Sie dem Thema noch länger ausweichen«, sagte Stoner mit kalter, fester Stimme. »Also, wie lautete das Ihnen zugewiesene Seminarthema?«

»Sie sind wütend«, antwortete Walker.

»Ja, ich bin wütend. Wie lautete das Ihnen zugewiesene Seminarthema?«

Steif und förmlich antwortete Walker: »Mein Thema lautete ›Hellenismus und die mittelalterliche Lateintradition‹, Sir.«

»Und wann haben Sie Ihren Vortrag fertiggestellt, Mr Walker?«

»Vor zwei Tagen. Wie ich Ihnen schon erklärt habe, war er bereits vor zwei Wochen fast fertig, doch ein über Fernleihe bestelltes Buch ist erst ...«

»Mr Walker, wenn Ihr Vortrag schon vor zwei Wochen *fast* fertig war, wie kann er sich dann in Gänze auf Miss Driscolls Arbeit beziehen, die Ihren Vortrag erst letzte Woche gehalten hat?«

»In der Annahme, dass dies gestattet sei, habe ich in letzter Minute eine Reihe von Änderungen angebracht.« Seine Stimme triefte vor Ironie. »Und hier und da bin ich vom Text abgewichen, da mir aufgefallen ist, dass andere Studenten es ebenso gehandhabt haben, weshalb ich glaubte, dieses Privileg stünde mir gleichfalls zu.«

Stoner unterdrückte ein fast hysterisches Verlangen, laut aufzulachen. »Wollen Sie mir bitte erklären, Mr Walker, was Ihre gegen Miss Driscoll gerichtete Attacke mit dem Fortwirken des Hellenismus in der mittelalterlichen Lateintradition zu tun hat?«

»Ich habe mich meinem Thema auf Umwegen genähert, Sir«, erklärte Walker, »da ich annahm, uns sei eine gewisse Freiheit in der Entwicklung unserer Konzepte gestattet.«

Stoner schwieg einen Moment, dann sagte er müde: »Mr Walker, es widerstrebt mir, einen Studenten höheren Semesters durchfallen zu lassen. Und es widerstrebt mir besonders, jemanden durchfallen zu lassen, der sich offensichtlich übernommen hat.«

»Sir!«, rief Walker entrüstet.

»Doch Sie machen es mir sehr schwer, dies nicht zu tun. Nun, mir scheint, es bleiben uns nur wenige Alternativen.

Ich kann Ihnen für diesen Kurs ein vorläufiges Ungenügend geben, das ich zurücknehmen werde, wenn Sie mir innerhalb der nächsten drei Wochen eine zufriedenstellende Arbeit über das Ihnen zugewiesene Thema vorlegen.«

»Aber, Sir«, sagte Walker, »ich habe meinen Vortrag bereits gehalten. Wenn ich einwillige, eine neue Arbeit zu schreiben, dann würde ich doch zugeben …«

»Richtig«, erwiderte Stoner. »Wenn Sie mir allerdings das Manuskript geben, von dem Sie an diesem Nachmittag so … deutlich abgewichen sind, werde ich sehen, was sich noch retten lässt.«

»Sir!«, rief Walker. »Da es sich noch um eine Rohfassung handelt, würde ich meine Aufzeichnungen wirklich nur sehr ungern hergeben.«

Mit grimmigem, rastlosem Schamgefühl fuhr Stoner fort: »Das ist nicht weiter schlimm. Ich werde darin gewiss finden, was ich wissen muss.«

Walker warf ihm einen verschlagenen Blick zu. »Haben Sie denn sonst jemanden gebeten, Ihnen das Manuskript zu geben?«

»Das habe ich nicht«, erwiderte Stoner.

»Dann«, entfuhr es Walker triumphierend, beinahe freudestrahlend, »muss ich mich schon aus Prinzip weigern, Ihnen meine Aufzeichnungen zu überlassen, es sei denn, Sie verlangen auch von allen anderen Studenten, dass sie ihre Manuskripte aushändigen.«

Stoner blickte ihn einen Moment lang unverwandt an. »Also schön, Mr Walker. Sie haben Ihre Entscheidung getroffen. Das wäre dann vorläufig alles.«

»Wie habe ich das zu verstehen, Sir?«, fragte Walker. »Mit welcher Zensur darf ich für diesen Kurs rechnen?«

Stoner lachte kurz auf. »Sie erstaunen mich, Mr Walker. Sie erhalten natürlich ein Ungenügend.«

Walker versuchte, sein rundes Gesicht in die Länge zu ziehen, und sagte mit der geduldigen Verbitterung eines Märtyrers: »Ich verstehe. Nun gut, Sir. Man muss auch bereit sein, für seine Überzeugungen zu leiden.«

»Und für seine Faulheit, Unehrlichkeit und Ignoranz«, erwiderte Stoner. »Es scheint mir höchst überflüssig, dies noch zu erwähnen, Mr Walker, aber ich kann Ihnen nur dringend raten, Ihre Einstellungen zu überdenken, da ich ernsthaft bezweifle, dass es für Sie einen Platz in einem Doktorandenstudium gibt.«

Zum ersten Mal wirkten Walkers Gefühle echt; seine Wut verlieh ihm fast so etwas wie Würde. »Sie gehen zu weit, Mr Stoner! Das können Sie nicht ernst meinen.«

»Das meine ich ganz bestimmt ernst«, erwiderte Stoner.

Einen Moment blieb Walker still und sah Stoner nachdenklich an. Dann sagte er: »Ich war bereit, mich mit der Zensur abzufinden, die Sie mir geben wollten, aber Sie müssen einsehen, dass mir dies nun unmöglich ist, da Sie meine Kompetenz grundsätzlich infrage stellen.«

»Ja, Mr Walker«, sagte Stoner müde und erhob sich von seinem Stuhl. »Wenn Sie mich jetzt bitte entschuldigen wollen ...« Er ging Richtung Tür.

Der Klang seines laut gerufenen Namens ließ ihn innehalten. Er wandte sich um; Walkers Gesicht war dunkelrot angelaufen, die Haut aufgequollen, sodass die Augen hinter den dicken Brillengläsern wie winzige Punkte aussahen. »Mr Stoner!«, schrie er erneut. »In dieser Sache wurde noch nicht das letzte Wort gesprochen. Glauben Sie mir, Sie hören noch von mir.«

Stoner musterte ihn gelassen und ohne jedes Interesse, nickte zerstreut, drehte sich um und trat schweren Schrittes hinaus auf den nackten Betonboden des Flurs. Er fühlte sich ausgelaugt, müde und schrecklich alt.

X

UND ER HATTE IN DIESER SACHE tatsächlich noch nicht das letzte Wort gehört.

An dem Montag, der auf den letzten Freitag des Semesters folgte, reichte er die vergebenen Zensuren ein, denn da er am Dozentendasein nichts so sehr wie das Benoten verabscheute, erledigte er dies stets so rasch wie möglich. Er gab Walker ein Ungenügend, dachte nicht weiter daran und verbrachte einen Großteil der Woche zwischen den Semestern damit, die ersten Entwürfe zweier Dissertationen zu lesen, die im Frühjahr vorgelegt werden mussten. Sie waren umständlich formuliert und benötigten seine ganze Aufmerksamkeit. Der Walker-Vorfall wurde dadurch in den Hintergrund gedrängt.

Doch zwei Wochen nach Beginn des Semesters wurde er erneut daran erinnert. Eines Morgens fand er in seinem Brieffach eine Nachricht von Gordon Finch, der ihn bat, bei nächster Gelegenheit in seinem Büro vorbeizuschauen.

Die Freundschaft zwischen Gordon Finch und William Stoner hatte jenen Punkt erreicht, den alle derartigen Beziehungen irgendwann erreichen, wenn sie nur lange genug dauern: Sie war zwanglos, tief und bei aller Vertrautheit so zurückhaltend, dass sie beinahe unpersönlich wirkte. Auch wenn Caroline gelegentlich bei Edith zu Besuch weilte, trafen sich Gordon Finch und William Stoner gesellschaftlich nur selten. Und wenn sie sich unterhielten, erinnerten sie sich an die Jahre ihrer Jugend, sodass jeder sein Gegenüber sah, wie es zu einer anderen Zeit gewesen war.

Mit beginnendem mittlerem Alter besaß Finch die aufrechte, geschmeidige Haltung eines Mannes, der energisch versucht, sein Gewicht unter Kontrolle zu halten; das Gesicht war füllig und noch ohne Falten, doch zeigten sich erste Andeutungen von Hängebacken, und am Hals rollte sich die Haut zusammen. Das Haar war schütter, und Finch hatte begonnen, es so zu kämmen, dass man die einsetzende Kahlköpfigkeit nicht gleich auf den ersten Blick sehen konnte.

An jenem Nachmittag, an dem Stoner bei ihm im Büro vorbeischaute, plauderten sie eine Weile unbefangen über ihre Familien; Finch hielt den leichten Ton, indem er vorgab, Stoner führe eine normale Ehe, und ganz wie es sich geziemte, bekannte Stoner, er könne kaum glauben, dass Gordon und Caroline schon Eltern zweier Kinder seien, von denen auch das jüngste bereits in den Kindergarten gehe.

Nachdem sie sich mit diesen automatisch vorgebrachten Äußerungen ihrer Vertrautheit versichert hatten, schaute Finch nachdenklich aus dem Fenster und sagte: »Worüber wollte ich noch mal mit dir reden? Ach ja, der Dekan des Graduiertenkollegs – er fand, weil wir befreundet sind, solle ich dir Bescheid sagen. Nichts, was wirklich wichtig wäre.« Er warf einen Blick auf seinen Notizblock. »Nur ein aufgebrachter Student, der glaubt, letztes Semester in einem deiner Seminare ungerecht behandelt worden zu sein.«

»Walker«, sagte Stoner. »Charles Walker.«

Finch nickte. »Genau der. Was ist mit ihm?«

Stoner zuckte mit den Achseln. »Meines Erachtens hat

er sich die Lektüreliste nicht einmal angesehen – es geht um mein Seminar über die lateinische Tradition. Und er hat versucht, sich durch den Seminarvortrag zu mogeln. Als ich ihm dann Gelegenheit gab, mir eine Kopie seiner Arbeit auszuhändigen oder sie neu anzufertigen, hat er sich geweigert, weshalb mir nichts anderes übrigblieb, als ihn durchfallen zu lassen.«

Finch nickte erneut. »Etwas Ähnliches habe ich mir gedacht. Weiß der Himmel, ich wünschte, man würde meine Zeit nicht mit diesem Kram vergeuden, aber ich muss der Sache nachgehen, allein schon zu *deinem* Schutz.«

»Gibt es da denn«, fragte Stoner, »irgendwelche besonderen Schwierigkeiten?«

»Nein, nein«, antwortete Finch. »Nur eine Beschwerde. Du weißt doch, wie das ist. Ehrlich gesagt, Walker hat auch den ersten Kurs seines Doktorandenstudiums mit Ausreichend nur knapp bestanden, weshalb wir ihn jetzt schon relegieren könnten, falls wir dies wollten, aber ich denke, wir lassen ihn nächsten Monat an der mündlichen Vorprüfung teilnehmen und sehen, wie die ausgeht. Tut mir leid, dass ich dich überhaupt damit behelligen muss.«

Sie redeten noch eine Weile über andere Dinge, aber als Stoner schließlich gehen wollte, hielt Finch ihn wie beiläufig zurück.

»Ach, da ist übrigens noch etwas, das ich dir sagen wollte. Präsident und Vorstand haben endlich beschlossen, dass hinsichtlich Claremont etwas getan werden muss. Also wird man mich Anfang nächsten Jahres wohl offiziell zum Dekan für Kunst und Wissenschaften ernennen.«

»Das freut mich, Gordon«, sagte Stoner. »Wurde aber auch Zeit.«

»Allerdings bedeutet dies auch, dass wir einen neuen Fachbereichsleiter brauchen. Hast du schon mal daran gedacht?«

»Nein«, antwortete Stoner, »nicht einen Moment lang.«

»Wir können uns entweder außerhalb des Fachbereichs umtun und jemand Neuen holen, oder wir machen einen der eigenen Leute zum Vorsitzenden. Ich versuche nur herauszufinden, wie es wäre, falls wir uns für jemanden aus dem Fachbereich entschieden – also, hast du Interesse an diesem Posten?«

Stoner dachte einen Moment nach. »Der Gedanke ist mir noch gar nicht gekommen, aber – nein. Nein, ich glaube, ich will ihn nicht.«

Finchs Erleichterung war so offensichtlich, dass Stoner lächeln musste. »Gut, das hatte ich mir erhofft. So ein Posten bringt jede Menge Schwachsinn mit sich. Partys geben, Kontakte knüpfen und …« Er wandte den Blick von Stoner ab. »Ich weiß doch, dass du für so etwas nichts übrig hast. Aber da der alte Sloane gestorben ist und Huggins und – wie heißt er noch – Cooper letztes Jahr in den Ruhestand gegangen sind, bist du das dienstälteste Mitglied am Fachbereich. Falls du allerdings keine begehrlichen Blicke auf diese Stelle wirfst, dann …«

»Nein«, erwiderte Stoner entschieden. »Ich gäbe bestimmt einen lausigen Vorsitzenden ab. Ich erwarte diese Ernennung nicht und wünsche sie mir ebensowenig.«

»Gut«, antwortete Finch. »Gut. Das vereinfacht die Dinge enorm.«

Sie verabschiedeten sich, und Stoner dachte eine Zeit lang nicht mehr an ihr Gespräch.

*

Charles Walkers mündliche Vorprüfung wurde für Mitte März angesetzt. Stoner erstaunte es ein wenig, dass er von Finch ein Schreiben erhielt, in dem ihm mitgeteilt wurde, dass er dem dreiköpfigen Komitee angehöre, von dem Walker geprüft werden solle. Er erinnerte Finch daran, dass er es gewesen war, der Walker durchfallen ließ, was dieser ihm persönlich übelgenommen hatte. Aus diesem Grund bat er darum, von dieser besonderen Pflicht entbunden zu werden.

»Vorschriften«, seufzte Finch. »Du weißt doch, wie das ist. Zum Komitee gehören der Doktorvater des Studenten, ein Professor, dessen Oberseminar er besucht hat, sowie einer, der mit seinem Spezialgebiet nichts weiter zu tun hat. Lomax ist der Doktorvater, Walker hat dein Oberseminar besucht, und als unabhängigen Professor habe ich den Neuen benannt, Jim Holland. Dekan Rutherford vom Graduiertenkolleg und ich sind Beisitzer von Amts wegen. Ich will versuchen, das Ganze so schmerzlos wie möglich zu gestalten.«

Doch diese Prozedur konnte nicht schmerzlos ablaufen. Stoner wollte möglichst wenige Fragen stellen, nur waren die Regeln für die mündliche Vorprüfung unabänderlich. Jeder Professor bekam fünfundvierzig Minuten zugeteilt, in denen er dem Kandidaten nach Belieben Fragen stellen konnte; die übrigen Professoren durften sich nach Gutdünken einmischen.

Am Nachmittag der Prüfung kam Stoner absichtlich zu spät zum Seminarraum im zweiten Stock von Jesse Hall. Walker saß am Ende eines langen, auf Hochglanz polierten Tisches; die vier bereits anwesenden Prüfer – Finch, Lomax, der Neue namens Holland und Henry Rutherford – saßen der Reihe nach vor ihm. Stoner schlüpfte durch die Tür und setzte sich Walker gegenüber ans Tischende. Finch und

Holland nickten ihm zu; Lomax saß zusammengesunken auf seinem Stuhl, starrte vor sich hin und trommelte mit langen, weißen Fingern auf die spiegelhell gewienerte Tischoberfläche. Walker starrte mit kalter Verachtung die Reihe entlang, den Kopf hoch erhoben.

Rutherford räusperte sich. »Ähm, Mr …« Er konsultierte das vor ihm liegende Blatt. »Mr Stoner.« Rutherford war ein geradezu hagerer, grauhaariger Mann mit runden Schultern; seine Augen senkten sich samt Brauen in den äußeren Winkeln, weshalb sein Gesicht stets eine Miene sanfter Hoffnungslosigkeit zeigte. Stoner kannte er seit vielen Jahren, trotzdem hatte er noch nie seinen Namen behalten können. Er räusperte sich erneut. »Wir wollten gerade anfangen.«

Stoner nickte, legte die Unterarme auf den Tisch, verschränkte die Finger und betrachtete sie sinnierend, während Rutherfords Stimme die offiziellen Präliminarien zur mündlichen Prüfung verlas.

Mr Walker werde geprüft (Rutherfords Stimme senkte sich zu stetigem, eintönigem Geleier), um festzustellen, ob er befähigt sei, das Doktorandenstudium am Fachbereich Englisch der Universität Missouri fortzusetzen. Dieser Prüfung müssten sich alle Anwärter auf den Doktortitel unterziehen, und sie sei darauf angelegt, nicht nur den allgemeinen Wissensstand des Kandidaten, sondern auch dessen Stärken und Schwächen festzustellen, um den künftigen Studienverlauf optimal anpassen zu können. Drei Ergebnisse seien möglich: bestanden, eingeschränkt bestanden und durchgefallen. Rutherford zählte die Bedingungen dieser Eventualitäten auf und schloss, ohne hochzublicken, mit der rituellen Vorstellung der Prüfer und des Kandidaten. Dann schob er die Papiere von sich fort und schaute hoffnungslos in die Runde.

»Es ist Brauch«, sagte er leise, »dass der Doktorvater des Kandidaten mit der Prüfung beginnt. Wenn ich mich nicht täusche, ist Mr – «, er warf erneut einen Blick in die Papiere, »Mr Lomax Mr Walkers Doktorvater. Wenn Sie also …«

Lomax' Kopf zuckte zurück, als wäre er aus einem Schlummer aufgeschreckt. Blinzelnd schaute er sich um, auf den Lippen die Andeutung eines Lächelns, doch die Augen blickten hellwach und munter.

»Mr Walker, Sie arbeiten an einer Doktorarbeit über Shelley und das hellenistische Ideal. Dass Sie Ihre Arbeit bereits gänzlich durchkonzipiert haben, wäre gewiss zu viel erwartet, doch könnten Sie vielleicht damit beginnen, uns etwas über die Hintergründe aufzuklären, die Sie veranlasst haben, sich für dieses Thema zu entscheiden.«

Walker nickte und begann rasch zu reden. »Ich beabsichtige, Shelleys erste Ablehnung des godwinianischen Determinismus zugunsten eines mehr oder minder platonischen Ideals in dem Gedicht ›Hymn to Intellectual Beauty‹ durch den reiferen Gebrauch dieses Ideals in *Prometheus Unbound* als umfassende Synthese seines frühen Atheismus, Radikalismus, Christentums und wissenschaftlichen Determinismus aufzuzeigen und damit letztlich den Verfall dieses Ideals in solch späteren Werken wie *Hellas* zu begründen. Meiner Ansicht nach ist dies in dreierlei Hinsicht ein bedeutsames Thema: Erstens wird dadurch Shelleys Denkweise aufgezeigt, was uns ein besseres Verständnis seiner Lyrik ermöglicht. Zweitens offenbart es die wichtigen philosophischen und literarischen Konflikte des frühen 19. Jahrhunderts und fördert somit unser Verständnis und auch unsere Wertschätzung der romantischen Dichtkunst. Und drittens ist es ein Thema, das auf gewisse Weise einen Bezug zu unserer eigenen Zeit haben könnte, in der wir uns mit vielen Konflikten konfrontiert sehen, wie sie bereits Shelley und seine Zeitgenossen beschäftigt haben.«

Während Stoner zuhörte, wuchs sein Erstaunen. Er konnte kaum glauben, dass dies derselbe Mann sein sollte, der an seinem Seminar teilgenommen hatte und den er zu kennen meinte. Walker präsentierte sein Thema ohne Umschweife, verständlich und klug, manchmal nahezu brillant. Lomax hatte recht; falls die Dissertation ihre Versprechen erfüllte, würde es eine eindrucksvolle Arbeit werden. Mit einem Mal überkam ihn warme, frohe Hoffnung, und er beugte sich aufmerksam vor.

Walker sprach etwa zehn Minuten über sein Promotionsthema, dann kam er abrupt zum Ende. Sofort stellte Lomax eine weitere Frage, und Walker gab zügig Antwort. Gordon Finch warf Stoner einen vorsichtig fragenden Blick zu, auf den Stoner mit einem selbstironischen Lächeln antwortete, während er leicht mit den Schultern zuckte.

Dann verstummte Walker erneut, und Jim Holland ergriff sogleich das Wort. Er war ein schlanker junger Mann mit leicht vorquellenden Augen, blass und stets angespannt, der absichtlich langsam und mit einer Stimme redete, die vor erzwungener Zurückhaltung zu zittern schien. »Sie haben eben Godwins Determinismus erwähnt, Mr Walker. Wäre es Ihnen wohl möglich, eine Verbindung zwischen ihm und dem Phänomenalismus von John Locke zu ziehen?« Stoner erinnerte sich, dass Holland ein Spezialist fürs 18. Jahrhundert war.

Nach einem Augenblick des Schweigens drehte Walker sich zu Holland um, nahm die runde Brille ab, putzte sie, blinzelte und blickte ziellos umher. Dann setzte er die Brille wieder auf, blinzelte erneut und sagte: »Könnten Sie die Frage bitte wiederholen?«

Holland hob zu reden an, doch kam ihm Lomax zuvor. »Es macht Ihnen doch gewiss nichts aus, Jim«, sagte er liebenswürdig, »wenn ich die Frage ein wenig erweitere?« Und ehe Holland antworten konnte, wandte er sich an Walker. »Ausgehend von den Implikationen der Frage, die Ihnen Professor Holland gestellt hat – nämlich dass Godwin Lockes Theorie der empirischen Natur des Wissens akzeptierte – die *tabula rasa* und all das – und dass Godwin mit Locke der Ansicht war, durch die Akzidenzien der Leidenschaft und unvermeidlicher Ignoranz geschmälertes Wissen und Urteilsvermögen ließe sich durch Bildung kompensieren –, könnten Sie da bitte Shelleys Wissensprinzip kommentieren – insbesondere das Prinzip der Schönheit –, wie es in den letzten Versen seines Gedichts ›Adonais‹ zum Ausdruck kommt?«

Verwirrt die Stirn runzelnd, lehnte sich Holland auf seinem Stuhl zurück. Walker nickte und sagte rasch: »Zwar sind die Anfangsverse von ›Adonais‹, Shelleys Tribut an seinen Freund und Kollegen John Keats, mit ihren Anspielungen auf die Mutter, die Stunden, Urania und so weiter wie auch mit ihren wiederholten Anrufungen im konventionellen Sinne klassisch, doch erscheint das eigentlich klassische Moment nicht vor der letzten Strophe, die im Wesentlichen eine erhabene Hymne an das ewige Prinzip der Schönheit ist. Richten wir etwa unsere Aufmerksamkeit einen Moment auf folgende berühmten Verse:

> Wie eine Kuppel aus vielfarbigem Glas färbt das Leben,
> den weißen Glanz der Ewigkeit,
> bis es der Tod in Stücke tritt.

»Der diesen Zeilen immanente Symbolismus wird erst klar, wenn wir die Zeilen in ihrem Zusammenhang sehen. ›Das Eine bleibt‹, schreibt Shelley einige Verse zuvor, ›die Vielen verändern sich und vergehen.‹ Was an die gleichermaßen berühmten Zeilen von Keats erinnert:

Das Schöne ist wahr, wahr das Schöne – das ist alles,
Was ihr auf Erden wisst, alles, was ihr zu wissen braucht.

Das Prinzip also ist die Schönheit, Schönheit ist aber auch Wissen. Und es ist dieses Konzept, das seine Wurzeln …«

Fließend und sich seiner selbst sicher fuhr Walker fort zu reden, und die Worte sprudelten aus dem sich rasch bewegenden Mund, als ob … Stoner schreckte auf, und die Hoffnung, die sich gerade noch in ihm geregt hatte, starb so abrupt, wie sie geboren worden war. Einen Moment lang wurde ihm fast körperlich schlecht. Er blickte auf den Tisch und entdeckte zwischen den Armen sein Gesicht, gespiegelt im polierten Walnussholz. Das Bild war dunkel, und er konnte die eigenen Züge kaum erkennen; es war, als sähe er aus Hartem ein körperloses Gespenst hervorschimmern, das ihm entgegenkam.

Lomax stellte seine Befragung ein, und Holland begann. Stoner musste zugeben, dass es eine meisterhafte Vorführung war, die Lomax unaufdringlich, doch mit großem Charme und bestem Humor zu dirigieren wusste. Wenn Holland eine Frage stellte, legte Lomax gutmütige Verwirrung an den Tag und bat um nähere Ausführungen. Dann wieder ergänzte er, wobei er sich für die eigene Begeisterung entschuldigte, Hollands Frage um eigene Spekulationen und bezog Walker in die Diskussion mit ein, sodass man meinen konnte, Letzterer trage tatsächlich zur Diskussion bei. Lomax wiederholte die

Fragen mit anderen Worten (sich stets entschuldigend) und änderte sie so, dass die ursprüngliche Absicht in seinen Ausführungen verloren ging. Er schien Walker in höchst komplexe theoretische Streitgespräche zu verwickeln, doch war er es, der die meiste Zeit redete, um schließlich, sich immer wieder entschuldigend, von Hollands Fragen mit eigenen Fragen abzulenken und Walker dahin zu führen, wohin er ihn haben wollte.

Stoner sagte unterdessen kein Wort. Er hörte dem Gespräch zu, das ihn umwogte, betrachtete Finchs zu einer Maske erstarrtes Gesicht, sah zu Rutherford hinüber, der mit geschlossenen Augen und nickendem Kopf dasaß, und registrierte Hollands Verwirrung, Walkers höfliche Verachtung, Lomax' fieberhafte Lebhaftigkeit. Er wartete und wusste, was er zu tun hatte, und er wartete mit Bangen, Ärger und Kummer, mit Gefühlen, die von Minute zu Minute wuchsen. Er war froh, dass seine Blicke nicht erwidert wurden.

Schließlich ging Hollands Fragezeit zu Ende. Als übertrüge sich Stoners Bangen irgendwie auf Finch, blickte der auf seine Uhr und nickte. Er sagte kein Wort.

Stoner holte tief Luft. Immer noch auf sein gespenstisches Gesicht in der spiegelblanken Tischoberfläche starrend, sagte er ausdruckslos: »Ich werde Ihnen jetzt einige Fragen zur englischen Literatur stellen, Mr Walker. Es werden einfache Fragen sein, die keine ausführlichen Antworten verlangen. Und ich werde mit der Frühzeit beginnen, um mich dann chronologisch so weit vorzuarbeiten, wie es mir unsere Zeit erlaubt. Wollen Sie mir zu Beginn bitte die Grundsätze der angelsächsischen Versbildung nennen?«

»Ja, Sir«, antwortete Walker mit steinerner Miene. »Zu Anfang verfügten die in der dunklen Zeit des Mittelalters lebenden angelsächsischen Dichter nicht über die Vorteile jener Sensibilität, wie sie die späteren Dichter englischer Tradition auszeichnen. Man könnte sogar behaupten, dass Primitivität ihre Dichtung charakterisiert, doch deutet sich in diesem Primitiven durchaus Potenzial an, auch wenn dies manchen Blicken verborgen bleiben mag, ein Potenzial zur Subtilität von Gefühlen, wie sie …«

»Bitte, Mr Walker«, unterbrach ihn Stoner. »Ich habe nach den Grundsätzen der Versbildung gefragt. Können Sie mir die bitte nennen?«

»Nun, Sir«, antwortete Walker, »die ist noch recht grob und unregelmäßig. Die Versbildung, meine ich.«

»Ist das alles, was Sie mir darüber sagen können?«

»Mr Walker«, mischte sich Lomax rasch ein – ein wenig bestürzt, wie Stoner fand –, »dieses Grobe, von dem Sie sprechen – könnten Sie dies vielleicht näher bezeichnen, indem Sie …«

»Nein«, unterbrach ihn Stoner bestimmt, ohne jemanden anzuschauen. »Ich möchte, dass meine Frage beantwortet wird. Ist das alles, was Sie mir über die angelsächsische Versbildung sagen können?«

»Nun, Sir«, sagte Walker und lächelte, doch kippte sein Lächeln in ein nervöses Kichern um. »Ehrlich gesagt habe ich den vorgeschriebenen Kurs in angelsächsischer Literatur noch nicht belegt und zögere jetzt, über solche Themen ohne die nötige Autorität zu reden.«

»Also gut«, sagte Stoner. »Überspringen wir die angelsächsische Literatur. Nennen Sie mir ein mittelalterliches Theaterstück, das Einfluss auf die Entwicklung des Theaters in der Renaissance hatte.«

Walker nickte. »Natürlich. Alle Theaterstücke des Mittelalters haben auf je eigene Weise zur vollendeten Theaterkunst der Renaissance beigetragen, wobei es schwerfällt zu begreifen, wie aus dem kargen Boden des Mittelalters nur wenige Jahre später das shakespearische Drama erblühen konnte und …«

»Ich stelle Ihnen einfache Fragen, Mr Walker, und muss auf einfache Antworten bestehen. Doch lassen Sie mich meine Bitte noch simpler formulieren. Nennen Sie mir drei Theaterstücke des Mittelalters.«

»Frühes oder spätes Mittelalter, Sir?« Er hatte die Brille abgesetzt und putzte sie hektisch.

»Egal, Mr Walker.«

»Es gibt so viele«, sagte Walker, »da fällt es schwer … Da wäre das Mysterienspiel *Jedermann* …«

»Können Sie noch zwei weitere nennen?«

»Nein, Sir«, erwiderte Walker. »Ich muss gestehen, dass ich auf diesem Gebiet nicht besonders firm bin …«

»Können Sie irgendeinen anderen Titel – nur den Titel – eines literarischen Werkes des Mittelalters nennen?«

Walkers Hände zitterten. »Wie gesagt, Sir, ich muss eine gewisse Schwäche auf diesem Gebiet gestehen, die …«

»Dann lassen Sie uns zur Renaissance weitergehen. Mit welchem Genre dieser Zeit fühlen Sie sich am besten vertraut, Mr Walker?«

»Mit …«, Walker zögerte und warf Lomax ganz gegen seinen Willen einen flehentlichen Blick zu, »… mit dem Gedicht, Sir. Oder … dem Theater. Doch, vielleicht eher mit dem Theater.«

»Nun gut, das Theater also. Wie heißt die erste in Blankversen geschriebene Tragödie des englischen Theaters, Mr Walker?«

»Die erste?« Walker leckte sich über die Lippen. »Die Gelehrtenmeinung ist in dieser Frage zerstritten, Sir, weshalb ich zögere …«

»Können Sie mir irgendein Theaterstück vor Shakespeare von irgendeiner Bedeutung nennen?«

»Aber sicher, Sir«, antwortete Walker. »Da wäre Marlowe … der mächtige Einfluss …«

»Nennen Sie mir einige Stücke von Marlowe.«

Mit einiger Mühe riss Walker sich zusammen. »Da hätten wir natürlich sein zu Recht berühmtes Stück *Dr. Faust*. Und … und … *Der Jude von Malfi*.«

»*Faustus* und *Der Jude von Malta* also. Können Sie mir noch eines nennen?«

»Ehrlich gesagt, Sir, das sind die einzigen beiden Stücke, die ich im letzten Jahr erneut lesen konnte, weshalb ich es vorziehen würde …«

»Also schön. Erzählen Sie mir etwas über *Der Jude von Malta*.«

»Mr Walker!«, rief Lomax dazwischen. »Lassen Sie mich die Frage ein wenig vertiefen. Wenn ich darf, dann …«

»Nein!«, unterbrach ihn Stoner grimmig, ohne Lomax anzuschauen. »Ich möchte Antworten auf meine Fragen. Mr Walker?«

Verzweifelt begann Walker: »Der mächtige Einfluss Marlowes …«

»Vergessen wir seinen ›mächtigen Einfluss‹«, warf Stoner müde ein. »Was passiert in dem Stück?«

»Nun«, brach es ein wenig überstürzt aus Walker heraus, »Marlowe attackiert das Problem des Antisemitismus, wie es sich im frühen 16. Jahrhundert manifestiert. Die Sympathie, ja ich möchte sagen, die tiefe Sympathie …«

»Genug, Mr Walker. Gehen wir weiter zu …«

»Lassen Sie den Kandidaten Ihre Frage beantworten!«, rief Lomax. »Geben Sie ihm zumindest die dafür nötige Zeit!«

»Nun gut«, erwiderte Stoner geduldig. »Möchten Sie mit der Beantwortung meiner Frage fortfahren, Mr Walker?«

Walker zögerte einen Moment. »Nein, Sir.«

Erbarmungslos setzte Stoner seine Befragung fort. Was mit Verärgerung und einer Empörung begonnen hatte, die Walker wie Lomax galt, wandelte sich zu einer Art Mitleid und elendem Bedauern, das sie ebenso mit einbezog. Nach einer Weile kam es Stoner vor, als befände er sich außerhalb seiner selbst, und er meinte eine Stimme zu hören, die endlos weiter fragte, kalt und unpersönlich.

Schließlich hörte er die Stimme sagen: »Nun gut, Mr Walker. Ihr Spezialgebiet ist das 19. Jahrhundert. Da Sie über die Literatur früherer Jahrhunderte nur wenig zu wissen scheinen, fühlen Sie sich unter den romantischen Dichtern vielleicht ein wenig wohler.«

Er gab sich Mühe, Walker nicht anzusehen, doch konnte er seine Augen nicht daran hindern, dann und wann zu der runden Maske aufzuschauen, die ihn mit kalter, blasser Gehässigkeit anstarrte. Walker nickte knapp.

»Ich nehme an, Sie sind mit Lord Byrons wichtigeren Gedichten vertraut?«

»Natürlich«, erwiderte Walker.

»Würden Sie uns dann ›Englische Barden und schottische Kritiker‹ ein wenig erläutern?«

Einen Moment lang beäugte ihn Walker ein wenig misstrauisch, dann lächelte er triumphierend. »Aha«, sagte er und nickte nachdrücklich. »Ich verstehe. *Jetzt* verstehe ich.

Sie wollen mich hereinlegen. Natürlich. ›Englische Barden und schottische Kritiker‹ ist überhaupt nicht von Byron. Das ist John Keats' berühmte Antwort auf jene Journalisten, die nach Veröffentlichung des ersten Lyrikbandes seinen Ruf als Dichter in den Schmutz ziehen wollten. Sehr gut, Sir. Wirklich …«

»Na schön, Mr Walker«, sagte Stoner müde. »Ich habe keine weiteren Fragen.«

Schweigen legte sich über die Gruppe. Dann räusperte sich Rutherford, schob seine Papiere auf dem Tisch zusammen und sagte: »Danke, Mr Walker. Gehen Sie nun bitte kurz vor die Tür und warten Sie dort, während sich das Komitee berät. Man wird Sie dann über die Entscheidung informieren.«

In den wenigen Augenblicken, in denen Rutherford sagte, was er zu sagen hatte, gewann Walker seine Fassung zurück. Er erhob sich, stützte sich mit der verkrüppelten Hand auf dem Tisch ab und lächelte die Gruppe beinahe herablassend an. »Vielen Dank, meine Herren«, sagte er. »Was für eine bereichernde Erfahrung.« Dann humpelte er aus dem Raum und zog hinter sich die Tür zu.

Rutherford seufzte. »Nun, meine Herren, gibt es etwas zu diskutieren?«

Wieder wurde es still.

Lomax sagte: »Ich fand, in meinem Teil der Prüfung hat er sich ganz ordentlich gehalten. Ebenso in Hollands Teil. Zum Schluss hin hat er mich dann zwar enttäuscht, das muss ich ja zugeben, aber ich könnte mir vorstellen, dass er da auch schon ziemlich erschöpft war. Er ist ein guter Student, auch wenn er unter Druck nicht ganz diesen Eindruck macht.« Er warf Stoner ein leeres, schmerzliches Lächeln zu. »Und Sie haben ihm ja auch mächtig zugesetzt, Bill, das müssen Sie zugeben. Ich stimme für ›bestanden‹.«

Rutherford fragte: »Mr ... Holland?«

Holland blickte von Lomax zu Stoner, runzelte verwirrt die Stirn und blinzelte. »Na ja, ich fand seine Leistung recht schwach, auch wenn ich nicht genau weiß, wie ich das zu bewerten habe.« Er schluckte nervös. »Dies hier ist meine erste mündliche Prüfung als Beisitzer, und ich weiß nicht, wie die Standards sind, aber ... nun, wie gesagt, ich fand ihn ziemlich schwach. Lassen Sie mich einen Augenblick nachdenken.«

Rutherford nickte. »Mr ... Stoner?«

»Durchgefallen«, sagte Stoner. »Eindeutig.«

»Ach, komm schon, Bill!«, rief Lomax. »Bist du nicht ein bisschen zu streng mit dem Jungen?«

»Nein«, erwiderte Stoner gleichmütig, den Blick stur vor sich hin gerichtet. »Sie wissen, Holly, dass ich das nicht bin.«

»Was wollen Sie damit sagen?«, fragte Lomax, und es klang, als wollte er mehr Gefühl in seine Stimme legen, indem er lauter wurde. »Was genau wollen Sie damit sagen?«

»Jetzt regen Sie sich ab, Holly«, antwortete Stoner müde. »Dieser Mann ist schlicht inkompetent, da gibt es keinen Zweifel. Die Fragen, die ich ihm gestellt habe, hätte ich einem durchschnittlichen Studenten in den ersten Semestern stellen können, aber er war nicht in der Lage, auch nur eine einzige zufriedenstellend zu beantworten. Außerdem ist er faul und unehrlich. In meinem Seminar im letzten Semester ...«

»In Ihrem Seminar!«, Lomax lachte kurz auf. »Also davon habe ich schon gehört. Außerdem ist das eine andere Sache. Die Frage lautet doch, wie er sich heute gehalten hat. Und es ist eindeutig«, er kniff die Augen zusammen, »ganz eindeutig, dass er sich gut gehalten hat, bis Sie über ihn hergefallen sind.«

»Ich habe ihm Fragen gestellt«, sagte Stoner. »Die allereinfachsten Fragen. Und ich war bereit, ihm jede Chance einzuräumen.« Er schwieg und fuhr dann behutsam fort: »Sie sind sein Doktorvater, und es ist nur allzu natürlich, dass Sie sein Thema mit ihm durchgesprochen haben. Folglich hat er sich gut gemacht, solange er von Ihnen über sein Thema befragt wurde. Aber sieht man davon einmal ab ...«

»Was soll das?«, rief Lomax. »Wollen Sie etwa andeuten, dass ich ... dass es da ...«

»Ich deute gar nichts an, nur, dass der Kandidat in meinen Augen keine angemessene Leistung erbracht hat. Einem ›bestanden‹ kann ich also nicht zustimmen.«

»Hören Sie«, sagte Lomax jetzt mit leiserer Stimme, während er gleichzeitig zu lächeln versuchte. »Ich kann ja verstehen, dass ich seine Arbeit höher schätze als Sie, schließlich war er in mehreren meiner Seminare, aber egal, ich bin zu einem Kompromiss bereit. Auch wenn ich es eigentlich zu hart finde, würde ich mich mit einem ›eingeschränkt bestanden‹ zufriedengeben. Das hieße, er könnte noch zwei Semester anhängen und dann ...«

»Prima«, sagte Holland offensichtlich erleichtert, »das scheint mir auch besser, als ihm ein klares ›bestanden‹ zu erteilen. Ich kenne den Studenten zwar nicht weiter, doch finde ich es offensichtlich, dass er noch nicht bereit ...«

»Gut«, sagte Lomax und bedachte Holland mit einem breiten Lächeln. »Dann wäre das ja erledigt. Wir ...«

»Nein«, sagte Stoner. »Ich muss für ›durchgefallen‹ stimmen.«

»Herrgott!«, rief Lomax. »Wissen Sie, was Sie da vorhaben, Stoner? Begreifen Sie, dass Sie das Leben dieses Jungen ruinieren?«

»Ja«, erwiderte Stoner leise, »und er tut mir leid. Ich sorge dafür, dass er keinen Abschluss bekommt und an keinem College und an keiner Universität unterrichten kann. Aber genau das will ich auch erreichen. Wenn er ein Lehrer würde, dann wäre das ein … Desaster.«

Lomax wurde ganz still. »Ist das Ihr letztes Wort?«, fragte er mit eisiger Stimme.

»Ja«, antwortete Stoner.

Lomax nickte. »Nun, dann will ich Sie warnen, Professor Stoner. Ich habe nicht vor, die Sache hiermit auf sich beruhen zu lassen. Sie haben … Sie haben hier heute gewisse Unterstellungen vorgebracht … haben Vorurteile an den Tag gelegt, die … die …«

»Aber bitte, meine Herren«, sagte Rutherford und sah aus, als ob er weinen wollte. »Lassen Sie uns nicht den Kopf verlieren. Wie Sie wissen, benötigen wir ein einstimmiges Urteil, wenn der Kandidat bestehen soll. Gibt es denn keine Möglichkeit, die Differenzen beizulegen?«

Niemand sagte etwas.

Rutherford seufzte. »Also schön. Dann bleibt mir keine andere Wahl als hiermit zu erklären, dass …«

»Einen Augenblick.« Gordon Finch war während der ganzen Prüfung so still geblieben, dass man seine Anwesenheit fast vergessen hatte. Nun erhob er sich andeutungsweise von seinem Stuhl und sprach in müdem, doch entschlossenem Ton in Richtung Kopfende des Tisches. »Als amtierender Vorsitzender des Fachbereichs werde ich eine Empfehlung aussprechen und erwarte, dass man ihr folgen wird. Ich empfehle, die Entscheidung auf übermorgen zu vertagen. Das gibt uns ein wenig Zeit, uns zu beruhigen und die Sache zu überdenken.«

»Da gibt es nichts zu überdenken«, stieß Lomax hervor. »Wenn Stoner …«

»Ich habe meine Empfehlung ausgesprochen«, sagte Finch leise, »und ihr wird gefolgt. Ich schlage nun vor, Dekan Rutherford, dass wir den Kandidaten über unsere Entscheidung in dieser Angelegenheit informieren.«

Sie trafen Walker völlig entspannt auf dem Flur vor dem Konferenzzimmer sitzend an. In der Rechten hielt er lässig eine Zigarette, während er gelangweilt an die Decke starrte.

»Mr Walker!«, rief Lomax und humpelte ihm entgegen.

Walker stand auf; da er mehrere Zentimeter größer war, musste er auf ihn herabblicken.

»Ich wurde angewiesen, Mr Walker, Sie zu informieren, dass das Komitee sich außerstande sah, hinsichtlich Ihrer Prüfung zu einem einstimmigen Ergebnis zu kommen; man wird Ihnen übermorgen Bescheid geben. Doch darf ich Ihnen versichern …«, er hob die Stimme, »ich darf Ihnen versichern, dass Sie sich keine Sorgen zu machen brauchen. Nicht die geringsten.«

Einen Moment lang sah Walker sie der Reihe nach kühl an. »Ich danke Ihnen aufs Neue, meine Herren, für all Ihre Mühen.« Er fing Stoners Blick auf, und ein Lächeln huschte über seine Lippen.

Ohne ein weiteres Wort eilte Gordon Finch davon; Stoner, Rutherford und Holland gingen zusammen den Flur entlang; Lomax blieb zurück, um in ernstem Ton auf Walker einzureden.

»Nun«, sagte Rutherford, der von Stoner und Holland in die Mitte genommen worden war, »eine unangenehme

Sache. Wie man es auch dreht und wendet, es bleibt eine unangenehme Sache.«

»Ja, das stimmt«, erwiderte Stoner, wandte sich von ihnen ab, ging die Marmorstufen hinunter, beschleunigte die Schritte, je näher er dem Parterre kam, und eilte nach draußen. Tief atmete er den rauchigen Geruch der Nachmittagsluft ein und atmete gleich noch einmal, als tauchte er wie ein Schwimmer aus dem Wasser auf. Dann ging er langsam nach Hause.

*

Früh am nächsten Nachmittag, noch ehe er Gelegenheit gehabt hatte, zu Mittag zu essen, erhielt er einen Anruf von Gordon Finchs Sekretärin, die ihn bat, auf der Stelle ins Büro zu kommen.

Finch wartete bereits ungeduldig, als Stoner den Raum betrat. Er erhob sich und bedeutete Stoner, sich in den Sessel zu setzen, den er neben seinen Tisch geschoben hatte.

»Geht es um die Sache mit Walker?«, fragte Stoner.

»Gewissermaßen«, erwiderte Finch. »Lomax hat um ein Treffen zur Klärung dieser Angelegenheit gebeten. Das könnte ziemlich unangenehm werden, und deshalb wollte ich einige Minuten mit dir allein reden, ehe Lomax kommt.« Er setzte sich wieder, wippte einige Augenblicke in seinem Drehstuhl und betrachtet Stoner nachdenklich. Dann sagte er unvermittelt: »Lomax ist ein guter Mann.«

»Das weiß ich«, sagte Stoner. »In gewissem Sinne ist er sicher der Beste unseres Fachbereichs.«

Als hätte Stoner nichts gesagt, fuhr Finch fort: »Er hat so seine Probleme, aber die machen sich nicht allzu oft bemerkbar, und wenn, dann hat er sie im Griff. Blöd nur, dass diese Sache gerade jetzt aufkommen muss; der Zeitpunkt ist verdammt unangenehm. Eine Spaltung der Fakultät in diesen Tagen …« Finch schüttelte den Kopf.

»Ich hoffe nicht …«, begann Stoner unbehaglich.

Finch hob die Hand. »Warte«, sagte er. »Ich hätte es dir gern früher gesagt, aber es sollte sich noch nicht herumsprechen und war auch nicht offiziell. Auch jetzt muss es noch vertraulich bleiben, aber … Erinnerst du dich daran, dass wir vor einigen Wochen über einen neuen Fachbereichsleiter geredet haben?«

Stoner nickte.

»Nun, Lomax bekommt den Posten. Er ist der Neue. Das ist beschlossene Sache. Der Vorschlag kam von ganz oben, doch sollte ich dir sagen, dass ich nichts dagegen einzuwenden hatte.« Er lachte kurz auf. »Allerdings wäre ich auch nicht in der Position gewesen, etwas daran ändern zu können, und selbst wenn ich es gewesen wäre, hätte ich zugestimmt – damals. Heute bin ich mir da nicht mehr so sicher.«

»Ich verstehe«, sagte Stoner nachdenklich, um dann nach einigen Sekunden fortzufahren: »Ich bin froh, dass du es mir vorher nicht gesagt hast. Ich glaube zwar kaum, dass es etwas geändert hätte, aber zumindest hat es auch unser Urteilsvermögen nicht getrübt.«

»Ach verdammt, Bill«, sagte Finch. »Du musst das verstehen. Walker ist mir schnurz, Lomax ebenso …, aber du bist ein alter Freund. Sehen wir es doch mal praktisch. Lomax nimmt diese Sache sehr ernst, und er wird sie nicht unter den Tisch fallen lassen. Wenn es also zu einer Auseinandersetzung kommt, dürfte sie ziemlich unangenehm werden. Du weißt so gut wie ich, wie rachsüchtig Lomax sein kann. Er kann dich zwar nicht feuern, kann aber so ziemlich alles andere mit dir machen. Und bis zu einem gewissen Maße muss ich dann zu ihm halten.« Wieder lachte er bitter auf. »Verdammt, bis zu einem ziemlich *großen* Maße muss ich dann zu ihm halten. Wenn ein Dekan anfängt, die Entscheidungen des Fachbereichsleiters aufzuheben, dann sollte er ihn als Vorsitzenden entlassen oder dies zumindest versuchen. Tanzt Lomax also aus der Reihe, könnte ich ihm den Vorsitz aberkennen, ich könnte es zumindest versuchen. Vielleicht käme ich damit durch, vielleicht auch nicht. Doch selbst wenn, würde das den Fachbereich spalten, eventuell das ganze College. Und verdammt …« Finch wirkte plötzlich verlegen und brummte vor sich hin, »ach, verdammt, ich muss nun mal ans College denken.« Er blickte Stoner direkt an. »Begreifst du, was ich dir sagen will?«

Eine Woge warmen Gefühls überkam Stoner, Liebe und zärtlicher Respekt für seinen alten Freund. »Natürlich, Gordon«, sagte er. »Hast du geglaubt, ich würde das nicht verstehen?«

»Also schön«, sagte Finch. »Und noch eines. Irgendwie hat Lomax beim Präsidenten ein Stein im Brett, sodass der ihm aufs Wort gehorcht. Es könnte für dich also noch schlimmer kommen, als du denkst. Allerdings brauchst du nur zu sagen, dass du es dir anders überlegt hast. Kannst mir sogar die Schuld geben – sag einfach, ich hätte dich dazu gezwungen.«

»Es geht mir nicht darum, mein Gesicht zu wahren, Gordon.«

»Weiß ich doch«, erwiderte Finch. »So habe ich es auch nicht gemeint. Sieh es mal so. Was liegt schon an Walker?

Sicher, ich weiß, es geht ums Prinzip, aber es gibt da noch ein anderes Prinzip, an das du denken solltest.«

»Es ist keine Frage des Prinzips«, sagte Stoner. »Es geht mir um Walker. Es wäre eine Katastrophe, ihn auf die Studenten loszulassen.«

»Ach«, sagte Finch müde, »wenn er es hier nicht schafft, geht er woanders hin und macht da seinen Abschluss; und trotz allem macht er ihn vielleicht sogar hier. Du könntest verlieren, weißt du, egal, was du tust. Wir können die Walkers nicht außen vor halten.«

»Vielleicht nicht«, sagte Stoner, »aber wir sollten es versuchen.«

Finch schwieg eine Weile, dann seufzte er: »Also gut, es hat keinen Zweck, Lomax noch länger warten zu lassen. Bringen wir es hinter uns.« Er stand vom Tisch auf und ging zur Tür, die zu einem kleinen Vorraum führte, doch als er an Stoner vorbeikam, legte der eine Hand auf seinen Arm und hielt ihn noch kurz zurück.

»Weißt du, Gordon, was Dave Masters einmal gesagt hat?«

Finch zog verwirrt die Brauen in die Höhe. »Warum kommst du mir jetzt mit Dave Masters?«

Stoner ließ seinen Blick durch den Raum zum Fenster hinauswandern, während er sich zu erinnern versuchte.

»Wir waren zu dritt, und er sagte – irgendwas darüber, dass die Universität ein Asyl ist, ein Zufluchtsort vor der Welt, ein Ort für die Besitzlosen, die Krüppel, aber an jemanden wie Walker hat er dabei nicht gedacht. Dave hätte Walker für – die Welt gehalten. Wir können ihn nicht hereinlassen. Denn wenn wir das tun, werden wir wie die Welt, ebenso irreal, ebenso … Uns bleibt nur die Hoffnung, ihn außen vor zu lassen.«

Finch blickte ihn einige Sekunden lang an. Dann grinste er. »Du Mistkerl«, rief er fröhlich. »Wir lassen Lomax jetzt besser reinkommen.« Er öffnete die Tür und bat Lomax zu sich.

Er betrat den Raum so steif und förmlich, dass man das leichte Hinken im rechten Bein kaum bemerkte; die Miene im hageren, attraktiven Gesicht wirkte starr und kalt, und er hielt den Kopf so hoch, dass sein langes, lockiges Haar fast auf den Buckel fiel, der den Rücken unterhalb der linken Schulter entstellte. Lomax sah keinen der beiden Männer an, die mit ihm im Raum waren, nahm kerzengerade in einem Sessel vor Finchs Tisch Platz und starrte auf eine unbestimmte Stelle zwischen Finch und Stoner. Dann wandte er Finch leicht den Kopf zu.

»Ich habe aus einem einzigen Grund um dieses Treffen gebeten. Ich hätte gern gewusst, ob Professor Stoner seine unüberlegte Entscheidung von gestern noch einmal überdacht hat.«

»Mr Stoner und ich haben gerade über diese Angelegenheit geredet«, sagte Finch. »Und wir haben sie leider noch nicht beilegen können.«

Lomax wandte sich zu Stoner und stierte ihn an; die hellblauen Augen wirkten so stumpf, als hätte sich ein durchsichtiger Film über sie gelegt. »Dann fürchte ich, werde ich einige ernsthafte Anschuldigungen erheben müssen.«

»Anschuldigungen?« Finch klang überrascht, fast ein wenig aufgebracht. »Davon haben Sie bislang nichts gesagt …«

»Tut mir leid«, sagte Lomax. »Aber das erscheint mir nötig.« Zu Stoner sagte er: »Sie haben zum ersten Mal mit Charles Walker gesprochen, als er darum bat, an Ihrem Seminar teilnehmen zu dürfen. Korrekt?«

»Das ist korrekt«, erwiderte Stoner.

»Sie haben gezögert, ihn aufzunehmen, nicht wahr?«

»Stimmt«, sagte Stoner. »Das Seminar hatte bereits zwölf Teilnehmer.«

Lomax warf einen Blick auf die Notizen in seiner rechten Hand. »Und als der Student Ihnen sagte, er müsse *unbedingt* daran teilnehmen, haben Sie widerstrebend Ihre Einwilligung gegeben, zugleich aber gesagt, seine Teilnahme würde das Fass zum Überlaufen bringen. Ist das richtig?«

»Nicht ganz«, sagte Stoner. »Wenn ich mich recht erinnere, habe ich gesagt, ein Student *mehr* im Seminar würde …«

Lomax wedelte mit der Hand. »Nicht weiter wichtig. Ich versuche nur, einen Zusammenhang deutlich zu machen. Haben Sie während dieser ersten Unterhaltung bezweifelt, dass Walker die Kompetenz besitze, an Ihrem Seminar teilzunehmen?«

»Holly«, sagte Gordon Finch matt, »wo soll das hinführen? Was hat …?«

»Bitte«, unterbrach ihn Lomax. »Ich habe doch gesagt, dass ich Anschuldigungen erheben will. Da müssen Sie mir schon die Zeit lassen, sie auch vorbringen zu können. Also, haben Sie seine Kompetenz infrage gestellt?«

Geduldig erwiderte Stoner: »Ja, ich habe ihm einige Fragen gestellt, um zu prüfen, ob er sich eignet.«

»Und konnten Sie sich von seiner Eignung überzeugen?«

»Ich glaube, ich war mir nicht sicher«, sagte Stoner, »erinnere mich aber nicht so genau.«

Lomax wandte sich an Finch. »Wir halten also fest, dass Professor Stoner erstens gezögert hat, Walker in sein Seminar aufzunehmen, zweitens, dass seine Bedenken so groß waren, dass er Walker drohte, seine Teilnahme am Seminar würde das Fass zum Überlaufen bringen, drittens zweifelte er an Walkers Kompetenz, und viertens ließ er ihn trotz der Bedenken und seines starken Widerwillens gegen den Studenten am Seminar teilnehmen.«

Finch schüttelte bekümmert den Kopf. »Das führt doch zu nichts, Holly.«

»Einen Moment noch«, sagte Lomax. Hastig sah er in seinen Notizen nach, dann musterte er Finch mit durchdringendem Blick. »Ich habe noch mehrere Punkte anzumerken, die ich in einem ›Kreuzverhör‹ auch erhärten könnte«, er hob das Wort ironisch hervor, »aber ich bin kein Anwalt. Allerdings kann ich versichern, dass ich bereit bin, diese Anschuldigungen im Einzelnen vorzubringen, falls sich dies als notwendig erweisen sollte.« Er hielt inne, als müsste er Kraft sammeln. »Ich bin bereit darzulegen, dass Professor Stoner den Studenten Walker an seinem Seminar teilnehmen ließ, obwohl er anfängliche Vorurteile gegen ihn hegte; ich bin bereit darzulegen, dass diese anfänglichen Vorurteile sich erhärteten, als gewisse Widersprüche in Temperament und Gefühl im Verlauf des Seminars zutage traten, dass diese Widersprüche durch Mr Stoner begünstigt und verstärkt wurden, der es nicht nur zuließ, sondern es gelegentlich regelrecht herausforderte, dass sich andere Teilnehmer des Seminars über Mr Walker lustig gemacht und ihn der Lächerlichkeit preisgegeben haben. Ich bin bereit darzulegen, dass diese Vorurteile bei mehr als einer Gelegenheit durch Bemerkungen Professor Stoners vor Studenten zum Ausdruck kamen, dass er Mr Walker vorgeworfen hat, eine Teilnehmerin des Seminars ›angegriffen‹ zu haben, obwohl Mr Walker nur eine abweichende Meinung zum Ausdruck brachte, dass Mr Stoner seine Verärgerung über diesen sogenannten ›Angriff‹ bekundete und sich zudem in unverantwortlicher Weise über Mr Walkers ›dümmliches Benehmen‹ ausließ. Ich bin bereit, zudem darzulegen, dass Professor Stoner infolge seines Vorurteils, und ohne dazu provoziert worden zu sein, Mr Walker der Faulheit, Ignoranz und Unehrlichkeit beschuldigte. Und dass Professor Stoner schließlich von allen dreizehn Teilnehmern des Seminars einzig Mr Walker ein solches Misstrauen entgegenbrachte, dass er ihn bat, ihm die Seminararbeit zu übergeben. Und nun frage ich Professor Stoner, ob er die Berechtigung dieser Anschuldigungen einzeln oder in Gänze bestreiten will.«

Fast mit so etwas wie Bewunderung schüttelte Stoner den Kopf. »Mein Gott«, sagte er. »Wie das aus Ihrem Munde klingt! Sicher, alles, was Sie sagen, entspricht den Tatsachen, nur ist nichts davon wahr. Jedenfalls nicht so, wie Sie es sagen.«

Lomax nickte, als hätte er diese Antwort erwartet. »Ich bin bereit, jedes Wort dessen, was ich gesagt habe, zu belegen. Sollte es notwendig sein, wäre es wohl am einfachsten, die Teilnehmer des Seminars einzeln herzubestellen und zu befragen.«

»Nein!«, stieß Stoner scharf hervor. »Das ist ja wohl das Empörendste, was Sie heute Nachmittag gesagt haben. Ich werde nicht zulassen, dass die Studenten in diesen Schlamassel mit hineingezogen werden.«

»Es bleibt Ihnen wohl nichts anderes übrig, Stoner«, sagte Lomax leise.

Gordon Finch blickte Lomax an und fragte ruhig: »Worauf wollen Sie hinaus?«

Lomax ignorierte ihn. Er sagte zu Stoner: »Mr Walker hat erklärt, dass er prinzipiell zwar dagegen sei, in diesem Fall aber bereit wäre, Ihnen die Seminararbeit auszuhändigen, die Sie so sehr in den Schmutz Ihres Zweifels gezogen haben; außerdem ist er bereit, sich jedem Urteil zu fügen, das Sie und zwei weitere qualifizierte Mitglieder des Fachbereichs darüber fällen. Vergibt die Mehrheit ein ›bestanden‹, erhält er auch ein ›bestanden‹ für das Seminar, und ihm wird gestattet, im Doktorandenstudium zu bleiben.«

Stoner schüttelte den Kopf, schämte sich aber, Lomax anzusehen. »Sie wissen, dass ich das nicht tun kann.«

»Nun gut. Ich tue dies nur sehr ungern, doch sollten Sie Ihr Votum von gestern nicht ändern, sehe ich mich genötigt, formell Klage gegen Sie zu erheben.«

Gordon Finch hob die Stimme: »*Wozu* sehen Sie sich genötigt?«

Gelassen antwortete Lomax: »Die Verfassung der Universität von Missouri gestattet jedem lehrbefugten Mitglied des Fachbereichs, Klage gegen ein anderes lehrbefugtes Mitglied des Fachbereichs zu erheben, sofern begründeter Verdacht zu der Annahme besteht, dass beklagtes Fachbereichsmitglied inkompetent ist, unethisch handelt oder seinen Pflichten nicht im Einklang mit den in Artikel sechs, Abschnitt drei der Verfassung dargelegten ethischen Grundsätzen nachkommt. Wortlaut der vollständigen Klageerhebung sowie unterstützendes Beweismaterial werden dem gesamten Fachbereich vorgelegt, und am Ende des Verfahrens wird die Fakultät der Klage mit einer Zweidrittelmehrheit stattgeben oder sie abweisen, sollte diese Mehrheit nicht erreicht werden.«

Gordon Finch lehnte sich mit offenem Mund auf seinem Stuhl zurück und schüttelte ungläubig den Kopf. »Also wirklich«, sagte er, »die Sache gerät außer Rand und Band. Das können Sie doch nicht ernst meinen, Hollis.«

»Aber sicher doch«, sagte Lomax. »Dies ist eine ernste Angelegenheit und eine Frage des Prinzips; außerdem – außerdem wurde meine Integrität infrage gestellt. Folglich ist es mein gutes Recht, Klage zu erheben, falls ich dies für angemessen halte.«

Finch sagte: »Damit kommen Sie doch niemals durch.«

»Dennoch ist es mein Recht, Klage zu erheben.«

Einen Moment lang starrte Finch Lomax an, dann sagte er leise und in beinahe liebenswürdigem Ton: »Es wird zu keiner Anklage kommen. Ich weiß zwar nicht, wie diese Sache ausgeht, und es kümmert mich auch nicht besonders, doch wird es zu keiner Anklage kommen. In wenigen Augenblicken gehen wir alle durch diese Tür da hinaus und werden das meiste dessen vergessen, was heute hier an diesem Nachmittag gesagt wurde. Zumindest werden wir uns diesen Anschein geben, denn ich lasse nicht zu, dass der Fachbereich oder das College ins Chaos gestürzt wird. Es wird keine Anklage geben, denn«, fügte er freundlich hinzu, »falls doch, kann ich Ihnen versprechen, dass ich Himmel und Hölle in Bewegung setzen werde, um Sie fertigzumachen. Ich werde vor nichts zurückschrecken und jedes bisschen Einfluss nutzen, über den ich verfüge; ich werde notfalls lügen und Ihnen irgendwas anhängen, wenn es denn sein muss. Ich gehe nun, um Dekan Rutherford Bericht zu erstatten und ihm zu sagen, dass es bei dem Votum im Fall Mr Walker bleibt. Sollten Sie die Angelegenheit weiter verfolgen wollen, wenden Sie sich damit an ihn, an den Präsidenten oder an Gott, aber dieses Büro ist damit fertig. Ich will nichts mehr davon hören.«

Bei Finchs Worten setzte Lomax eine nachdenkliche, undurchdringliche Miene auf, nickte scheinbar gleichgültig, sobald Finch geendet hatte, erhob sich aus seinem Sessel, humpelte mit einem kurzen Blick auf Stoner durch das Zimmer und ging nach draußen. Einige Augenblicke lang blieben Finch und Stoner stumm sitzen, bis Finch schließlich sagte: »Ich frage mich, was da ist zwischen ihm und Walker.«

Stoner schüttelte den Kopf. »Nicht das, was du denkst«, sagte er, »aber was es ist, weiß ich auch nicht. Und ich glaube, ich will es gar nicht wissen.«

*

Zehn Tage später ernannte man Hollis Lomax offiziell zum Leiter des Fachbereichs Englisch, und noch einmal zwei Wochen später wurden unter den Fachbereichsmitgliedern die Seminarpläne für das folgende Lehrjahr verteilt. Stoner überraschte es nicht sonderlich, feststellen zu müssen, dass ihm für beide Semester drei Grundkurse und ein Einführungskurs für Zweitsemester zugeteilt worden waren; den Lektürekurs ›Mittelalterliche Literatur für höhere Semester‹ sowie sein Oberseminar hatte man aus dem Programm genommen. Es war, begriff Stoner, ein Stundenplan wie für einen Jungdozenten, eigentlich sogar noch schlimmer, da man die Seminare so gelegt hatte, dass er sechs Tage die Woche zu weit auseinanderliegenden Uhrzeiten unterrichten musste. Trotzdem protestierte er nicht, und er beschloss, im folgenden Jahr zu unterrichten, als ob alles in Ordnung wäre.

Zum ersten Mal, seit er Dozent geworden war, schien es ihm möglich, die Universität zu verlassen und woanders zu lehren. Er sprach mit Edith über diese Möglichkeit, doch sie sah ihn an, als hätte er sie geschlagen.

»Das könnte ich nicht«, sagte sie, »nein, das könnte ich nicht.« Und dann, als ihr bewusst wurde, dass sie Angst gezeigt und sich somit verraten hatte, wurde sie ärgerlich. »Was denkst du dir nur?«, fragte sie. »Unser Haus – unser hübsches Heim. Unsere Freunde. Und Grace' Schule. Für ein Kind ist es gar nicht gut, wenn es von einer Schule zur nächsten geschleppt wird.«

»Es wird sich vielleicht nicht vermeiden lassen«, sagte er. Von dem Vorfall mit Charles Walker hatte er ihr nichts erzählt, auch nichts davon, wie Lomax in die Sache verwickelt war, doch wurde ihm rasch klar, dass sie alles darüber wusste.

»Rücksichtslos«, sagte sie. »Vollkommen rücksichtslos.« Doch wirkte ihr Ärger seltsam distanziert, beinahe schal, und träge wanderte der Blick ihrer blassblauen Augen von ihm zu irgendwelchen Gegenständen im Wohnzimmer, als wollte sie sich ihrer fortwährenden Anwesenheit versichern, während sich die schlanken, leicht sommersprossigen Finger ruhelos regten. »Ach, ich weiß über deinen Ärger Bescheid. Bisher habe ich mich ja nie in deine Angelegenheiten eingemischt, aber – also wirklich, du bist ganz schön sturköpfig. Ich meine, Grace und ich sind doch auch noch in diese Sache verwickelt. Du kannst schließlich nicht erwarten, dass wir unsere Siebensachen packen und umziehen, bloß weil du dich in eine unangenehme Lage gebracht hast.«

»Aber ich denke dabei doch gerade an dich und Grace, teilweise zumindest. Es könnte nämlich durchaus sein, dass ich … dass ich es in diesem Fachbereich nicht viel weiter bringe, wenn ich bleibe.«

»Ach«, erwiderte Edith kühl und legte Verbitterung in ihre Stimme. »Das ist nicht wichtig. Wir waren bislang arm, also besteht kein Grund, dass wir nicht weiter so leben könnten. Du hättest vorher dran denken sollen, wohin so etwas führen kann. Ein Krüppel!« Plötzlich änderte sich der Ton ihrer Stimme, und sie lachte nachsichtig, beinahe liebevoll. »Also ehrlich, das ist für dich alles so schrecklich wichtig. Was soll das denn?«

Columbia zu verlassen kam für sie nicht in Betracht. Sollte es so weit kommen, sagte sie, könnte sie mit Grace immer noch zu Tante Emma ziehen, die in letzter Zeit sehr schwach geworden war und ihre Gesellschaft sicher begrüßen würde.

Also ließ er die Möglichkeit beinahe im selben Moment wieder fallen, in dem er sie aufgebracht hatte. Er würde den Sommer über unterrichten, außerdem interessierten ihn zwei seiner Seminare ganz besonders; sie waren anberaumt worden, ehe Lomax Fachbereichsleiter geworden war. Stoner beschloss, ihnen seine besondere Aufmerksamkeit zu widmen, zumal er wusste, dass es bestimmt eine Weile dauern werde, ehe er sie wieder unterrichten konnte.

XI

EINIGE WOCHEN NACH BEGINN des Herbstsemesters 1932 wurde William Stoner klar, dass es ihm nicht gelungen war, Charles Walker vom Doktorandenstudium abzuhalten. Walker kehrte nach den Sommerferien so triumphierend auf den Campus zurück, als beträte er eine Arena, und wenn er Stoner auf den Fluren von Jesse Hall sah, neigte er ironisch den Kopf und grinste maliziös. Von Jim Holland erfuhr Stoner, Dekan Rutherford habe gezögert, das Ergebnis der letztjährigen Abstimmung offiziell zu machen, weshalb man letztlich beschloss, Walker das erneute Ablegen der mündlichen Prüfung zu gestatten, nur wurden die Prüfer diesmal vom Fachbereichsleiter bestimmt.

Der Kampf war verloren und Stoner bereit, seine Niederlage einzugestehen, nur fand das Kämpfen kein Ende. Begegnete er Lomax auf den Fluren, bei einem Fakultätstreffen oder einer Collegeveranstaltung, redete er mit ihm, als wäre nichts geschehen. Lomax aber erwiderte nicht einmal seinen Gruß, starrte eisig vor sich hin oder wandte den Blick ab, als wollte er sagen, dass er sich nicht so leicht zufriedengebe.

Im Spätherbst ging Stoner eines Tages in Lomax' Büro und blieb mehrere Minuten vor seinem Schreibtisch stehen, bis Lomax widerstrebend zu ihm aufsah, die Lippen zusammengepresst, der Blick verschlossen.

Als er merkte, dass Lomax den Mund nicht aufmachen würde, begann Stoner stockend zu sprechen: »Hör mal, Holly, es ist aus und vorbei. Können wir die Sache nicht einfach vergessen?«

Lomax starrte ihn unverwandt an.

Stoner fuhr fort: »Wir hatten eine Meinungsverschiedenheit, aber das ist schließlich nichts Ungewöhnliches. Wir waren doch vorher Freunde, und ich wüsste nicht …«

»Wir sind nie Freunde gewesen«, fiel ihm Lomax entschieden ins Wort.

»Na schön«, sagte Stoner, »aber zumindest sind wir miteinander ausgekommen. Von mir aus können wir unsere Meinungsverschiedenheit ja auch beibehalten, aber deshalb müssen wir sie uns doch um Gottes willen nicht gleich derart anmerken lassen. Selbst den Studenten fällt das auf.«

»Das sollte es auch«, erwiderte Lomax verbittert, »schließlich wäre einem aus ihrer Mitte beinahe der weitere Lebensweg verbaut worden. Ein brillanter Student, dessen einziges Verschulden seine überbordende Fantasie war, seine Begeisterung und eine Integrität, die ihn in einen Konflikt mit seinem Professor brachte, und – ja, das sollte ich hinzufügen – ein leidiges körperliches Gebrechen, das in jedem normalen Menschen Mitgefühl geweckt hätte.« In seiner gesunden Hand hielt Lomax zitternd einen Bleistift, und fast mit Entsetzen begriff Stoner, dass es Lomax auf so schreckliche wie unabänderliche Weise ernst meinte. »Nein«, fuhr Lomax leidenschaftlich fort, »das kann ich Ihnen nicht vergeben.«

Stoner gab sich Mühe, in nicht allzu steifem Ton zu antworten. »Es geht hier nicht um Vergebung, sondern schlichtweg darum, wie wir uns so zueinander verhalten, dass es für die Studenten und die übrigen Fachbereichsmitglieder nicht allzu unangenehm ist.«

»Ich will ganz offen zu Ihnen sein, Stoner«, sagte Lomax. Er hatte seinen Ärger nun im Griff und klang ruhig, beinahe sachlich. »Ich denke nicht, dass Sie unterrichten sollten, niemand sollte das, dessen Vorurteile stärker als Begabung und Bildung sind. Hätte ich die nötige Macht, würde ich Sie vermutlich feuern, aber diese Macht habe ich nicht, wie wir beide wissen. Wir werden … *Sie* werden von Ihrem Anstellungsvertrag geschützt. Damit muss ich mich abfinden, aber deswegen muss ich mich nicht zum Heuchler machen. Ich will mit Ihnen nichts zu tun haben. Nicht das Geringste. Und ich werde das aller Welt deutlich zu verstehen geben.«

Stoner blickte ihn einige Augenblicke unverwandt an, dann schüttelte er den Kopf. »Nun gut, Holly«, erwiderte er müde und wandte sich ab.

»Einen Moment noch!«, rief Lomax.

Stoner drehte sich um. Lomax starrte mit rotem Gesicht in einige Papiere auf seinem Tisch und schien mit sich zu kämpfen. Stoner begriff, dass er nicht jemanden vor sich sah, der sich ärgerte, sondern jemanden, der sich schämte.

»Wenn Sie mich in Zukunft in Fachbereichsangelegenheiten sehen wollen«, sagte Lomax, »werden Sie sich von meiner Sekretärin einen Termin geben lassen.« Und obwohl Stoner ihn noch einige Augenblicke ansah, hob Lomax nicht wieder den Kopf. Ein kurzes Zucken lief über sein Gesicht, dann verharrte es reglos. Stoner ging aus dem Büro.

Über zwanzig Jahre lang sollten die beiden Männer nicht mehr miteinander reden.

*

Später begriff Stoner, wie unvermeidlich es war, dass die Studenten etwas davon bemerkten, denn selbst wenn er Lomax überredet hätte, den Anschein zu wahren, hätte er sie auf lange Sicht nicht davor bewahren können, von ihrem Kampf etwas mitzubekommen.

Einige seiner früheren Studenten, selbst Studenten, die er ziemlich gut gekannt hatte, nickten ihm nun verlegen zu und unterhielten sich bloß noch verstohlen mit ihm. Andere taten über Gebühr freundlich und gaben sich besondere Mühe, ihn anzusprechen oder sich mit ihm auf den Fluren zu zeigen. Nur fehlte das gute Verhältnis, das er früher zu ihnen gehabt hatte; er war nun jemand, mit dem man aus besonderem Grund gesehen oder auch nicht gesehen werden wollte.

Ihm wurde bewusst, dass seine Anwesenheit Freunde wie Feinde verlegen machte, weshalb er sich mehr und mehr zurückzog.

Lethargie begann ihn zu lähmen. Seine Seminare unterrichtete er so gut er konnte, doch ließ das stete Einerlei der vorgeschriebenen Erst- und Zweitsemesterkurse jede Begeisterung schwinden, sodass er sich am Ende des Tages ausgelaugt und wie betäubt fühlte. Wenn es möglich war, füllte er die Zeit zwischen den weit auseinanderliegenden Seminaren mit Sprechstunden, ging mit den Studenten sorgsam ihre Arbeiten durch und hielt sie so lange auf, bis sie ruhelos und ungeduldig wurden.

Langsam krochen die Tage dahin. Er versuchte, möglichst oft bei seiner Frau und seinem Kind zu sein, doch in Anbetracht seiner eigenwilligen Unterrichtszeiten konnte er nur zu ungewöhnlichen Stunden kommen, die meist nicht mit Ediths strikter Planung vereinbar waren; außerdem musste er feststellen (was ihn keineswegs überraschte), dass Edith seine regelmäßige Anwesenheit derart beunruhigend fand, dass sie nervös, stumm und gelegentlich sogar körperlich krank wurde. Darüber hinaus konnte er Grace in der Zeit, die er zu Hause verbrachte, nur selten sehen. Edith hatte den Tagesablauf ihrer Tochter genau eingeteilt; ›Freizeit‹ gab es höchstens am Abend, doch musste Stoner viermal in der Woche abends unterrichten. Wenn die Seminare vorbei waren, lag Grace meist schon im Bett.

Also sah er sie weiterhin nur kurz am Morgen zum Frühstück, und mit ihr allein war er bloß in jenen wenigen Minuten, die Edith brauchte, um das Geschirr abzuräumen und zum Einweichen ins Spülbecken zu stellen. Er sah, wie sie heranwuchs, wie ihre Glieder sich mit unbeholfener Anmut zu bewegen lernten und Vernunft sich in ihrem ruhigen Blick und aufmerksamen Gesicht zu zeigen begann. Manchmal spürte er auch, dass es zwischen ihnen noch eine Nähe gab, eine Nähe, die sie beide nicht zuzugeben wagten.

Schließlich verfiel er wieder seiner Gewohnheit, die meiste Zeit in seinem Büro in Jesse Hall zu verbringen. Er redete sich ein, er sollte dankbar für die Gelegenheit sein, endlich nach eigenem Gutdünken lesen zu können, frei von dem Druck, Seminare vorzubereiten, frei von allen Vorschriften, die seine Lektüre bestimmten. Er versuchte, ungezielt zu lesen, nach Lust und Laune, versuchte, sich in Bücher zu vertiefen, die er sich schon seit Jahren vornehmen wollte, doch ließ sich sein Verstand nicht dorthin lenken, wohin er ihn führen wollte. Die Gedanken schweiften von den Buchseiten ab, und immer häufiger ertappte er sich dabei, wie er dumpf vor sich hin ins Nichts stierte; es war, als würde sein Kopf nach und nach von allem Wissen geleert und sein Wille aller Kraft beraubt. Manchmal fürchtete er, nur noch vor sich hin zu vegetieren, und er sehnte sich nach etwas, das ihn durchbohrte, sei es auch Schmerz, damit er sich endlich wieder lebendig fühlte.

Er hatte jene Phase in seinem Leben erreicht, in der sich ihm mit wachsender Dringlichkeit eine Frage von solch überwältigender Einfachheit stellte, dass er nicht wusste, wie er darauf reagieren sollte. Er begann sich nämlich zu fragen, ob sein Leben lebenswert sei, ob es das je gewesen war. Alle Menschen, vermutete er, stellten sich zu dem ein oder anderen Zeitpunkt gewiss diese Frage, doch hätte er gern gewusst, ob sie sich ihnen mit solch unpersönlicher Wucht aufdrängte wie ihm. Die Frage ging mit einer Trauer einher, einer unbestimmten Trauer, die (so nahm er an) nur wenig mit ihm selbst oder seinem besonderen Los zu tun hatte; ja, er war sich nicht einmal sicher, ob sie sich ihm aus dem unmittelbar gegebenen, offensichtlichen Anlass stellte, also den kürzlichen Veränderungen in seinem eigenen Leben. Sie rührte, glaubte er, eher aus der Anhäufung seiner Jahre her, aus der Verdichtung von Zufall und Umstand sowie aus dem, was er darunter zu verstehen gelernt hatte. Er fand ein ebenso grimmiges wie ironisches Vergnügen an der Möglichkeit, ihn habe jenes bisschen Bildung, das er sich erworben haben mochte, zu folgender Einsicht geführt: Letzten Endes war alles, selbst das Studium, das ihm dieses Wissen ermöglichte, sinnlos und vergeblich und gerann zu einem unabänderlichen Nichts.

Einmal kehrte er nach einem seiner Abendseminare ins Büro zurück und setzte sich an den Tisch, um zu lesen. Es war Winter, und tagsüber hatte es geschneit; weiches Weiß deckte die Welt dort draußen zu. Das Büro war überheizt; er öffnete das Fenster, damit kühle Luft in den geschlossenen

Raum dringen konnte. Tief atmete er ein und ließ den Blick über den weißen Campus schweifen, dann knipste er spontan die Schreibtischlampe aus und saß im warmen Dunkel seines Büros; kalte Luft füllte seine Lungen. Er beugte sich zum offenen Fenster vor, hörte die Stille der Winternacht, und ihm war, als könnte er irgendwie die Geräusche spüren, die von der zarten, komplexen Zellstruktur des Schnees aufgesogen wurden. Nichts regte sich auf dem Weiß; ihm bot sich der Anblick einer leblosen Szenerie, die an ihm zu zerren, an seinem Bewusstsein zu saugen schien, so wie sie die Geräusche aus der Luft sog und im kalten, weichen Weiß vergrub. Er fühlte sich nach draußen in dieses Weiß gezogen, das sich ausdehnte, soweit er sehen konnte, und das Teil der Dunkelheit war, aus der heraus es schimmerte, Teil eines klaren, wolkenlosen Himmels ohne Höhe oder Tiefe. Einen Moment lang spürte er, wie er den eigenen, reglos vor dem Fenster sitzenden Körper verließ; und als er sich davongleiten fühlte, kam ihm alles – das flache Weiß, die Bäume, die hohen Säulen, die Nacht, die fernen Sterne – unfassbar winzig vor und weit fort, so als schrumpften sie zu nichts zusammen. Dann schepperte hinter ihm ein Heizkörper. Stoner bewegte sich; die Welt fand wieder zu sich selbst. Mit seltsam widerstrebender Erleichterung knipste er die Schreibtischlampe erneut an, griff sich ein Buch und einige Papiere, verließ das Büro, ging über die dunklen Flure und verließ Jesse Hall durch die breite Doppeltür auf der Rückseite. Langsam machte er sich auf den Heimweg und spürte bei jedem Schritt, wie seine Füße mit gedämpftem Laut über trockenen Schnee knirschten.

XII

VOR ALLEM WÄHREND DER WINTERMONATE überraschte er sich in jenem Jahr immer häufiger dabei, wie er in solch unwirkliche Zustände verfiel und dabei den eigenen Körper willentlich verlassen zu können schien. Er sah sich zu, als wäre er ein seltsam vertrauter Fremder, der jene eigenartig vertrauten Dinge tat, die er zu tun hatte. Eine solche Aufspaltung hatte er nie zuvor gespürt; und er wusste, er sollte sich Sorgen machen, doch war er wie betäubt und konnte sich nicht dazu durchringen, es bedeutsam zu finden. Er war zweiundvierzig Jahre alt; vor sich sah er nichts, auf das er sich zu freuen wünschte, und hinter sich nur wenig, woran er sich gern erinnerte.

In seinem dreiundvierzigsten Lebensjahr war William Stoner so hager wie in seiner Jugend, als er zum ersten Mal wie geblendet vor Ehrfurcht über einen Campus gegangen war, der diese Wirkung auf ihn nie ganz verlieren sollte. Jahr um Jahr ging er stärker vornübergebeugt, und er hatte gelernt, sich so langsam zu bewegen, dass die bäuerliche Schwerfälligkeit von Hand und Fuß absichtsvoll und nicht wie angeborene Unbeholfenheit wirkte. Sein langes Gesicht war mit der Zeit sanfter geworden, und auch wenn die Haut noch wie gegerbtes Leder aussah, spannte sie sich doch nicht mehr straff über scharf vorspringende Wangenknochen, sondern wurde von dünnen Falten um Augen und Mund aufgelockert. Die grauen Augen, klar und scharf wie eh und je, waren tiefer eingesunken, ihre misstrauische Wachsamkeit halb verborgen, und das Haar, einst hellbraun, war dunkler geworden, auch wenn sich an den Schläfen erste graue Spuren zeigten. Er dachte nicht oft über die Jahre nach, noch bedauerte er ihr Verstreichen, doch wenn er sein Gesicht in einem Spiegel sah oder sich seinem Abbild in einer der Glastüren näherte, die ins Gebäude von Jesse Hall führten, dann registrierte er mit gelindem Entsetzen, welche Veränderungen mit ihm vorgegangen waren.

Zu Anfang des Frühlings saß er eines Nachmittags allein in seinem Büro, auf dem Tisch ein Stapel Erstsemesterarbeiten. Er hielt einen Aufsatz in der Hand, las aber nicht, sondern schaute, wie so oft in letzter Zeit, aus dem Fenster auf jenen Teil des Campus, den er von seinem Büro aus überblicken konnte. Es war ein strahlender Tag, und seit er hinaussah, war der vom Gebäude geworfene Schatten fast bis zum Fuße der fünf Säulen vorgerückt, die in machtvoller, einsamer Anmut mitten auf dem rechteckigen Platz standen. Was im Schatten lag, war von dunklem, bräunlichem Grau, der Winterrasen jenseits des Schattenrands dagegen hellbraun, überlagert von einem schimmernden Film blassestem Grün. Und weiß leuchtete der Marmor vor dem Hintergrund der krakeligen schwarzen Spuren der Weinreben, die sich an den Säulen emporrankten. Bald würde der Schatten über sie hinwegwandern, dachte Stoner, die Sockel würden sich verdunkeln, das Dunkel dann emporkriechen, langsam, aber immer schneller, bis … Er merkte, dass jemand hinter ihm stand.

Er wandte sich auf seinem Stuhl um, blickte auf und sah Katherine Driscoll, die junge Dozentin, die letztes Jahr als

Gasthörerin an seinem Seminar teilgenommen hatte. Seit damals waren sie sich einige Male auf den Fluren begegnet und hatten einander zugenickt, aber kaum ein Wort gewechselt. Vage war Stoner sich bewusst, wie ihn dieses Wiedersehen ärgerte, da er weder an das Seminar noch an das, was es nach sich gezogen hatte, erinnert werden wollte. Er schob den Stuhl zurück und erhob sich umständlich.

»Miss Driscoll«, sagte er trocken und deutete auf den Stuhl vor seinem Tisch. Sie blickte ihn kurz an mit ihren großen, dunklen Augen; und er fand, ihr Gesicht wirkte außergewöhnlich blass. Den Kopf leicht einziehend, wich sie vor ihm zurück und nahm auf dem Stuhl Platz, auf den er unbestimmt gedeutet hatte.

Stoner setzte sich wieder und betrachtete sie einen Moment lang, ohne sie tatsächlich zu sehen. Als ihm bewusst wurde, wie ungehobelt sein Verhalten wirken mochte, versuchte er zu lächeln und murmelte automatisch irgendeine unsinnige Frage nach ihren Seminaren.

Abrupt begann sie zu reden: »Sie … Sie haben einmal gesagt, dass Sie bereit wären, sich meine Dissertation anzusehen, wenn ich etwas vorzuweisen hätte.«

»Ja«, erwiderte Stoner und nickte. »Ich glaube, das habe ich. Gewiss.« Im selben Moment bemerkte er, dass sie auf ihrem Schoß eine Mappe mit Papieren umklammert hielt.

»Natürlich nur, wenn Sie nicht zu beschäftigt sind«, brachte sie zögerlich vor.

»Nein, bin ich nicht«, sagte Stoner und versuchte, ein wenig Begeisterung in seiner Stimme mitschwingen zu lassen. »Entschuldigen Sie, ich wollte nicht allzu abweisend klingen.«

Zögerlich hielt sie ihm die Mappe hin. Er griff danach und

lächelte. »Ich dachte, Sie wären schon ein bisschen weiter«, sagte er.

»War ich auch«, antwortete sie. »Aber ich musste noch mal von vorn anfangen, weil ich eine neue Richtung eingeschlagen habe und … ich wäre Ihnen dankbar, wenn Sie mir sagen könnten, was Sie davon halten.«

Wieder lächelte er und nickte; er wusste nicht, was er sagen sollte. Verlegen blieben sie eine Weile stumm.

Schließlich sagte er: »Wann brauchen Sie den Text zurück?«

Sie schüttelte den Kopf. »Das ist nicht so wichtig. Wann immer es Ihnen passt.«

»Ich will Sie nicht zu lange von der Arbeit abhalten«, sagte er. »Wie wäre es mit kommendem Freitag? Das sollte mir ausreichend Zeit lassen. Gegen drei Uhr?«

So abrupt, wie sie sich gesetzt hatte, stand sie auch wieder auf. »Vielen Dank. Ich möchte Ihnen keineswegs zur Last fallen. Nochmals danke.« Dann wandte sie sich um und verließ, schlank und erhobenen Hauptes, sein Büro.

Er hielt die Mappe noch einige Augenblicke in der Hand, starrte sie an, legte sie wieder auf den Tisch und machte sich erneut an seine Erstsemesterarbeiten.

Das war an einem Dienstag, und die nächsten zwei Tage fasste er das Manuskript nicht an. Aus Gründen, die er selbst kaum verstand, brachte er es nicht über sich, die Mappe zu öffnen und mit der Lektüre zu beginnen, auf die er sich noch wenige Monate zuvor gefreut hätte. Misstrauisch beäugte er nun den Papierstapel, als wäre er ein Feind, der ihn in einen Krieg hineinziehen wollte, den er längst aufgegeben hatte.

Dann wurde es Freitag, und er hatte die Arbeit immer noch nicht gelesen. Vorwurfsvoll lag sie am Morgen noch auf dem

Tisch, als er seine Bücher und Papiere für die Vorlesung um acht Uhr früh holte, und als er kurz nach neun zurückkehrte, beschloss er, im Hauptbüro eine Notiz in Miss Driscolls Brieffach zu legen und um eine Woche Aufschub zu bitten, überlegte sich dann aber, dass er vor seinem Seminar um elf Uhr noch einen raschen Blick hineinwerfen wolle, um einige nichtssagende Bemerkungen machen zu können, wenn Miss Driscoll am Nachmittag vorbeischaute. Aber er brachte es einfach nicht über sich, und kurz bevor er zu seinem Seminar ging, dem letzten an diesem Tag, schnappte er sich die Mappe, stopfte sie zwischen die übrigen Papiere und eilte über den Campus zu seinem Unterrichtsraum.

Das Seminar war um zwölf Uhr zu Ende, aber er wurde noch von mehreren Studenten aufgehalten, die unbedingt mit ihm reden wollten, weshalb er sich erst nach eins freimachen konnte. Mit grimmiger Entschlossenheit strebte er schließlich der Bibliothek zu, um sich eine leere Lesekabine zu suchen und das Manuskript in der verbleibenden Stunde wenigstens kurz zu überfliegen, ehe er sich dann um drei Uhr mit Miss Driscoll traf.

Selbst in der dämmrigen, vertrauten Ruhe der Bibliothek jedoch, in der leeren Lesekabine, die er versteckt zwischen den hinteren Reihen der Regale gefunden hatte, fiel es ihm schwer, sich die Arbeit anzusehen. Er schlug andere Werke auf und las wahllos einige Abschnitte, saß still da und atmete den von alten Büchern aufsteigenden Modergeruch ein, um dann, als er es nicht länger aufschieben konnte, schließlich zu seufzen und einen flüchtigen Blick auf die ersten Seiten zu werfen.

Anfangs streifte er das, was er las, nur nervös mit dem äußeren Rand seines Verstandes, doch allmählich drängten sich ihm die Worte auf. Er runzelte die Stirn, begann, sorgsamer zu lesen, war gleich darauf gefangen, kehrte an den Anfang zurück und richtete nun seine ganze Aufmerksamkeit auf die Seiten. Ja, sagte er sich, natürlich. Vieles von dem, was in ihrer Seminararbeit erwähnt worden war, tauchte hier wieder auf, doch umgestellt, neu geordnet, weshalb es in Richtungen wies, die er selbst nur vage geahnt hatte. Mein Gott, sagte er sich staunend, und die Finger zitterten beim Umblättern vor lauter Aufregung.

Als er zur letzten Seite des Manuskripts kam, lehnte er sich in glückseliger Erschöpfung zurück und starrte vor sich hin auf die graue Betonmauer. Auch wenn ihm erst wenige Minuten verstrichen zu sein schienen, seit er zu lesen begonnen hatte, warf er einen Blick auf die Uhr. Es war fast halb fünf. Rasch sprang er auf, sammelte das Manuskript ein, eilte aus der Bibliothek, und obwohl er wusste, dass es keine Rolle mehr spielte, rannte er halb über den Campus zum Gebäude von Jesse Hall.

Als er auf dem Weg zu seinem Zimmer an der offenen Tür des Hauptbüros vorbeikam, hörte er, wie jemand seinen Namen rief. Er blieb stehen, steckte den Kopf durch die Tür, und die Sekretärin – eine junge Frau, die Lomax erst vor kurzem eingestellt hatte – sagte vorwurfsvoll, beinahe impertinent: »Miss Driscoll war um drei Uhr hier. Sie hat fast eine Stunde gewartet.«

Er nickte, dankte ihr, ging ein wenig langsamer zu seinem Büro weiter und sagte sich, dass es nun nicht mehr darauf ankäme, dass er ihr das Manuskript auch am Montag geben und sich bei ihr entschuldigen könne. Doch die Aufregung, die ihn nach der Lektüre des Manuskripts gepackt hatte, wollte sich nicht legen, sodass er im Büro ruhelos auf und ab lief und nur gelegentlich stehen blieb, um mit dem Kopf zu nicken. Schließlich trat er ans Bücherregal, suchte einen Moment und zog dann einen schmalen Band mit verschmierten schwarzen Druckbuchstaben auf dem Umschlag hervor: *Adressverzeichnis. Personal und Fakultätsmitglieder der Universität Missouri*. Er fand Katherine Driscolls Namen; sie besaß kein Telefon. Er notierte sich ihre Adresse, nahm das Manuskript vom Tisch und verließ das Büro.

Richtung Stadt lag etwa drei Querstraßen vom Campus entfernt eine Ansammlung großer, alter Häuser, die vor wenigen Jahren in Wohnungen aufgeteilt worden waren, in denen Studenten älteren Semesters lebten, jüngere Fachbereichsmitglieder und Mitarbeiter der Universität, aber auch einige Stadtbewohner. Katherine Driscolls Haus stand irgendwo mittendrin, ein riesiges dreistöckiges Gebäude aus grauem Stein mit einer verblüffenden Vielzahl von Ein- und Ausgängen, Türmchen, Erkerfenstern und Balkonen auf allen Seiten. Stoner fand Katherine Driscolls Namen schließlich auf einem Briefkasten an jener Hausseite, vor der eine kurze Betontreppe zu einer Souterraintür hinabführte. Er zögerte einen Augenblick, dann klopfte er an.

Als ihm Katherine Driscoll aufmachte, hätte er sie fast nicht erkannt; sie hatte ihr Haar hochgesteckt und achtlos hinten im Nacken zusammengebunden, sodass ihre kleinen, rosigweißen Ohren hervorlugten; eine Brille mit dunklem Gestell ließ die dunklen Augen groß und verschreckt aussehen; und sie trug ein Männerhemd, am Hals offen, dazu eine dunkle Hose, die sie noch schlanker und anmutiger wirken ließ, als Stoner sie in Erinnerung hatte.

»Tut … tut mir leid, dass ich nicht zu unserer Verabredung gekommen bin«, stammelte Stoner verlegen. Dann hielt er ihr die Mappe hin. »Ich dachte, Sie brauchen die hier vielleicht am Wochenende.«

Mehrere Sekunden lang sagte sie nichts, schaute ihn nur ausdruckslos an und biss sich auf die Unterlippe. Dann trat sie von der Tür zurück. »Wollen Sie nicht hereinkommen?«

Er folgte ihr durch einen sehr kurzen, schmalen Gang in ein winziges, dämmriges Zimmer mit abgehängter Decke und einem niedrigen französischen Bett, das als Sofa diente. Davor standen ein langer Tisch, ein einzelner Polstersessel, ein kleines Schreibpult mit Stuhl sowie, an einer Wandseite, ein mit Büchern gefülltes Regal. Papiere lagen verstreut auf Tisch und Boden; auf dem Sofa waren mehrere offene Bücher zu sehen.

»Es ist sehr klein«, sagte Katherine Driscoll und bückte sich, um eines der Bücher aufzuheben, »aber ich brauche nicht viel Platz.«

Er setzte sich in den Polstersessel gegenüber dem Sofa. Sie fragte, ob er einen Kaffee wolle, und er sagte, er trinke gern eine Tasse. Als sie in die ans Wohnzimmer grenzende kleine Küche ging, entspannte er sich, blickte sich um und lauschte auf die leisen Geräusche, die aus der Küche zu hören waren.

Sie servierte den Kaffee in zarten, weißen Porzellantassen auf einem schwarzen Lacktablett, das sie auf dem Tisch vor dem Sofa absetzte. Eine Weile nippten sie am Kaffee und unterhielten sich angestrengt, bis Stoner auf den von ihm gelesenen Teil ihrer Arbeit zu sprechen kam und ihn erneut die schon in der Bibliothek gespürte Begeisterung packte; er beugte sich vor und redete aufgeregt auf sie ein.

Viele Minuten lang konnten die beiden selbstvergessen miteinander reden, sich unter dem Tarnmantel ihres Themas verstecken. Katherine Driscoll saß mit blitzenden Augen auf dem Sofarand und knetete ihre schlanken Finger über dem Couchtisch. William Stoner zog seinen Sessel näher heran und beugte sich aufmerksam vor; er hätte sie berühren können, wenn er eine Hand ausgestreckt hätte, so nahe waren sie sich jetzt.

Sie sprachen über die Probleme, die von den Kapiteln ihrer Arbeit aufgeworfen wurden, darüber, wohin ihre Fragestellung führen mochte und wie wichtig das Thema war.

»Sie dürfen nicht aufgeben«, sagte er, und sein Ton verriet eine Dringlichkeit, die er nicht verstand. »Wie schwer es Ihnen manchmal auch fallen mag, Sie dürfen keinesfalls aufgeben. Die Arbeit ist einfach zu gut, um nicht damit weiterzumachen. Und sie ist wirklich gut, daran besteht kein Zweifel.«

Sie blieb stumm, und einen Moment lang wich die Begeisterung aus ihrem Gesicht. Dann lehnte sie sich zurück, wandte den Blick ab und sagte wie in Gedanken: »Das Seminar – einiges von dem, was Sie gesagt haben, war sehr hilfreich.«

Er lächelte und schüttelte den Kopf. »Sie hätten das Seminar nicht gebraucht, aber ich bin froh, dass Sie kommen konnten. Es war ein gutes Seminar, denke ich.«

»Ach, es ist eine Schande«, platzte es aus ihr heraus. »Eine Schande. Das Seminar ... Sie waren ... ich *musste* nach dem Seminar noch einmal von vorn anfangen. Es ist eine Schande, dass diese Leute ...« Aufgebracht verstummte sie, stand vom Sofa auf und trat ruhelos an den Tisch.

Von ihrem Ausbruch verblüfft, wusste Stoner einen Moment nicht, wie er reagieren sollte, und sagte dann: »Sie müssen sich deshalb keine Sorgen machen. So etwas passiert und wird sich mit der Zeit schon wieder einrenken. Es ist wirklich nicht weiter wichtig.«

Und plötzlich, kaum hatte er die Worte gesagt, war es tatsächlich nicht weiter wichtig. Einen Moment lang spürte er, es stimmte, was er gesagt hatte, und zum ersten Mal fühlte er sich vom Gewicht einer Verzweiflung befreit, deren Schwere ihm gar nicht bewusst gewesen war. Fast schwindlig und beinahe lachend wiederholte er: »Es ist *wirklich* nicht weiter wichtig.«

Doch mit einem Mal waren sie verlegen und konnten sich nicht mehr so ungezwungen unterhalten, wie sie es gerade noch getan hatten. Bald darauf erhob sich Stoner, bedankte sich für den Kaffee und verabschiedete sich. Sie begleitete ihn zur Tür und klang beinahe schroff, als sie ihm eine gute Nacht wünschte.

Draußen war es dunkel und recht kühl an diesem Frühlingsabend. Tief atmete er ein und spürte, wie ihm die frische Luft einen Schauder über den Rücken schickte. Hinter den scherenschnittartigen Umrissen der Mietshäuser schimmerten die Lichter der Stadt im fahlen Dunst. An der Straßenecke wehrte sich matt eine Laterne gegen die Dunkelheit, und aus dem umgebenden Schwarz durchbrach der Widerhall eines Gelächters abrupt die Stille, hing eine Weile in der Luft und verklang. Vom Müll, der in Hinterhöfen verbrannt wurde, mischte sich Rauch in den Dunst, und während er langsam durch den Abend ging, diesen Geruch einatmete und auf der Zunge den scharfen Geschmack der Nachtluft schmeckte, war ihm, als genügte ihm dieser Augenblick, durch den er ging, als bräuchte er nicht viel mehr.

*

So begann seine Liebesaffäre.

Nur langsam wurde er sich seiner Gefühle für Katherine Driscoll bewusst. Immer öfter ertappte er sich dabei, dass er einen Vorwand suchte, nachmittags zu ihrer Wohnung gehen zu können; ihm fiel der Titel eines Buches, eines Artikels ein, und er notierte ihn, achtete dann aber darauf, Katherine Driscoll auf den Fluren von Jesse Hall nicht über den Weg zu laufen, damit er am Nachmittag zu ihr gehen und ihr den Titel nennen, eine Tasse Kaffee trinken und mit ihr plaudern konnte. Einmal verbrachte er einen halben Tag in der Bibliothek, um einen Beleg zu suchen, der eine These in ihrem zweiten Kapitel untermauerte, die ihm ansonsten fragwürdig erschienen wäre, dann wiederum schrieb er sorgsam einen Teil eines kaum bekannten lateinischen Manuskriptes ab, von dem die Bibliothek eine Kopie besaß, und konnte so gleich mehrere Nachmittage bei ihr sein, um ihr bei der Übersetzung zu helfen.

Während der Nachmittage, die sie gemeinsam verbrachten, gab sich Katherine Driscoll höflich, freundlich und reserviert und war auf ihre stille Weise dankbar für sein Interesse und die Zeit, die er für ihre Arbeit aufbrachte, während sie zugleich hoffte, ihn nicht von wichtigeren Dingen abzuhalten. Ihm kam gar nicht in den Sinn, dass er für sie etwas anderes sein könnte als ein aufmerksamer Professor, den sie bewunderte und dessen Hilfe, auch wenn sie noch so freundlich gewährt wurde, nur wenig mehr als das war, was er für seine Pflicht hielt. Sich selbst sah er als eine fast lächerliche Figur, für die niemand ein Interesse bekunden konnte, das über Unpersönliches hinausging; und nachdem er sich seine Gefühle für Katherine Driscoll schließlich eingestanden hatte, achtete er sorgsam darauf, sie nicht auf leicht zu durchschauende Weise zu verraten.

Über einen Monat kam er ein-, zweimal in der Woche in ihre Wohnung, blieb aber nie länger als zwei Stunden; und da er fürchtete, sein wiederholtes Erscheinen könnte ihr lästig werden, achtete er sehr darauf, nur dann zu kommen, wenn er wirklich etwas zu ihrer Arbeit beizutragen hatte. Mit beinahe grimmigem Humor ging ihm auf, dass er seine Besuche mit derselben Sorgfalt plante, mit der er seine Seminare vorbereitete, und er sagte sich, dass dies nun genug sei, dass er sich damit zufriedengeben müsse, sie zu sehen und mit ihr zu reden, solange sie seine Gegenwart ertrug.

Trotz seiner beflissenen Bemühungen verliefen die gemeinsam verbrachten Nachmittage jedoch zunehmend angespannt. Minutenlang hatten sie einander nichts zu sagen, nippten am Kaffee, vermieden es sich anzusehen und sagten »Nun …« in zögerlichem, zurückhaltendem Ton, um dann immer wieder Anlass zu finden, unruhig durchs Zimmer zu gehen und sich voneinander zu entfernen. Mit einem traurigen Gefühl, das heftiger war, als Stoner es erwartet hätte, sagte er sich, dass ihr seine Besuche zur Last fielen und dass es ihr allein die Höflichkeit verbat, ihn dies spüren zu lassen. Also traf er eine Entscheidung, die er längst vorhergeahnt hatte; er würde sich von ihr zurückziehen, ganz allmählich, als hätte er ihr alle Hilfe gewährt, die er ihr geben konnte, und auf eine Weise, die sie nicht merken ließ, dass ihm ihre Ruhelosigkeit aufgefallen war.

In der nächsten Woche sah er nur noch einmal bei ihr vorbei; und in der darauf folgenden Woche besuchte er sie überhaupt nicht. Allerdings hatte er nicht vorhergesehen, wie sehr ihm das zu schaffen machen würde; nachmittags saß er in seinem Büro und musste sich beinahe körperlich daran hindern aufzustehen, nach draußen zu eilen und zu ihrer Wohnung zu gehen. Ein-, zweimal sah er sie von Weitem auf dem Flur, wenn sie auf dem Weg zu einem Seminar war oder aus einer Vorlesung kam, doch wandte er sich stets ab und ging in die andere Richtung, um ihr nicht zu begegnen.

Nach einer Weile begann er, sich eigenartig taub zu fühlen, und er sagte sich, nun würde es gut werden, in wenigen Tagen könne er ihr gewiss auf dem Flur begegnen, lächeln und ihr zunicken, sie vielleicht sogar für einen Moment aufhalten und fragen, wie sie mit ihrer Arbeit vorankomme.

Als er dann eines Nachmittags im Hauptbüro die Post aus seinem Fach holte, hörte er, wie ein junger Dozent zu einem Kollegen sagte, dass Katherine Driscoll krank und während der letzten beiden Tage nicht zur Universität gekommen sei. Das taube Gefühl ließ nach; und er spürte einen heftigen Schmerz in der Brust, während zugleich alle Entschlossenheit und Willenskraft schwand. Mit ruckartigen Bewegungen trat er an sein Regal, wählte ein Buch aus und ging nach draußen. Als er vor Katherine Driscolls Wohnung stand, war er so außer Atem, dass er mehrere Augenblicke vor ihrer Tür innehalten musste. Schließlich setzte er ein Lächeln auf, von dem er hoffte, es wirke unbesorgt, und klopfte an die Tür.

Sie sah noch blasser als gewöhnlich aus, und um ihre Augen zeigten sich dunkle Schatten; sie trug einen schlichten dunkelblauen Morgenmantel und hatte das Haar aus dem Gesicht und straff nach hinten gekämmt.

Stoner wusste, wie nervös und dumm er klingen musste, konnte die Worte aber nicht zurückhalten, die ihm über die Lippen sprudelten. »Hallo«, grüßte er aufgekratzt, »ich habe gehört, dass Sie krank sind, und da dachte ich, ich schaue vorbei und erkundige mich, wie es Ihnen geht. Außerdem habe ich ein Buch mitgebracht, das Ihnen nützlich sein könnte. Aber wie fühlen Sie sich? Ich möchte keine …« Er hörte die Worte aus seinem steifen Lächeln purzeln und konnte seine Blicke nicht daran hindern, suchend über ihr Gesicht zu wandern.

Als er schließlich verstummte, trat sie von der Tür zurück und sagte leise: »Kommen Sie herein.«

Kaum waren sie in ihrem Wohnschlafzimmer, legte sich seine nervöse Albernheit, und er setzte sich in den Sessel vor ihrem Bett, während er spürte, wie ihn eine vertraute Entspanntheit überkam, sobald Katherine Driscoll ihm gegenüber Platz nahm. Mehrere Augenblicke lang sagten sie beide kein Wort.

Schließlich fragte sie: »Möchten Sie einen Kaffee?«

»Bitte machen Sie sich keine Umstände«, sagte Stoner.

»Nein, ist schon in Ordnung.« Ihre Stimme klang brüsk, und es schwang darin ein Unterton von Ärger mit, wie er ihn schon vorher gehört hatte. »Ich wärme ihn nur auf.«

Sie ging in die Küche. Während Stoner allein in dem kleinen Zimmer saß, starrte er bedrückt auf den Couchtisch und sagte sich, er hätte nicht kommen sollen, um sich dann über die Dummheit der Menschen zu wundern, die sie veranlasste, die merkwürdigsten Dinge zu tun.

Katherine Driscoll kam mit der Kaffeekanne und zwei Tassen zurück, schenkte ein, und gemeinsam saßen sie da, um dem von der schwarzen Flüssigkeit aufsteigenden Dampf zuzusehen. Sie nahm sich eine Zigarette aus einer zerknitterten Packung, zündete sie an und paffte einen Moment lang nervös. Stoner erinnerte sich an das Buch, das er mitgenommen hatte und immer noch in der Hand hielt. Er legte es auf den Couchtisch.

»Vielleicht ist Ihnen jetzt nicht danach«, sagte er, »aber ich habe da etwas entdeckt, was Sie möglicherweise hilfreich finden, und da dachte ich ...«

»Fast zwei Wochen habe ich Sie nicht gesehen«, sagte sie und drückte ihre Zigarette aus, rammte sie regelrecht in den Aschenbecher.

Er war bestürzt und erwiderte zerstreut: »Ich hatte zu tun – so viel zu tun ...«

»Ist ja auch egal«, sagte sie, »wirklich, ich hätte nicht ...« Sie rieb sich mit der Hand über die Stirn.

Besorgt sah er sie an und fürchtete, sie könne Fieber haben. »Es tut mir leid, dass Sie krank sind. Und falls ich irgendetwas ...«

»Ich bin nicht krank«, sagte sie, um dann in einem ruhigen, nachdenklichen, fast desinteressierten Ton hinzuzusetzen: »Ich bin nur zutiefst unglücklich.«

Er verstand noch immer nicht. Die nackte, harsche Äußerung durchfuhr ihn wie eine Messerklinge, weshalb er sich ein wenig von ihr abwandte, ehe er verwirrt hervorbrachte: »Das tut mir leid. Wollen Sie mir davon erzählen? Falls ich irgendetwas für Sie tun kann ...«

Sie hob den Kopf. Ihre Miene war unbeweglich, ihre Augen aber funkelten in Tränen. »Ich hatte nicht vor, Sie in Verlegenheit zu bringen. Entschuldigen Sie. Sicher halten Sie mich für ziemlich dumm.«

»Nein«, sagte er und schaute sie noch einen Moment länger an, ihr blasses Gesicht, das sie durch reine Willensanstrengung ausdruckslos zu halten schien. Dann senkte er den Blick auf seine großen, knochigen Hände mit den rauen, massigen Fingern und den Knöcheln, die wie weiße Knäufe aus brauner Haut ragten.

Schließlich sagte er mit langsamer, schwerer Stimme: »In vielerlei Hinsicht bin ich ein ziemlich ignoranter Mensch, und eigentlich bin ich derjenige, der dumm ist, nicht Sie. Ich habe Sie nicht mehr besucht, weil ich dachte ... ich hatte den Eindruck, ich würde Ihnen zur Last fallen. Was vielleicht falsch war.«

»Ja«, sagte sie, »das war es.«

Immer noch ohne sie anzuschauen, fuhr er fort: »Und ich wollte Ihnen nicht zumuten, mit ... mit meinen Gefühlen für Sie umgehen zu müssen, die, wie ich sicher wusste, früher oder später nicht länger zu verbergen sein würden, falls ich Sie weiterhin besuchte.«

Sie regte sich nicht, nur zwei Tränen rannen über ihre Wimpern und ihre Wangen; sie wischte sie nicht ab.

»Vielleicht war das egoistisch. Ich dachte, es könne zu nichts führen, höchstens zu Peinlichkeiten für Sie und zu Unglück für mich. Sie kennen meine ... Umstände. Es schien mir nicht möglich, dass Sie ... dass Sie etwas anderes für mich empfinden könnten als ...«

»Sei still«, sagte sie leise, nachdrücklich. »Ach, mein Lieber, sei still und komm her.«

Er spürte, wie er zitterte, als er verlegen wie ein Schuljunge um den Couchtisch ging und sich neben sie setzte. Zögerlich, tapsig suchten sich ihre Hände, dann umschlangen sie sich in einer linkischen, unbequemen Umarmung, um schließlich lange Zeit einfach nur dazusitzen, ohne sich zu regen, als könnte die kleinste Bewegung jenes seltsame, schreckliche Etwas entkommen lassen, das sie in einem einzigen Griff umfangen hielten.

*

Ihre Augen, die er für dunkelbraun oder schwarz gehalten hatte, waren von tiefem Blau. Manchmal fingen sie das schummrige Licht einer Zimmerlampe ein und schimmerten feucht; er konnte den Kopf in die eine oder andere Richtung drehen, und die Augen in seinem Blick änderten die Farbe mit der Bewegung, weshalb sie selbst dann, wenn sie bewegungslos blieben, aussahen, als stünden sie niemals still. Ihre von Weitem so kühl und blass wirkende Haut besaß einen rötlich warmen Unterton wie Licht, das unter milchiger Transparenz dahinströmt. Und wie die transparente Haut verbargen Ruhe, Besonnenheit und Zurückhaltung, die er für ihre eigentlichen Charakterzüge gehalten hatte, eine Wärme, Verspieltheit und einen Humor, deren Intensität erst durch den Anschein möglich wurde, der sie verbarg.

In seinem dreiundvierzigsten Jahr erfuhr William Stoner, was andere, oft weit jüngere Menschen vor ihm erfahren hatten: dass nämlich jene Person, die man zu Beginn liebt, nicht jene Person ist, die man am Ende liebt, und dass Liebe kein Ziel, sondern der Beginn eines Prozesses ist, durch den ein Mensch versucht, einen anderen kennenzulernen.

Sie waren beide sehr scheu und lernten einander nur langsam kennen, behutsam; sie kamen sich nah und trennten sich, berührten sich und wichen zurück, wollten beide dem anderen nicht mehr zumuten, als er verkraften konnte. Tag für Tag fielen Schutzhüllen, bis sie schließlich wie so viele, die außergewöhnlich schüchtern sind, füreinander offen waren, ungeschützt, vollkommen und gänzlich unbefangen sie selbst.

Fast jeden Nachmittag kam er nach dem Unterricht zu ihr. Sie liebten sich und redeten und liebten sich erneut wie Kinder, die in ihrem Spiel nicht müde wurden. Die Tage wurden länger, und sie freuten sich auf den Sommer.

XIII

ALS WILLIAM STONER SEHR JUNG WAR, hatte er die Liebe für einen vollkommenen Seinszustand gehalten, zu dem Zugang fand, wer Glück hatte. Als er erwachsen wurde, sagte er sich, die Liebe sei der Himmel einer falschen Religion, dem man mit belustigter Ungläubigkeit, vage vertrauter Verachtung und verlegener Sehnsucht entgegensehen sollte. Nun begann er zu begreifen, dass die Liebe weder Gnade noch Illusion war; vielmehr hielt er sie für einen Akt der Menschwerdung, einen Zustand, den wir erschaffen und dem wir uns anpassen von Tag zu Tag, von Augenblick zu Augenblick durch Willenskraft, Klugheit und Herzensgüte.

Die Stunden, die er früher damit verbracht hatte, mit leerem Blick aus dem Bürofenster auf eine flirrende, sich in nichts auflösende Landschaft zu starren, verbrachte er nun mit Katherine. Jeden Morgen ging er früh ins Büro, blieb rastlose zehn, fünfzehn Minuten, um dann, da er keine Ruhe fand, Jesse Hall den Rücken zu kehren und über den Campus zur Bibliothek zu gehen, wo er weitere zehn, fünfzehn Minuten in Büchern blätterte, ehe er, von der selbst auferlegten Anspannung erlöst und als wäre es ein Spiel, das er mit sich spielte, die Bibliothek durch den Seitenausgang verließ und den Weg zu dem Haus einschlug, in dem Katherine wohnte.

Sie arbeitete oft bis spät in der Nacht, und wenn er zu ihr in die Wohnung kam, war sie an so manchem Vormittag gerade erst aufgewacht, noch warm und sinnlich vom Schlaf, nackt unterm dunkelblauen Morgenmantel, den sie sich übergeworfen hatte, um die Tür zu öffnen. An solchen Vormittagen liebten sie sich meist, ehe sie miteinander redeten, und legten sich ins schmale Bett, das noch warm und zerwühlt war von Katherines Nacht.

Sie hatte einen schlanken, zarten und auf sanfte Weise leidenschaftlichen Körper; und wenn er ihn berührte, schien seine unbeholfene Hand durch ihr Fleisch lebendig zu werden. Manchmal bestaunte er ihren Körper, als wäre er ein ihm zur Aufbewahrung anvertrauter unverwüstlicher Schatz; er ließ seine rauen Finger über die feuchte, blassrosafarbene Haut von Schenkel und Bauch spielen und bewunderte die ihm fremde, schlichte Zartheit ihrer kleinen, festen Brüste. Er begriff, dass er nie zuvor den Körper eines anderen Menschen kennengelernt hatte, und er begriff gleichfalls, dass dies der Grund war, warum er den Charakter seines Gegenübers stets irgendwie von dem Körper getrennt hatte, der diesen Charakter beherbergte. Und endlich begriff er auch mit unumstößlicher Gewissheit, dass er nie zuvor mit einem anderen Menschen wirklich intim, ohne Scheu und voller Hingabe vertraut gewesen war.

Wie alle Liebespaare redeten sie viel über sich selbst, als könnten sie so die Welt besser verstehen, die sie möglich gemacht hatte.

»Mein Gott, was habe ich dich begehrt«, sagte Katherine einmal. »Wie oft habe ich dich vor dem Seminar stehen sehen, so groß, liebenswert und linkisch, und was habe ich mich nach dir verzehrt. Das hast du nicht gewusst, stimmt's?«

»Nein«, sagte William. »Ich habe dich für eine sehr anständige junge Dame gehalten.«

Sie lachte entzückt. »Anständig?« Ein wenig nüchterner begann sie, gedankenverloren zu lächeln. »Ich schätze, dafür habe ich mich auch gehalten. Ach, wie anständig finden wir uns doch, wenn wir keinen Anlass haben, unanständig zu sein! Man muss schon verliebt sein, wenn man sich selbst kennenlernen will. Mit dir fühle ich mich manchmal wie eine liederliche Schlampe, wie eine unersättliche, treue Schlampe. Findest du das anständig?«

»Nein«, sagte William, lächelte und streckte die Hand nach ihr aus. »Komm her.«

Wie William erfuhr, hatte sie früher bereits einmal einen Liebhaber gehabt. Das war während ihres letzten Semesters auf dem College gewesen, und es hatte mit Tränen, Vorwürfen und Enttäuschungen geendet.

»Die meisten Affären enden nicht gut«, sagte sie, und einen Moment lang waren sie beide ernst.

Entsetzt merkte William, wie sehr es ihn schockierte, dass sie vor ihm schon einen Liebhaber gehabt hatte; und ihm ging auf, dass er überzeugt gewesen war, sie hätten beide eigentlich gar nicht existiert, ehe sie zusammenkamen.

»Er war ein schüchterner Junge«, sagte sie. »Dir in mancher Hinsicht ähnlich, denke ich, nur war er verbittert und verängstigt. Gewöhnlich wartete er am Ende des Gangs zum Wohnheim auf mich, unter einem großen Baum, da er zu schüchtern war, näher dorthin zu gehen, wo sich so viele Menschen aufhielten. Oft sind wir dann kilometerweit gewandert, über Land, wo kaum Gefahr bestand, dass man uns sah. Dabei waren wir nie richtig … zusammen. Auch nicht, wenn wir miteinander geschlafen haben.«

Stoner meinte diese schemenhafte Gestalt beinahe sehen zu können, die kein Gesicht und keinen Namen hatte; der Schock wurde zu Kummer, und er empfand großherziges Mitleid für jenen unbekannten Jungen, der aus obskurer Verbitterung von sich gestoßen hatte, was Stoner nun besaß.

Im schläfrigen Dämmer, der auf ihr Liebesspiel folgte, wähnte er sich manchmal in einem lauen, sanften Wechselbad von Gefühl und trägem Denken zu liegen, worin er kaum wusste, ob er laut sprach oder nur die Worte erkannte, zu denen sich Gefühl und Gedanke langsam formten.

Er träumte von Vollkommenem, von Welten, in denen sie immer zusammenbleiben konnten, und halb glaubte er an die Möglichkeit des Geträumten. »Wie«, sagte er, »wäre es, wenn«, um dann eine Phantasiewelt zu schaffen, die kaum schöner als jene war, in der sie lebten. Unausgesprochen galt für sie beide, dass die möglichen Welten, die sie sich ausmalten, Liebesbeweise und eine Feier ihres jetzigen Daseins waren.

Das Leben, das sie zusammen führten, hatte sich keiner von ihnen ausgemalt. Sie steigerten sich von Leidenschaft zu Lust zu einer tiefen Sinnlichkeit, die sich von Augenblick zu Augenblick erneuerte.

»Lust und Lernen«, sagte Katherine einmal. »Mehr gibt es doch eigentlich nicht, oder?«

Und Stoner fand, sie habe absolut recht, gehörte dies doch zu dem, was er gelernt hatte.

Denn ihr gemeinsames Leben in jenem Sommer war nicht allein Liebesspiel und Gespräch. Sie lernten zudem, wortlos zusammen zu sein, und entwickelten Rituale der Ruhe; Stoner brachte Bücher mit in Katherines Wohnung und ließ sie dort, bis sie dafür schließlich ein weiteres Regal bauen mussten. Außerdem merkte er, dass er sich in den gemeinsam verbrachten Tagen wieder jenen Studien zuwandte, die er schon fast aufgegeben hatte, während Katherine fortfuhr, an ihrer Doktorarbeit zu schreiben. Oft saß sie stundenlang am winzigen Wandtisch, hochkonzentriert über Bücher und Papiere gebeugt, und ihr schlanker, heller Hals ragte aus dem dunkelblauen Morgenmantel, den sie gewöhnlich trug. Stoner rekelte sich unterdessen ähnlich konzentriert auf dem Sessel oder lag auf dem Bett.

Manchmal hoben sie den Blick aus ihren Büchern, lächelten einander an und wandten sich dann wieder ihrer Lektüre zu; manchmal sah Stoner auch von seinen Papieren auf und ließ den Blick auf Katherines wohlgeformtem Rücken ruhen oder über den schlanken Hals wandern, auf dem stets eine Haarsträhne lag. Langsam und leichthin überkam ihn dann ein Verlangen wie eine tiefe Ruhe, und er stand auf, stellte sich hinter sie und ließ die Arme leicht auf ihre Schultern sinken. Sie reckte sich, lehnte den Kopf an seine Brust, und seine Hände griffen in den lockeren Morgenmantel, um sanft ihre Brüste zu streicheln. Dann liebten sie sich, lagen eine Weile still und machten sich schließlich wieder an ihre Studien, als wären Liebe und Lernen ein und dasselbe.

Dies zählte zu den in jenem Sommer kennengelernten Eigentümlichkeiten dessen, was sie ›vorgefasste Meinung‹ nannten. Sie waren mit der ihnen auf die eine oder andere Weise beigebrachten Überzeugung aufgewachsen, dass die Welt des Geistes und der Sinnlichkeit voneinander getrennt, ja, dass sie gar feindselig zueinander standen, und ohne je recht darüber nachzudenken, hatten sie geglaubt, man könne sich für die eine nur auf Kosten der anderen entscheiden. Dabei war ihnen nie der Gedanke gekommen, dass die beiden sich gegenseitig befruchten könnten; und weil in ihrem Fall die Erfahrung der Einsicht vorausging, glaubten sie, diese Entdeckung gehöre ihnen allein. Sie begannen, solche Eigentümlichkeiten der ›vorgefassten Meinungen‹ zu sammeln und wie Schätze zu bewahren, halfen sie ihnen doch nicht nur, sich von jener Welt zu isolieren, die ihnen diese vorgefassten Meinungen nahelegte, sondern auch, sich auf stille, doch tiefe Weise aneinander zu binden.

Es gab da noch eine weitere Eigentümlichkeit, der sich Stoner bewusst wurde, ohne jedoch mit Katherine darüber zu reden, denn das war eine, die mit der Beziehung zu seiner Frau und seiner Tochter zu tun hatte.

Den ›vorgefassten Meinungen‹ zufolge sollte diese Beziehung sich zunehmend verschlechtern, solange er hatte, was laut ›vorgefasster Meinung‹ wohl eine ›Affäre‹ war. Nur traf dies nicht zu. Im Gegenteil, sein Verhältnis zu Edith und Grace schien sich stetig zu verbessern. Die zunehmende Abwesenheit von dem, was er sich immer noch ›Daheim‹ zu nennen genötigt sah, brachte ihm Edith und Grace so nahe wie seit Jahren nicht mehr. Er begann, für Edith eigenartig freundschaftliche Gefühle zu hegen, die an Zuneigung grenzten, so dass sie sich manchmal nun sogar über Belangloses miteinander unterhielten. Im Laufe jenes Sommers würde Edith schließlich den Wintergarten reinigen, den Unwetterschaden reparieren lassen und ein Schlafsofa aufstellen, damit er nicht länger auf der Couch im Wohnzimmer übernachten musste.

Am Wochenende ging sie manchmal Nachbarn besuchen und ließ Grace dann allein bei ihrem Vater zurück. Hin und wieder blieb Edith sogar so lange fort, dass Stoner mit seiner Tochter weitläufige Spaziergänge machen konnte. Außer

Haus ließ Grace ihre harte, misstrauische Zurückhaltung fallen und lächelte gelegentlich mit jenem stillen Charme, den Stoner schon fast vergessen hatte. Sie war sehr schlank und im letzten Jahr stark gewachsen.

Nur mit bewusster Willensanstrengung vermochte er sich in Erinnerung zu rufen, dass er Edith betrog. Die beiden Seiten seines Lebens lagen für ihn so weit auseinander, wie dies nur möglich war, und obwohl er wusste, dass seine Fähigkeiten zur Selbsteinsicht beschränkt und er zur Selbsttäuschung durchaus fähig war, konnte er sich nicht zu der Ansicht durchringen, dass er jenen schadete, für die er Verantwortung fühlte.

Er besaß kein Talent zur Verstellung, und ihm kam gar nicht erst der Gedanke, seine Affäre mit Katherine Driscoll geheim zu halten, ebenso wenig fiel es ihm ein, damit anzugeben, da es ihm unmöglich schien, jemand könne sich dafür interessieren oder auch nur darauf aufmerksam werden.

Es traf ihn daher wie ein tiefer, doch unpersönlicher Schock, als er gegen Ende des Sommers herausfand, dass Edith von dieser Affäre nicht nur etwas geahnt, sondern fast von Anfang an über sie Bescheid gewusst hatte.

Sie erwähnte sie eines Morgens beiläufig, als er seinen Frühstückskaffee trank und sich mit Grace unterhielt. Edith wies ihre Tochter ein wenig scharf darauf hin, dass sie am Frühstückstisch nicht so trödeln solle und noch eine Stunde Klavier üben müsse, ehe sie Zeit für sich habe. William sah die hagere, aufrechte Gestalt seiner Tochter aus dem Wohnzimmer gehen und wartete gedankenverloren darauf, dass die ersten Töne des alten Klaviers durchs Haus hallten.

»Nun«, sagte Edith in einem immer noch etwas scharfen Ton, »bist du heute Morgen nicht auch ein wenig spät dran?«

William sah sie fragend und immer noch leicht gedankenverloren an.

»Wird deine Studentin«, fuhr sie fort, »nicht sauer sein, wenn du sie warten lässt?«

Er spürte seine Lippen taub werden. »Was?«, fragte er. »Was hast du gesagt?«

»Ach, Willy«, sagte Edith und lachte nachsichtig. »Hast du wirklich geglaubt, ich wüsste nichts von deinem – kleinen Flirt? Herrje, ich habe sofort Bescheid gewusst. Wie heißt sie noch? Ich habe ihren Namen gehört, aber wohl wieder vergessen.«

Vor Schock und Verwirrung brachte er kein Wort heraus, und als er dann den Mund aufmachte, meinte er sich in den eigenen Ohren bockig und verärgert anzuhören. »Das verstehst du nicht«, sagte er. »Es gibt keinen – Flirt, wie du es nennst. Es ...«

»Ach, Willy.« Erneut lachte sie. »Warum so nervös? Ich kenne mich mit derlei aus. Ein Mann in deinem Alter und so. Ich schätze, diese Dinge sind ganz natürlich. Wenigstens sagt man das.«

Einen Moment lang blieb er stumm, bis er dann zögerlich sagte: »Wenn du darüber reden willst, Edith, dann ...«

»Nein!«, erklärte sie, und ein Hauch von Angst schwang in ihrer Stimme mit. »Da gibt es nichts zu reden. Nicht das Geringste.«

Und weder damals noch später sollten sie je darüber reden. Meist tat Edith, als hielte ihn die Arbeit von zu Hause fort, nur gelegentlich und immer unabsichtlich verriet sie, was ihr tief drinnen stets bewusst blieb. Manchmal erwähnte sie es spielerisch, fast liebevoll spöttisch, manchmal verriet sie auch keinerlei Gefühl, als könne sie sich kaum ein alltäglicheres Gesprächsthema vorstellen, dann wieder klang sie so kratzbürstig, als ärgerte sie irgendeine Nichtigkeit.

»Ach, ich weiß«, sagte sie. »Kommt ein Mann in die Vierziger … Aber ehrlich, Willy, du bist alt genug, um ihr Vater sein zu können, nicht wahr?«

Er hatte sich nie gefragt, wie er auf einen Außenstehenden, auf die Welt dort draußen wirken mochte. Einen Moment lang sah er, welches Bild er abgab, und was Edith sagte, wurde zu einem Teil dessen, was er sah. Er warf einen flüchtigen Blick auf eine Gestalt, die durch Rauchzimmeranekdoten und über die Seiten billiger Romane huschte – ein bemitleidenswerter Kerl in mittleren Jahren, der, von seiner Frau missverstanden, die eigene Jugend aufzufrischen suchte, indem er mit einer viele Jahre jüngeren Frau anbandelte, um tollpatschig und affig nach einer Jugend zu greifen, die er nicht haben konnte, ein alberner, grell geschminkter Clown, über den die Welt voll Unbehagen, Mitleid und Verachtung lachte. Er besah sich diese Gestalt so genau er konnte, doch je länger er hinsah, desto fremder wurde sie ihm. Das war er nicht, und plötzlich begriff er auch, dass es niemand war.

Allerdings spürte er, dass die Welt näher rückte, ihm, Katherine und der kleinen Nische, von der sie geglaubt hatten, sie gehöre ihnen allein. Er beobachtete diese Annäherung mit einem Kummer, über den er mit niemandem reden konnte, nicht einmal mit Katherine.

*

Nach frühem Frost begann das Herbstsemester in jenem September mit einem leuchtend bunten *indian summer*. Stoner sah dem Unterrichten mit einem Eifer entgegen, wie er ihn lange nicht mehr gespürt hatte, sodass selbst der Gedanke, den Gesichtern von hundert Erstsemestern gegenüberzutreten, die wiedererwachte Energie nicht schmälern konnte.

Sein Leben mit Katherine blieb nahezu unverändert, nur hielt er es angesichts der Rückkehr der Studenten und eines Großteils der Fachbereichsmitglieder für nötig, ein wenig Vorsicht walten zu lassen. Das alte Haus, in dem Katherine wohnte, war im Sommer so gut wie verlassen gewesen, weshalb sie in fast völliger Einsamkeit zusammengelebt hatten, ohne eine Entdeckung fürchten zu müssen. Jetzt aber musste William aufpassen, wenn er am Nachmittag zu ihr wollte, und er ertappte sich dabei, wie er die Straße auf und ab blickte, ehe er sich dem Haus näherte, und wie er verstohlen die Treppe in den kleinen Schacht, der zu ihrer Wohnung führte, hinunterschlich.

Sie dachten an großspurige Gesten, redeten von Rebellion und erklärten einander, sie seien versucht, etwas Unerhörtes zu wagen, einen Aufstand zu inszenieren, doch taten sie nichts dergleichen und hatten eigentlich auch gar keine Lust dazu. Sie wollten in Ruhe gelassen werden, wollten sie selbst sein und wussten doch, dass man sie weder in Ruhe noch sie selbst sein lassen würde. Sie glaubten, diskret vorzugehen, und ihnen kam kaum der Gedanke, man könne ihre Affäre bemerken. Sie achteten darauf, sich in der Universität nicht zu begegnen, und wenn sich ein öffentliches Zusammentreffen nicht vermeiden ließ, grüßten sie sich mit einer Förmlichkeit, von der sie dachten, dass niemand deren Ironie bemerkte.

Nach Beginn des Herbstsemesters aber wurde ihre Affäre rasch bekannt. Gut möglich, dass sich die Entdeckung jener eigenartigen Hellsicht verdankte, die manche Menschen in diesen Dingen besitzen, da sie beide mit keinerlei äußeren Anzeichen ihr Privatleben verrieten. Vielleicht hatte jemand auch nur müßig spekuliert, was für jemand anderen wiederum wahrscheinlich klang, woraufhin man sie beide genauer beobachtete, was wiederum … Sie wussten, so ließe sich endlos spekulieren, trotzdem konnten sie nicht damit aufhören.

Es gab Hinweise, die ihnen sagten, dass man ihnen auf die Schliche gekommen war. Einmal ging Stoner hinter zwei Doktoranden her und hörte den einen halb bewundernd, halb spöttisch sagen: »Mein Gott, der alte Stoner, wer hätte das gedacht?« – woraufhin sie in Anbetracht der menschlichen Natur spöttisch und ungläubig die Köpfe schüttelten. Bekannte von Katherine machten verdeckte Anspielungen auf Stoner und offerierten Vertraulichkeiten aus ihrem eigenen Liebesleben, um die sie nicht gebeten hatte.

Am meisten überraschte sie jedoch, dass dies offenbar niemandem etwas auszumachen schien. Keiner weigerte sich, mit ihnen zu reden; niemand warf ihnen böse Blicke zu; sie brauchten unter der Welt nicht zu leiden, vor der sie sich so gefürchtet hatten. Und sie begannen zu glauben, sie könnten an jenem Ort leben, von dem sie angenommen hatten, dass er ihrer Liebe feindlich gesinnt sei, könnten dort mit einer gewissen Würde und Leichtigkeit zusammen sein.

Edith beschloss, mit Grace über die Weihnachtsferien zu ihrer Mutter nach St. Louis zu fahren, und zum ersten und einzigen Mal in ihrem Leben konnten William und Katherine eine längere Zeit gemeinsam verbringen.

Beiläufig verbreiteten sie jeder für sich, dass sie während der Weihnachtsferien nicht in der Stadt sein würden; Katherine wollte Verwandte an der Ostküste besuchen und William in Kansas am bibliografischen Zentrum und Museum arbeiten. Zu unterschiedlichen Zeiten fuhren sie in verschiedenen Bussen ab und trafen sich in Lake Ozark, einem Urlaubsort in den Ausläufern der Ozarkberge.

Sie waren die einzigen Gäste in der einzigen Lodge des Dorfes, die ganzjährig geöffnet blieb, und hatten zehn gemeinsame Tage.

Drei Tage vor ihrer Ankunft hatte es heftig geschneit, und während ihres Aufenthalts schneite es erneut, sodass die sanft gewellten Hügel die ganze Zeit über weiß bedeckt blieben.

Sie bezogen eine mit Schlafzimmer, Wohnzimmer und einer kleinen Küche ausgestattete Blockhütte, die ein wenig abseits von den übrigen Hütten lag und Ausblick auf einen See bot, der in den Wintermonaten zugefroren blieb. Morgens wachten sie ineinander verschlungen auf, warm und wohlig unter schweren Decken. Sie lugten darunter hervor und sahen zu, wie ihr Atem in der kalten Luft zu großen Wolken kondensierte, lachten wie Kinder, zogen sich die Decken wieder über und schmiegten sich noch enger aneinander. Manchmal liebten sie sich, blieben den ganzen Vormittag im Bett und redeten, bis die Sonne durchs Westfenster schien; manchmal sprang Stoner auch aus dem Bett, sobald sie wach waren, zog Katherine die Decke vom nackten Leib und lachte über ihr Gezeter, während er im großen Kamin ein Feuer anfachte. Dann hockten sie sich davor, in eine einzige Decke gewickelt, und warteten darauf, dass ihnen warm wurde vom aufzüngelnden Feuer und der natürlichen Wärme ihrer Körper.

Trotz der Kälte gingen sie fast jeden Tag im Wald spazieren. Die hohen Kiefern, grünschwarz im weißen Schnee, ragten gewaltig zum blassblauen, wolkenlosen Himmel auf;

und wenn gelegentlich eine Ladung Schnee von einem Ast glitt und zu Boden fiel, unterstrich das nur die Stille, so wie ein gelegentliches Vogelzwitschern die Einsamkeit betont. Einmal sahen sie ein Reh, das auf der Suche nach Futter von den höheren Bergen herabgekommen war; hell leuchtete das gelbbraune Fell vor den monoton dunklen Kiefern und dem weißen Schnee. Aus kaum fünfzig Schritt Entfernung schaute es sie an, einen Vorderhuf achtsam über den Schnee gehoben, die kleinen Ohren nach vorn gedreht, die braunen Augen vollkommen rund und unfassbar sanft. Niemand rührte sich. Dann legte die Ricke den Kopf schief, als betrachtete sie die zwei mit höflicher Neugierde, um dann ihr zartes Gesicht in aller Ruhe abzuwenden und fortzulaufen, die Hufe anmutig über den Schnee gehoben und mit winzigem Knirschen sorgsam wieder abgesetzt.

Nachmittags gingen sie zum Büro der Lodge, das gleichzeitig als Dorfladen und Restaurant diente. Sie tranken Kaffee, unterhielten sich mit den übrigen Gästen und kauften gelegentlich auch etwas fürs Abendbrot ein, das sie stets in ihrer Hütte einnahmen.

Abends zündeten sie manchmal die Öllampe an und lasen, meist aber saßen sie auf gefalteten Decken vor dem Kamin, redeten, schwiegen, sahen den über die Scheite huschenden Flammen zu und beobachteten den Widerschein des Feuerspiels auf ihren Gesichtern.

Gegen Ende ihrer gemeinsamen Zeit sagte Katherine eines Abends leise und wie in Gedanken: »Wenn wir auch sonst nichts mehr haben, Bill, so hatten wir doch immerhin diese Woche. Klingt das sehr nach Klischee, wenn ich das sage?«

»Es ist egal, wie es klingt«, sagte Stoner und nickte. »Es stimmt.«

»Dann sage ich es«, sagte Katherine. »Wir hatten immerhin diese Woche.«

An ihrem letzten Vormittag rückte Katherine die Möbel zurecht, putzte die Hütte mit bedächtiger Sorgfalt und streifte den Ehering ab, den sie getragen hatte, um ihn in einen Spalt zwischen Wand und Kamin zu zwängen. Sie lächelte verlegen. »Ich will«, sagte sie, »etwas von uns zurücklassen, etwas, das bleibt, solange diese Hütte steht. Bestimmt ist das dumm von mir.«

Stoner konnte nicht antworten. Er hakte sich bei ihr unter, und sie verließen die Hütte, um durch den Schnee zum Büro der Lodge zu stiefeln, wo sie den Bus besteigen würden, der sie zurück nach Columbia brachte.

*

Einige Tage nach Beginn des zweiten Semesters erhielt Stoner an einem Nachmittag Ende Februar einen Anruf von Gordon Finchs Sekretärin: der Dekan würde gern mit ihm sprechen, er möge bitte gleich jetzt oder am nächsten Vormittag bei ihm vorbeisehen. Stoner blieb, nachdem er aufgelegt hatte, noch mehrere Minuten mit der Hand auf dem Telefon sitzen. Dann seufzte er, nickte sich zu und ging zu Finchs Büro.

Gordon Finch, in Hemdsärmeln und mit gelockertem Schlips, verschränkte die Hände hinterm Kopf und lehnte sich auf seinem Drehstuhl zurück, als Stoner hereinkam. Er nickte ihm freundlich zu und deutete auf einen schräg vor dem Schreibtisch stehenden Ledersessel.

»Mach's dir bequem, Bill. Wie geht es dir?«

Stoner nickte. »Danke, bestens.«

»Wie laufen die Seminare?«

»Wie immer«, erwiderte Stoner trocken. »Ich habe einen ziemlich vollen Stundenplan.«

»Ist mir nicht entgangen«, sagte Finch und schüttelte den Kopf. »Du weißt, ich kann mich da nicht einmischen, aber es ist eine verdammte Schande.«

»Schon in Ordnung«, erwiderte Stoner ein wenig ungeduldig.

»Nun.« Finch richtete sich auf und legte die Hände vor sich auf den Tisch. »Dies ist kein offizielles Treffen, Bill. Ich wollte nur eine Weile mit dir schwatzen.«

Es folgte eine lange Stille, dann sagte Stoner sanft: »Was ist los, Gordon?«

Finch seufzte, und dann brach es abrupt aus ihm heraus: »Okay. Ich sage es dir als Freund. Es gibt Gerede. Nichts, worauf ich als Dekan reagieren müsste, aber – nun ja, irgendwann muss ich vielleicht darauf reagieren, und deshalb dachte ich, ich rede mit dir – als Freund wohlgemerkt –, ehe was Ernsthaftes daraus wird.«

Stoner nickte. »Was für Gerede?«

»Ach, verdammt, Bill. Du und diese Driscoll. Du weißt schon.«

»Ja«, erwiderte Stoner. »Ich weiß. Ich wollte nur wissen, wie weit es gediehen ist.«

»Noch nicht weit. Anspielungen, Bemerkungen, so etwas eben.«

»Verstehe«, sagte Stoner, »aber ich habe keine Ahnung, was ich dagegen machen könnte.«

Sorgsam faltete Finch ein Blatt Papier. »Ist es was Ernstes, Bill?«

Stoner nickte und schaute aus dem Fenster. »Ja, ich fürchte, es ist etwas Ernstes.«

»Und was wirst du tun?«

»Weiß nicht.«

Mit plötzlicher Wut zerknüllte Finch das Blatt Papier, das er so sorgsam gefaltet hatte, und warf es in den Mülleimer. »Theoretisch«, sagte er, »geht es nur dich was an, wie du dein Leben führst. Und theoretisch solltest du es treiben können, mit wem du magst, und tun können, wozu du Lust hast. Jedenfalls sollte es vollkommen egal sein, solange dein Unterricht nicht darunter leidet. Aber verdammt, dein Leben geht nun mal nicht nur dich allein etwas an. Es ist – ach, Mist. Du weißt, was ich meine.«

Stoner lächelte. »Ich fürchte, das weiß ich.«

»Eine wirklich blöde Angelegenheit. Was ist mit Edith?«

»Offenbar«, antwortete Stoner, »nimmt sie das alles viel gelassener hin als die meisten Leute. Wirklich merkwürdig finde ich nur, Gordon, dass wir wohl noch nie so gut miteinander ausgekommen sind wie im letzten Jahr.«

Finch lachte kurz auf. »Man weiß doch nie, oder? Aber eigentlich wollte ich fragen, ob ihr an Scheidung oder dergleichen denkt.«

»Keine Ahnung. Durchaus möglich. Edith würde allerdings dagegen ankämpfen, und es gäbe sicher ein ziemliches Theater.«

»Was ist mit Grace?«

Plötzlicher Kummer schnürte ihm die Kehle zusammen, und er wusste, dass sein Gesicht verriet, was er fühlte. »Das … ist etwas anderes. Ich weiß nicht, Gordon.«

So unpersönlich, als unterhielten sie sich über einen Dritten, sagte Finch: »Eine Scheidung würdest du überstehen – falls sie nicht allzu schmutzig abläuft. Es könnte hart werden, aber letztlich würdest du wohl ohne größeren Schaden daraus hervorgehen. Und wenn die … Geschichte mit dieser Driscoll nicht so ernst wäre, wenn du bloß herumhuren würdest, na ja, dann könnte man auch damit fertig werden. Aber du lehnst dich weit aus dem Fenster, Bill; du forderst es geradezu heraus.«

»Ich fürchte, das stimmt«, sagte Stoner.

Sie schwiegen. »Es ist ein teuflischer Job, den ich da habe«, brach es aus Finch heraus. »Manchmal glaube ich, ich bin einfach nicht dafür geschaffen.«

Stoner lächelte. »Dave Masters hat mal gesagt, als Hundsfott wärest du nicht skrupellos genug, um wirklich erfolgreich zu sein.«

»Vielleicht hatte er recht«, sagte Finch, »aber manchmal komme ich mir verdammt skrupellos vor.«

»Mach dir deshalb keine Sorgen, Gordon«, sagte Stoner. »Ich verstehe deine Lage. Und wenn ich sie dir irgendwie erleichtern kann …« Er verstummte und schüttelte dann abrupt den Kopf. »Nur im Augenblick kann ich nichts tun. Wir müssen uns gedulden. Irgendwie …«

Finch nickte, ohne Stoner anzublicken, und starrte die Tischplatte an, als wäre sie sein Untergang, der sich ihm langsam, aber unausweichlich näherte. Stoner verharrte noch einige Augenblicke, aber als Finch nichts mehr sagte, verließ er leise das Büro.

Wegen seines Gesprächs mit Gordon Finch kam Stoner an diesem Nachmittag später als gewöhnlich zu Katherines Wohnung. Ohne sich mit einem prüfenden Blick aufzuhalten, ging er die Treppe hinunter und öffnete die Tür. Katherine, die sich noch nicht umgezogen hatte, saß aufrecht und angespannt auf dem Sofa, als erwartete sie ihn ganz offiziell.

»Du kommst spät«, sagte sie tonlos.

»Tut mir leid«, sagte er. »Ich wurde aufgehalten.«

Katherine steckte sich eine Zigarette an, und ihre Hand zitterte ein wenig. Einen Moment lang beobachtete sie das Streichholz, dann blies sie die Flamme mit leichtem Rauchstoß aus. Sie sagte: »Eine meiner Mitdozentinnen legte großen Wert darauf, mich wissen zu lassen, dass Dekan Finch dich heute Nachmittag zu sich gerufen hat.«

»Ja«, sagte Stoner. »Genau das hat mich aufgehalten.«

»Ging es um uns?«

Stoner nickte. »Ihm ist da einiges zu Ohren gekommen.«

»Das kann ich mir vorstellen«, sagte Katherine. »Besagte Dozentin schien auch etwas zu wissen, was sie mir nicht sagen wollte. Ach, Herrgott, Bill!«

»So war es gar nicht«, sagte Stoner. »Gordon ist ein alter Freund. Ich denke, dass er uns beschützen will. Und ich glaube, er wird es auch tun, solange er kann.«

Einige Sekunden sagte Katherine nichts. Dann streifte sie die Schuhe ab, streckte sich auf dem Sofa aus und starrte an die Decke. Ruhig sagte sie: »Jetzt fängt es an. Dass sie uns einfach in Ruhe lassen, war wohl zu viel erwartet. Aber ich denke, dass es so kommen würde, davon sind wir auch nie ernsthaft ausgegangen, oder?«

»Wenn es zu schlimm wird«, sagte Stoner, »können wir ja fortgehen. Wir könnten etwas tun.«

»Ach, Bill!« Katherine lachte leise und heiser. Dann setzte sie sich wieder hin: »Du bist wirklich der liebste Mann, den man sich nur wünschen kann. Und deshalb lasse ich auch nicht zu, dass man uns das Leben schwer macht. Ich lasse es nicht zu!«

Während der nächsten Wochen lebten sie wie bisher. Mit einer Umsicht, zu der sie ein Jahr zuvor noch außerstande gewesen wären, mit einer Kraft, von der sie nicht geglaubt hatten, sie zu besitzen, übten sie sich in Ausflüchten und Täuschungsmanövern und setzten ihre Fähigkeiten so geschickt ein wie gewiefte Generäle, die mit geringer Truppenstärke auskommen müssen. Sie ließen nun allergrößte Vorsicht walten und fanden ein grimmiges Vergnügen an ihren Winkelzügen. Stoner betrat Katherines Wohnung nur noch nach Anbruch der Dunkelheit, wenn ihn niemand kommen sehen konnte; Katherine zeigte sich tagsüber zwischen den Seminaren mit jungen Dozenten im Café, und die miteinander verbrachte Zeit wurde noch intensiver durch ihre gemeinsame Entschlossenheit. Sie sagten sich und einander, sie seien sich so nahe wie nie, und merkten zu ihrer Überraschung, dass dies stimmte, dass die zu ihrem Trost vorgebrachten Worte nicht bloß tröstlich waren. Sie machten ihre Nähe zueinander möglich und ihre Bindung zwangsläufig.

Die Welt, in der sie lebten und die alles Gute in ihnen zum Vorschein brachte, war eine Welt des Dämmerlichts, sodass ihnen die äußere Welt, in der Menschen gingen und redeten, in der es Veränderung und stete Bewegung gab, nach einer Weile falsch und unnatürlich vorkam. Ihre Leben waren radikal in zwei Welten geteilt; und sie fanden es ganz natürlich, so geteilt zu leben.

Während der späten Winter- und der ersten Frühlingsmonate fanden sie zu einer Ruhe, die sie vorher nicht gekannt hatten. Je näher die Außenwelt rückte, desto weniger nahmen sie davon wahr; und ihr Glück war solcherart, dass sie miteinander nicht darüber zu reden oder auch nur daran zu denken brauchten. In Katherines kleiner, dämmriger, wie eine Höhle unter dem wuchtigen alten Haus verborgener

Wohnung meinten sie, sich außerhalb der Zeit in einem, allein von ihnen entdeckten Universum zu bewegen.

Ende April rief Gordon Finch dann Stoner eines Tages erneut zu sich ins Büro, und Stoner ging mit einem dumpfen Gefühl, das von einem Wissen rührte, welches er sich nicht eingestehen wollte.

Was geschehen war, war klassisch und simpel. Stoner hätte es vorhersehen müssen, doch das hatte er nicht.

»Es ist Lomax«, sagte Finch. »Irgendwie hat der Hundesohn davon erfahren, und er lässt nicht locker.«

Stoner nickte. »Ich hätte daran denken sollen, hätte damit rechnen müssen. Glaubst du, es hilft, wenn ich mit ihm rede?«

Finch schüttelte den Kopf, durchquerte sein Büro und stellte sich ans Fenster. Das frühe Nachmittagslicht fiel auf sein vor Schweiß glänzendes Gesicht, als er müde sagte: »Du verstehst nicht, Bill, wie Lomax vorgeht. Dein Name wurde gar nicht erwähnt. Er macht es über diese Driscoll.«

»Er macht was?«, fragte Stoner verdutzt.

»Man könnte ihn fast dafür bewundern«, antwortete Finch. »Irgendwie war ihm verdammt klar, dass ich Bescheid wusste. Jedenfalls kam er gestern vorbei, ganz lässig, verstehst du, sagt mir, er müsse die Driscoll feuern, und warnt mich auch noch, dass es Ärger geben könne.«

»Nein«, sagte Stoner, der die Hände so fest in die ledernen Armlehnen seines Sessels vergrub, dass sie ihm wehtaten.

»Laut Lomax«, fuhr Finch fort, »hat es Beschwerden gegeben, hauptsächlich von studentischer Seite, aber auch von einigen Stadtbewohnern. Offenbar hat man zu allen Zeiten Männer bei ihr ein und aus gehen sehen – offenkundiges Fehlverhalten –, irgendetwas dieser Art. Oh, er hat es ganz wunderbar eingefädelt; persönlich habe er nichts gegen sie, bewundere die junge Frau sogar, nur müsse er an den Ruf der Fakultät und der Universität denken. Also haben wir es bedauert, uns den Vorschriften einer Mittelklassemoral beugen zu müssen, waren uns einig, dass die Gemeinschaft der Gelehrten eigentlich allen Rebellen gegen die protestantische Ethik eine Zuflucht bieten müsse, und schlossen damit, dass uns praktisch gar keine andere Wahl bleibe. Er sagte, er hoffe es noch bis zum Semesterende laufen lassen zu können, bezweifelte dies aber. Und die ganze Zeit wusste dieser Hundesohn, dass wir einander nur zu genau verstanden.«

Ein Kloß in der Kehle sorgte dafür, dass Stoner nicht antworten konnte. Er schluckte zweimal und probierte es dann erneut, seine Stimme klang flach und tonlos. »Was er will, ist natürlich vollkommen klar.«

»Ich fürchte, das ist es«, erwiderte Finch.

»Ich weiß ja, dass er mich hasst«, sagte Stoner wie in Gedanken, »aber ich hätte nie geglaubt ... hätte mir nie träumen lassen, er würde ...«

»Ich auch nicht«, sagte Finch, ging wieder zum Schreibtisch und setzte sich schwerfällig. »Und ich kann gar nichts dagegen tun, Bill. Mir sind die Hände gebunden. Will Lomax Leute, die sich beschweren, werden sie sich melden, will er Zeugen, werden sie kommen. Er hat viele Anhänger, weißt du. Und wenn der Präsident davon Wind bekommt ...« Er schüttelte den Kopf.

»Was, glaubst du, passiert, wenn ich mich weigere, meine Stelle zu kündigen? Wenn wir uns weigern, uns vor ihm zu fürchten?«

»Er wird die Driscoll kreuzigen«, sagte Finch tonlos. »Und

dich wie zufällig in diese Sache verwickeln. Sehr sauber, das Ganze.«

»Da kann man dann wohl nichts machen«, sagte Stoner.

»Bill«, setzte Finch an und verstummte. Er senkte den Kopf auf die geballten Fäuste und sagte dann dumpf: »Es gibt noch eine Chance. Nur die eine. Ich denke, ich kann ihn hinhalten, wenn du ... wenn die Driscoll einfach ...«

»Nein«, sagte Stoner. »Ich denke nicht, dass ich das kann. Ehrlich, ich glaube, das kann ich nicht.«

»Gottverflucht!« Finch klang gequält. »Genau damit rechnet er ja. Denk doch mal einen Augenblick nach. Was willst du machen? Es ist April, fast Mai; was für eine Stelle würdest du um diese Jahreszeit bekommen – falls du denn überhaupt eine bekommst.«

»Ich weiß nicht«, sagte Stoner, »irgendwas ...«

»Und was ist mit Edith? Glaubst du, sie wird sich einfach damit abfinden und kampflos in die Scheidung einwilligen? Und Grace? Was tust du ihr damit an, in dieser Stadt, wenn du einfach verschwindest? Und Katherine? Was für ein Leben hättet ihr? Wie würde es für euch beide werden?«

Stoner sagte nichts. Irgendwo tief in ihm tat sich eine Leere auf; er spürte, wie etwas verdorrte, unterging. Schließlich sagte er: »Kannst du mir eine Woche Aufschub verschaffen? – Ich muss nachdenken. Eine Woche?«

Finch nickte. »So lange kann ich ihn bestimmt hinhalten, allerdings nicht viel länger. Tut mir leid, Bill. Aber das weißt du ja.«

»Ja.« Er erhob sich aus seinem Sessel und blieb einen Moment stehen, prüfte die Taubheit in seinen Beinen. »Ich gebe dir Bescheid. Ich gebe dir Bescheid, sobald ich etwas weiß.«

Er trat aus dem Büro ins Dunkel des langen Flurs und ging mit schwerem Schritt ins Sonnenlicht, in die offene Welt, die für ihn ein Gefängnis war, wohin er sich auch wandte.

*

Wenn er Jahre später in seltenen Augenblicken an jene Tage zurückdachte, die auf seine Unterhaltung mit Gordon Finch folgten, würde er sich nicht besonders deutlich daran erinnern können. Er hatte sich wie ein Toter gefühlt, der nur noch von einer vertrauten, entschlossenen Sturköpfigkeit angetrieben wurde. Und doch war er sich seiner selbst sowie der Orte, Personen und Ereignisse, die in jenen wenigen Tagen an ihm vorüberzogen, nur allzu bewusst gewesen, hatte gespürt, dass er der Öffentlichkeit einen Anblick bot, der seinen Zustand Lügen strafte. Er hielt Vorlesungen, grüßte Kollegen, kam zu den Sitzungen, an denen er teilnehmen musste – und keiner der Leute, die er tagtäglich traf, ahnte, dass irgendetwas nicht stimmte.

Von dem Moment aber, da er Gordon Finchs Büro verließ, wusste er irgendwo innerhalb der Taubheit, die sich von dem kleinen Kern seines Wesens her ausbreitete, dass ein Abschnitt seines Lebens vorüber war, dass ein Teil von ihm dem Tod nahe genug war, um seiner Ankunft beinahe gelassen entgegensehen zu können. Unbestimmt war er sich dessen bewusst, dass er in der hellen Wärme eines der ersten Frühlingsnachmittage über den Campus ging; der Hartriegel entlang der Gehwege und auf dem vorderen Platz stand in voller Blüte und erzitterte vor seinem Blick wie zarte Wolken, dünn und beinahe durchsichtig; der süße Geruch nach verblühendem Flieder hing in der Luft.

Als er zu Katherines Wohnung kam, war er wie im Fieber und grausam überdreht. Er wischte ihre Fragen nach seinem Treffen mit dem Dekan beiseite, brachte sie gegen ihren Willen zum Lachen und registrierte mit unermesslicher Trauer ihre letzten Versuche, fröhlich zu sein, die ihm vorkamen wie ein Tanz des Lebens auf einem Leichnam.

Er wusste, irgendwann würden sie reden müssen, doch klangen die Worte, die sie sagten, als gehörten sie zu einem Schauspiel, das sie in entlegenen Bereichen ihres Wissens immer wieder eingeübt hatten. Die Grammatik verriet dieses Wissen: Sie kamen vom Perfekt – »wir sind doch glücklich gewesen, nicht?« – über die Vergangenheit – »wir *waren* glücklich, glücklicher als irgendwer sonst, glaube ich« – schließlich zur Einsicht, dass sie miteinander reden mussten.

In einem Augenblick der Stille, der die halb hysterische Fröhlichkeit unterbrach, die ihnen die angemessenste Form schien, sie diese letzten gemeinsamen Tage überstehen zu lassen, sagte Katherine mehrere Tage nach Stoners Gespräch mit Finch: »Wir haben nicht mehr viel Zeit, nicht wahr?«

»Nein«, erwiderte Stoner leise.

»Wie lange noch?«, fragte Katherine.

»Ein paar Tage, zwei, drei.«

Katherine nickte. »Ich habe immer geglaubt, ich würde es nicht ertragen können, aber ich fühle mich nur leer und spüre überhaupt nichts.«

»Ich weiß«, sagte Stoner, und einen Moment schwiegen sie. »Du weißt, wenn es irgendetwas gibt, das ich für dich tun kann, *irgendetwas* …«

»Sag so etwas nicht«, erwiderte sie. »Natürlich weiß ich das.«

Er lehnte sich auf dem Sofa zurück und schaute im Dämmerlicht zur niedrigen Decke auf, die der Himmel ihrer Welt gewesen war. Ruhig sagte er: »Wenn ich alles aufgäbe – alles hinter mir ließe und einfach ginge –, du würdest mit mir gehen, nicht wahr?«

»Ja.«

»Aber du weißt, dass ich das nicht tun kann.«

»Ja, das weiß ich.«

»Denn dann«, erklärte es Stoner sich selbst, »würde all das keine Bedeutung haben – nichts von dem, was wir getan haben, was wir füreinander gewesen sind. Ich würde sicher nicht mehr unterrichten können, und du … du würdest zu einer anderen werden. Wir würden beide zu jemand anderem werden, zu jemand anderem als wir selbst. Wir würden zu – nichts.«

»Nichts«, sagte sie.

»Wenigstens gehen wir aus diesem hier mit uns selbst intakt hervor. Wir wissen, dass wir sind – wer wir sind.«

»Ja«, sagte Katherine.

»Denn auf lange Sicht«, sagte Stoner, »hält mich Edith nicht hier, auch nicht Grace oder die Gewissheit, Grace zu verlieren, ebenso wenig der Skandal oder die Verletzungen, die man dir oder mir zufügen würde, nicht das Elend, das wir durchleben müssten, selbst nicht der Verlust unserer Liebe, der uns drohen könnte. Was mich hier hält, ist schlicht, dass man uns und das, was wir tun, vernichten würde.«

»Ich weiß«, sagte Katherine.

»So sind wir also doch von dieser Welt; wir hätten es wissen müssen. Ich glaube, wir haben es sogar gewusst, nur haben wir uns ein wenig zurückgezogen, uns etwas vorgemacht, damit wir …«

»Ich weiß«, unterbrach ihn Katherine. »Ich fürchte, ich habe es immer gewusst. Selbst als wir uns etwas vorgemacht haben, wusste ich, dass irgendwann … dass wir irgendwann …, ich habe es gewusst.« Sie stockte und sah ihn gefasst an, doch plötzlich schimmerten Tränen in ihren Augen. »Ach, verflucht sei das alles, Bill! Verflucht sei es!«

Mehr sagten sie nicht. Sie umarmten sich so, dass keiner des anderen Gesicht sehen konnte, und liebten sich, damit sie nicht zu reden brauchten. Sie paarten sich mit jener alten, zärtlichen Sinnlichkeit, die daher rührte, dass sie einander gut kannten, zudem aber auch mit einer neuen Leidenschaft, die der drohende Verlust in ihnen weckte. Später dann lagen sie in der nächtlichen Schwärze des kleinen Zimmers und sagten immer noch nichts, nur ihre Körper berührten sich leicht. Nach einer langen Weile ging Katherines Atem ruhiger, als ob sie schliefe. Und Stoner stand leise auf, zog sich im Dunkeln an und ging hinaus, ohne sie zu wecken. Er wanderte durch die stillen, leeren Straßen von Columbia, bis im Osten das erste graue Licht aufkam, dann ging er zum Campus, setzte sich auf die Steinstufen vor Jesse Hall und sah dem Licht aus dem Osten zu, wie es langsam die großen Marmorsäulen mitten auf dem Platz hinaufkroch. Er dachte an den Brand, der, ehe er geboren wurde, das alte Gebäude zerstört hatte, und beim Anblick der Überreste überkam ihn eine leise Trauer. Als es schließlich hell war, verschaffte er sich Einlass in die Universität und ging in sein Büro, wo er wartete, bis sein erstes Seminar begann.

Er sollte Katherine Driscoll nie wiedersehen. Nachdem er sie nachts verlassen hatte, stand sie auf, packte all ihre Habe zusammen, räumte die Bücher in Kisten und hinterlegte dem Vermieter eine Notiz, wohin er sie nachsenden möge. Dem

Sekretariat schickte sie die Benotungen, die Anweisung, ihre Seminarstudenten für die anderthalb Wochen bis Semesterende zu beurlauben, sowie ihr Entlassungsgesuch. Und um zwei Uhr nachmittags saß sie in einem Zug, der sie aus Columbia fortbrachte.

Stoner begriff, dass sie ihre Abreise schon eine Weile geplant haben musste; und er war ihr dankbar dafür, dass er nichts davon gewusst hatte, auch dafür, dass sie ihm keinen Abschiedsbrief hinterließ, der in Worten zu sagen versuchte, was nicht in Worte zu fassen war.

XIV

IN JENEN SOMMERFERIEN LEHRTE ER NICHT und war zum ersten Mal in seinem Leben krank. Er litt an einem hohen Fieber unbestimmter Ursache, das eine Woche anhielt, ihm aber alle Kraft raubte. Er nahm stark ab, und zu den Nachwirkungen des Fiebers zählte auch, dass er teilweise sein Gehör verlor. Den ganzen Sommer über war er so schwach und lustlos, dass er nur wenige Schritte gehen konnte, ehe er erschöpft innehalten musste; und er verbrachte nahezu die ganze Zeit in dem kleinen Wintergarten hinten im Haus, lag auf dem Schlafsofa oder saß in dem alten Sessel, den er aus dem Keller hatte heraufbringen lassen. Er starrte aus den Fenstern oder an die Holzdecke, und hin und wieder raffte er sich auf, um in die Küche zu gehen und einen Happen zu essen.

Er besaß kaum genügend Energie, sich mit Edith oder Grace zu unterhalten – auch wenn Edith manchmal in sein Zimmer kam, einige Minuten über Belangloses plauderte und dann ebenso abrupt wieder verschwand, wie sie bei ihm eingedrungen war.

Einmal, mitten im Sommer, erwähnte sie Katherine.

»Ich habe es erst vor ein, zwei Tagen gehört«, sagte sie. »Deine kleine Studentin ist also wieder verschwunden?«

Nur mit Mühe konnte er seine Aufmerksamkeit vom Fenster abwenden und sich zu Edith umdrehen. »Ja«, antwortete er geduldig.

»Wie heißt sie noch?«, fragte Edith. »Ich kann mir ihren Namen einfach nicht merken.«

»Katherine«, sagte er. »Katherine Driscoll.«

»Richtig«, sagte Edith. »Katherine Driscoll. Nun, hatte ich nicht recht? Ich habe es doch gesagt, nicht? So etwas ist einfach nicht wichtig.«

Er nickte zerstreut. Draußen, in der alten Ulme, die sich an den hinteren Zaun lehnte, hatte ein großer schwarz-weißer Vogel – eine Elster – zu tschirpen begonnen. Er hörte ihren Ruf und beobachtete mit entrückter Faszination, wie sie mit weit offenem Schnabel ihren einsamen Schrei ausstieß.

Er war in jenem Sommer rapide gealtert, sodass es im Herbst, als er an die Universität zurückkehrte, nur wenige gab, die nicht überrascht zusammenzuckten, als sie ihn wiedersahen. Tiefe Furchen durchzogen das hager und knochig gewordene Gesicht; im Haar zeigten sich breite graue Streifen, und er ging so stark gebeugt, als trüge er eine unsichtbare Last. Die Stimme war rauer geworden und klang etwas brüsk. Zudem besaß er die Angewohnheit, sein Gegenüber mit gesenktem Kopf anzustarren, der Blick aus den klaren grauen Augen unter zerzausten Brauen übellaunig und scharf. Er sprach nur selten mit jemand anderem als seinen Studenten, und auf eine Frage oder einen Gruß reagierte er oft ungeduldig und manchmal recht barsch.

Er erledigte seine Arbeit so hartnäckig und verbissen, dass es seine älteren Kollegen amüsierte und die jüngeren verärgerte, die, wie er selbst, nur Einführungskurse gaben. Stundenlang korrigierte und benotete er Erstsemesterarbeiten, hielt jeden Tag Sprechstunden ab und ging zuverlässig zu allen Fachbereichstreffen. Auf diesen Sitzungen öffnete er nur selten den Mund, doch wenn er es tat, dann redete er ohne Takt und Rücksicht, weshalb er sich unter Kollegen den Ruf erwarb, griesgrämig und unleidlich zu sein. Zu den jüngeren Studenten war er stets sanft und nachsichtig, auch wenn er ihnen mit einem unpersönlichen Nachdruck, den viele nicht verstanden, mehr Arbeit abverlangte, als sie zu leisten bereit waren.

Unter seinen Kollegen – vor allem den jüngeren – galt es als ausgemacht, dass er ein ›engagierter‹ Dozent war, ein Ausdruck, den sie halb neidisch, halb verächtlich benutzten, da ihn sein Engagement in ihren Augen blind für alles machte, was außerhalb des Seminarraums oder gar außerhalb der Universität ablief. Erste Witze kamen auf. Nach einem Fakultätstreffen, auf dem sich Stoner unverblümt über einige neuere Experimente im Grammatikunterricht geäußert hatte, meinte ein jüngerer Dozent: »Für Stoner sind Konjugation und Kopulation dasselbe«, um sich dann über das Gelächter und die bedeutungsvollen Blicke zu wundern, die einige der älteren Männer untereinander austauschten. Jemand anderes sagte: »Der alte Stoner glaubt, die Abkürzung für die Arbeitsbeschaffungsbehörde WPA stehe für Widersprüchlich Partizipiale Adjektive«, und durfte zu seiner Genugtuung feststellen, dass sein Witzchen gern weitererzählt wurde.

William Stoner kannte die Welt jedoch, wie sie nur wenige seiner jüngeren Kollegen kannten. Tief drinnen, tiefer als sein Gedächtnis reichte, war das Wissen um Hunger und Not, Ausdauer und Schmerz verborgen. Und obwohl er nur selten an seine frühen Jahre auf der Farm in Booneville dachte, war seinem Bewusstsein jenes Wissen doch nie fern, das ihm von Vorfahren vererbt worden war, die ihr unbeachtetes, hartes Leben stoisch ertragen und es sich zur Devise gemacht hatten, einer erdrückenden Welt ein ausdrucksloses, hartes, düsteres Gesicht zu zeigen.

Auch wenn er die Zeiten, in denen er lebte, mit scheinbarem Gleichmut ertrug, war er sich ihrer doch sehr bewusst. Im Laufe jenes Jahrzehnts, in denen die Gesichter vieler Menschen endgültig so kalt und hart wurden, als schauten sie in einen Abgrund, sah William Stoner, für den dieser Blick vertraut war wie die eigene Atemluft, Anzeichen jener allgemeinen Verzweiflung, die er seit seiner Knabenzeit kannte. Er sah gute Menschen langsam der Hoffnungslosigkeit anheimfallen, innerlich so zerbrochen wie ihre Vorstellungen von einem anständigen Leben; er sah sie ziellos durch die Straßen irren, die Augen blank wie Glassplitter; er sah sie mit dem bitteren Stolz von Menschen, die zu ihrer Hinrichtung gehen, an Hintertüren klopfen und um Brot betteln, das es ihnen erlaubte, am nächsten Tag erneut zu betteln; und er sah, wie ihn Menschen mit ehemals aufrechtem und selbstbewusstem Schritt voller Neid und Hass ansahen, weil er die erbärmliche Sicherheit des Festangestellten einer Institution genoss, die irgendwie nicht scheitern konnte. Er redete kaum über das, was er sah, doch das Wissen um die allgemeine Misere rührte ihn und veränderte ihn auf eine Weise, die den Blicken anderer Menschen verborgen blieb; ein stiller Kummer um die allgemeine Notlage verließ ihn in keinem Moment seines Daseins.

Wie um einen fernen Albtraum wusste er auch um die Veränderungen in Europa, und als sich Franco im Juli 1936 gegen die spanische Regierung erhob und Hitler diese Revolte zu einem richtigen Krieg anfachte, wurde es Stoner wie so vielen anderen übel bei dem Gedanken an diesen Alb, der aus dem Traum in die Welt einfiel. In jenem Jahr redeten die jüngeren Dozenten zu Beginn des Herbstsemesters von kaum etwas anderem, und mehrere erklärten ihre Absicht, sich einer Einheit von Freiwilligen anzuschließen, um für die Loyalisten zu kämpfen oder einen Sanitätswagen zu fahren. Gegen Ende des ersten Semesters jenes Studienjahres hatten einige den Schritt gemacht und übereilt ihre Kündigung eingereicht. Stoner dachte an Dave Masters und bekam den alten Verlust mit erneuter Intensität zu spüren. Er musste aber auch an Archer Sloane denken und erinnerte sich, wie vor nunmehr gut zwanzig Jahren die Sorge langsam alle Ironie aus seinem Gesicht verdrängt und die Verzweiflung das harte Selbstbild allmählich zersetzt hatte – in geringerem Maße glaubte er neuerdings ein wenig von jener Vergeudung zu sehen, die Sloane vorhergeahnt hatte. Bei dem Gedanken an die Jahre aber, die sich vor ihm erstreckten, wusste er, dass das Schlimmste noch bevorstand.

Wie Archer Sloane begriff er, welch eine Vergeudung und Sinnlosigkeit es bedeutete, sich ganz jenen irrationalen und dunklen Kräften zu überlassen, von denen die Welt ihrem unbekannten Ende entgegengetrieben wurde; und wie Archer Sloane es getan hatte, zog auch Stoner sich ein wenig in Mitleid und Liebe zurück, weshalb ihn die allgemeine Rastlosigkeit verschonte, die er überall beobachten konnte. Und wie in anderen Momenten der Krise und Verzweiflung wandte er sich erneut jenem verhaltenen Glauben zu, der in der Institution Universität zum Ausdruck kam. Er sagte sich, dies sei gewiss nicht viel, doch wusste er, dass es alles war, was er hatte.

Im Sommer 1937 flammte die alte Leidenschaft fürs Studieren und Lernen wieder auf, weshalb er mit der ureigenen, unkörperlichen Tatkraft des Gelehrten, die weder Jugend noch Alter kennt, zu dem einzigen Leben zurückkehrte, das ihn nie enttäuscht hatte. Und er stellte fest, dass er sich von diesem Leben trotz aller Verzweiflung nicht allzu weit entfernt hatte.

Der Wochenplan fiel für ihn in jenem Herbstsemester besonders nachteilig aus. Seine vier Einführungskurse für Erstsemester fanden an sechs Tagen die Woche zu weit auseinanderliegenden Stunden statt. Während seiner gesamten Zeit als Fachbereichsvorsitzender hatte Lomax ihm stets einen Unterrichtsplan zugewiesen, mit dem sich selbst neue Dozenten nur murrend abgefunden hätten.

Am ersten Unterrichtstag des akademischen Jahres saß Stoner früh in seinem Büro und studierte erneut den sauber abgetippten Unterrichtsplan. Am Abend zuvor war er lange aufgeblieben, um eine neue Abhandlung über das Fortwirken mittelalterlicher Einflüsse auf die Renaissance zu lesen, und die Begeisterung, die er beim Lesen gespürt hatte, klang auch jetzt noch in ihm nach. Er studierte den Plan, und dumpfer Ärger begann sich in ihm zu regen. Einige Augenblicke lang starrte er die Wand an, dann warf er erneut einen Blick auf den Plan, nickte, warf Plan und angehängte Lektüreliste in den Papierkorb und trat an den Aktenschrank in einer Ecke des Zimmers. Er zog die obere Schublade auf, musterte zerstreut die braunen Mappen, fischte eine heraus, blätterte sie durch und pfiff dabei stumm vor sich hin. Dann schloss er die Schublade, verließ mit der Mappe unterm Arm das Büro und ging über den Campus zu seinem ersten Seminar.

Er betrat ein altes Gebäude mit Holzfußboden, das nur noch in Notfällen für den Unterricht genutzt wurde; der ihm zugewiesene Raum war zu klein für die Anzahl der Studenten, die sich für den Kurs eingetragen hatten, weshalb einige der jungen Leute stehen oder auf den Fensterbänken sitzen mussten. Sobald Stoner hereinkam, sahen sie ihn nervös oder unsicher an; er mochte Freund oder Feind sein, und sie wussten nicht, was schlimmer wäre.

Er entschuldigte sich bei den Studenten für die Räumlichkeiten, machte einen kleinen Witz auf Kosten des Sekretariats und versicherte jenen, die standen, dass es morgen Stühle für sie geben werde. Dann legte er die Mappe auf das ramponierte Lesepult, das wacklig auf seinem Tisch stand, und ließ den Blick über die ihm zugekehrten Gesichter wandern.

Er zögerte einen Moment, ehe er sagte: »Wer sich von Ihnen die Texte für diesen Kurs gekauft hat, kann sie in die Buchhandlung zurückbringen und sich das Geld erstatten lassen. Wir werden uns auch nicht mit dem Text befassen, der auf der Lektüreliste steht, die Ihnen gewiss ausgeteilt wurde, als Sie sich für diesen Kurs eingeschrieben haben. Ebenso wenig werden wir die Bücher auf besagter Lektüreliste benötigen. Ich beabsichtige, mich in diesem Kurs dem Thema auf anderem Wege zu nähern, weshalb ich Sie bitten muss, sich zwei neue Texte zu kaufen.«

Er wandte seinen Studenten den Rücken zu, nahm ein Stück Kreide aus der Schale unter der zerschrammten Tafel und hielt einen Moment inne, um auf das gedämpfte Seufzen und Geraschel der Studenten zu lauschen, die es sich an ihren Tischen bequem machten und sich innerlich auf die plötzlich wieder so vertraute Routine einstellten.

»Die Texte, die wir brauchen«, sagte Stoner und betonte die Worte einzeln, während er sie an die Tafel schrieb, »sind *Mittelalterliche Lyrik und Prosa*, herausgegeben von Loomis und Willard, sowie *Englische Literaturkritik: Das Mittelalter* von J. W. H. Atkins.« Er wandte sich zum Seminar um. »Sie werden feststellen, dass diese Texte noch nicht in den Buchhandlungen vorrätig sind – es könnte bis zu zwei Wochen dauern, ehe sie eintreffen. In der Zwischenzeit werde ich Ihnen einige Hintergrundinformationen zu Thema und Ziel dieses Kurses sowie einige Bibliothekshinweise geben, um Sie vorläufig zu beschäftigen.«

Er schwieg. Viele Studenten beugten sich über ihre Tische und schrieben seine Worte eifrig mit; einige musterten ihn unverwandt mit einem verstohlenen Lächeln, das klug und verständnisvoll wirken sollte, andere dagegen starrten ihn in offenem Erstaunen an.

»Die Grundlagen für diesen Kurs«, erklärte Stoner, »finden Sie in der Anthologie von Loomis und Willard; wir werden Beispiele mittelalterlicher Lyrik und Prosa unter dreierlei Blickwinkeln genauer betrachten, zum einen als für sich bedeutsame literarische Werke, zum anderen als Exempel für die Anfänge von Stil und Methode in der englischen Literatur und zum dritten als rhetorische wie grammatische Lösungen von Diskursproblemen, die selbst heute noch von einigem praktischen Wert und Nutzen sein können.«

Mittlerweile hatten fast alle Studenten aufgehört, sich Notizen zu machen, und den Kopf gehoben; selbst das klügste Lächeln wirkte nun recht angespannt, und einige Hände wedelten in der Luft. Stoner zeigte auf einen jungen Mann mit Brille und dunklem Haar, dessen Hand ruhig aufragte.

»Dies ist doch der Grundkurs Englisch eins, Sir, Sektion vier?«

Stoner lächelte den jungen Mann an. »Wie heißen Sie, bitte?«

Der Junge schluckte. »Jessup, Sir. Frank Jessup.«

Stoner nickte. »Mr Jessup also. Ja, Mr Jessup, dies ist der Grundkurs Englisch eins, Sektion vier; und ich heiße Stoner – beides hätte ich zweifellos zu Beginn meiner Ausführungen erwähnen sollen. Haben Sie noch eine weitere Frage?«

Der Junge schluckte erneut. »Nein, Sir.«

Stoner nickte wieder und schaute sich wohlwollend im Raum um. »Hat sonst noch jemand eine Frage?«

Die Studenten starrten ihn an; er sah kein Lächeln, und einige Münder hingen weit offen.

»Nun gut«, sagte Stoner, »dann werde ich fortfahren. Wie zu Beginn des Seminars gesagt, gehört es zu den Absichten dieses Kurses, bestimmte literarische Werke aus der Zeit zwischen dem 12. und dem 15. Jahrhundert genauer zu analysieren. Dabei haben wir einige Hürden der Historie zu überwinden, darunter linguistische und philosophische, soziale und religiöse, theoretische und praktische Schwierigkeiten. Eigentlich wird uns sogar unsere gesamte Bildung im Weg stehen, denn die uns gewohnte Art und Weise, über die Natur der Erfahrung zu denken, bestimmt unsere Erwartungen ebenso radikal, wie die Gewohnheiten des mittelalterlichen Menschen die seinen bestimmt haben. Zu Beginn wollen wir daher einige dieser Denkgewohnheiten näher betrachten, unter denen der mittelalterliche Mensch gelebt, gedacht und geschrieben hat …«

An diesem ersten Unterrichtstag behielt er die Studenten nicht bis zum Ende da. Nach kaum der Hälfte der Zeit brachte er seine vorläufigen Bemerkungen zu Ende, gab ihnen aber übers Wochenende eine Arbeit auf.

»Ich möchte, dass Sie mir einen kurzen Aufsatz, höchstens drei Seiten, darüber schreiben, was Aristoteles unter *topos* verstand – ein Wort, das wir nur recht unzureichend mit

Thema übersetzen. Eine ausführliche Erörterung der *topoi* können Sie im zweiten Buch der Rhetorik von Aristoteles nachlesen, und in Lane Coopers Ausgabe gibt es eine Einführung, die Sie gewiss hilfreich finden werden. Ihren Aufsatz erwarte ich am Montag. Das wäre für heute alles.«

Nachdem er das Seminar entlassen hatte, sah er seine Studenten, die sich nicht von der Stelle rührten, einen Moment lang besorgt an. Dann nickte er ihnen kurz zu und verließ den Raum, die braune Mappe unter dem Arm.

Am Montag hatte nicht einmal die Hälfte den Aufsatz geschrieben; er entließ alle, die ihre Arbeit abgaben, und verbrachte den Rest der Stunde mit den verbleibenden Studenten, sprach mit ihnen immer wieder das zugewiesene Thema durch, bis er davon überzeugt war, dass sie es begriffen hatten und den Aufsatz bis Mittwoch schreiben konnten.

Am Dienstag fiel ihm auf dem Flur vor Lomax' Büro eine Gruppe Studenten auf, in denen er Teilnehmer seiner ersten Seminarstunde erkannte. Als er an ihnen vorüberging, wandten sie sich ab, senkten den Blick zu Boden, schauten an die Decke oder musterten die Tür zu Lomax' Büro. Er lächelte vor sich hin, ging auf sein Zimmer und wartete auf den Anruf, der nun gewiss kommen würde.

Er kam um zwei Uhr nachmittags. Stoner griff nach dem Hörer, meldete sich und hörte die so höfliche wie eiskalte Stimme von Lomax' Sekretärin. »Professor Stoner? Professor Lomax möchte, dass Sie, so bald es geht, aber unbedingt noch heute Nachmittag, Professor Ehrhardt aufsuchen. Professor Ehrhardt erwartet Sie.«

»Wird Lomax dort sein?«, fragte Stoner.

Die Sekretärin schwieg schockiert, dann fuhr sie unsicher

fort: »Ich … ich glaube nicht – er ist bereits verabredet. Aber Professor Ehrhardt ist ermächtigt …«

»Sagen Sie Lomax, er sollte lieber da sein. Sagen Sie ihm, ich bin in zehn Minuten in Ehrhardts Büro.«

Joel Ehrhardt war ein junger Mann Anfang dreißig mit beginnender Glatze. Drei Jahre zuvor war er von Lomax an den Fachbereich geholt worden, und als man herausfand, dass er ein netter, ernster Mann ohne besondere Talente und ohne jede Begabung fürs Unterrichten war, hatte man ihm die Verantwortung für das Erstsemesterprogramm anvertraut. Sein Büro war ein kleines Kabuff am äußersten Ende des großen Saales, in dem an die zwanzig jüngere Dozenten ihre Tische hatten. Um dorthin zu gelangen, musste Stoner durch den ganzen Raum gehen. Als er an den Tischen vorüberkam, blickten einige Dozenten auf, grinsten unverfroren und sahen ihm nach. Ohne anzuklopfen, öffnete Stoner die Tür, ging ins Büro und setzte sich in den Sessel vor Ehrhardts Tisch. Lomax war nicht da.

»Sie wollten mich sprechen?«, fragte Stoner.

Ehrhardt, der eine sehr helle Haut hatte, errötete leicht, zwang sich zu einem Lächeln und sagte eifrig: »Wie schön von Ihnen, Bill, dass Sie vorbeikommen konnten.« Einen Moment lang hantierte er mit einem Streichholz und versuchte, seine Pfeife anzustecken. Sie wollte nicht ziehen. »Diese verfluchte Luftfeuchtigkeit«, sagte er griesgrämig. »Da bleibt der Tabak zu klamm.«

»Ich nehme mal an, dass Lomax nicht kommen wird«, sagte Stoner.

»Nein, wird er nicht«, sagte Ehrhardt und legte die Pfeife auf den Tisch. »Ehrlich gesagt war es Professor Lomax, der mich gebeten hat, mit Ihnen zu reden, weshalb ich …«, er lachte nervös, »… eigentlich nur so eine Art Botenjunge für ihn bin.«

»Und welche Botschaft sollen Sie mir überbringen?«, fragte Stoner trocken.

»Nun, wenn ich es recht verstehe, hat es einige Beschwerden gegeben. Studenten – Sie wissen ja.« Er schüttelte betrübt den Kopf. »Manche scheinen zu glauben – nun ja, sie begreifen offenbar nicht so ganz, was in Ihrem Seminar um acht Uhr früh vor sich geht. Professor Lomax dachte … also genau genommen, schätze ich, bezweifelt er, dass es sinnvoll ist, sich den Problemen eines Grundkurses über … über das Studium der …«

»Mittelalterlichen Sprache und Literatur zu nähern«, sagte Stoner.

»Genau«, erwiderte Ehrhardt. »Nun, ich glaube, ich verstehe, worauf Sie hinauswollen – die Studenten ein wenig schockieren, sie aufrütteln, neue Wege einschlagen, sie zum Nachdenken bringen. Richtig?«

Stoner nickte bedächtig. »In den Fachbereichstreffen zu unseren Erstsemesterkursen hat es in letzter Zeit viel Gerede über neue Methoden und Experimente gegeben.«

»Ganz genau«, sagte Ehrhardt. »Wohl niemand steht Experimenten aufgeschlossener gegenüber als ich selbst, doch – vielleicht gehen wir manchmal ein wenig zu weit, und sei es auch aus den allerbesten Motiven.« Er lachte und schüttelte den Kopf. »Ich weiß, wovon ich rede, das gebe ich gern zu. Aber ich – vielmehr Professor Lomax –, nun, vielleicht eine Art Kompromiss, eine teilweise Rückkehr zur Lektüreliste, die Verwendung der vorgegebenen Texte … Sie verstehen?«

Stoner spitzte die Lippen, blickte an die Decke, ließ die Ellbogen auf den Armlehnen des Sessels ruhen, legte die

Fingerspitzen aneinander und bettete das Kinn auf die vorgestreckten Daumen. Schließlich sagte er in bestimmtem Ton: »Nein, ich glaube nicht, dass das … Experiment … weit genug gediehen ist. Sagen Sie Lomax bitte, ich beabsichtige, es bis zum Ende des Semesters fortzuführen. Würden Sie das für mich tun?«

Ehrhardts Gesicht lief rot an. »Das werde ich«, brachte er gepresst hervor, »aber ich könnte mir vorstellen, nein, ich bin mir sicher, dass Professor Lomax sehr enttäuscht sein wird. Überaus enttäuscht.«

Stoner erwiderte: »Ach, vielleicht zu Anfang, aber das geht vorüber. Ich bin mir jedenfalls sicher, dass Professor Lomax einem Seniorprofessor nicht bei der Unterrichtsgestaltung dreinreden möchte. Auch wenn er mit dem Urteil dieses Professors nicht einverstanden ist, wäre es für ihn doch höchst unethisch, wollte er ihm sein eigenes Urteil aufdrängen. Darüber hinaus könnte dies für ihn sogar ein wenig gefährlich werden. Meinen Sie nicht?«

Ehrhardt langte nach seiner Pfeife, umfasste den Kopf mit festem Griff und stierte ihn mit wildem Blick an. »Ich … ich werde Professor Lomax von Ihrem Entschluss berichten.«

»Da wäre ich Ihnen sehr dankbar«, sagte Stoner, erhob sich aus dem Sessel, ging zur Tür und blieb stehen, als wäre ihm etwas eingefallen; dann wandte er sich erneut zu Ehrhardt um. Wie beiläufig sagte er: »Ach, noch etwas. Ich habe ein wenig über das nächste Semester nachgedacht. Sollte mein Experiment erfolgreich verlaufen, werde ich im nächsten Semester möglicherweise noch etwas Neues probieren. Ich habe daran gedacht, einige Probleme der Dichtung näher zu beleuchten, indem ich den anhaltenden Einfluss klassischen und mittelalterlichen Lateins auf einige

Shakespeare-Stücke untersuche. Auch wenn es etwas speziell klingt, könnte ich mir vorstellen, dass es sich auf unterrichtbarem Niveau präsentieren lässt. Vielleicht berichten Sie Lomax von meiner kleinen Idee – und bitten ihn, sie sich durch den Kopf gehen zu lassen. Gut möglich, dass Sie und ich in einigen Wochen …«

Ehrhardt sackte in seinem Sessel zusammen, legte die Pfeife zurück auf den Tisch und sagte müde: »Also gut, Bill. Ich sag's ihm. Und danke Ihnen, dass Sie vorbeigekommen sind.«

Stoner nickte, öffnete die Tür, trat hinaus, schloss sie wieder behutsam hinter sich und ging zurück durch den langgezogenen Saal. Als einer der jungen Dozenten fragend aufblickte, zwinkerte er ihm zu, nickte und ließ dann – endlich – zu, dass sich ein Lächeln auf seinem Gesicht ausbreitete.

Er ging zurück in sein Büro, setzte sich an den Tisch, wartete und schaute durch die offene Tür. Nach wenigen Minuten hörte er weiter unten im Flur eine Tür zuknallen, vernahm unregelmäßige Schritte und sah Lomax an seinem Büro vorüberhasten, so rasch es ihm sein Humpeln erlaubte.

Stoner rührte sich nicht von seinem Beobachtungsposten. Kaum eine halbe Stunde später hörte er, wie Lomax langsam, schleppend, die Treppe heraufkam, und sah ihn erneut an seinem Büro vorübergehen. Er wartete, bis er vernahm, wie irgendwo auf dem Flur eine Tür geschlossen wurde, nickte, stand auf und ging nach Hause.

Erst einige Wochen später erfuhr Stoner von Finch, was an jenem Nachmittag passiert war, an dem Lomax in sein Büro gestürmt kam. Lomax beklagte sich bitterlich über Stoners Verhalten und erklärte, dass er, Stoner, in seinem Grundkurs Stoff unterrichtete, der in den Kurs Mittelenglisch für Fortgeschrittene gehöre, weshalb Lomax von Finch verlangte, dass er disziplinarische Maßnahmen ergreife. Darauf waren sie beide einen Moment still. Finch wollte etwas sagen, aber dann prustete er einfach los. Er lachte lange und versuchte immer wieder, etwas zu sagen, doch wurden seine Worte stets von neuen Lachanfällen verschluckt. Als er sich schließlich wieder beruhigt hatte, entschuldigte er sich bei Lomax für diesen Gefühlsausbruch und sagte: »Jetzt hat er Sie, Holly, verstehen Sie? Er wird auch nicht locker lassen, und Sie können verdammt noch mal nicht das Geringste dagegen tun. Sie wollen, dass ich *Ihren* Job für Sie erledige? Was glauben Sie, wie das ankommt – ein Dekan mischt sich in den Unterricht eines Seniorprofessors des Fachbereichs ein, und das auch noch auf Betreiben des Fachbereichsvorsitzenden? Nein, Sir. Damit müssen Sie selbst fertig werden, so gut Sie es eben können. Aber Ihnen bleibt da wirklich keine große Wahl, oder?«

Zwei Wochen nach diesem Gespräch erhielt Stoner ein Memorandum aus Lomax' Büro. Man informierte ihn, dass sich sein Lehrplan für das nächste Semester geändert habe und er wieder ein Doktorandenseminar über den Einfluss der lateinischen Dichter auf die Literatur der Renaissance halten werde, ein Oberseminar für mittelenglische Literatur und Sprache sowie den Einführungskurs Literatur für Zweitsemester und einen Grundkurs für Erstsemester.

Es war auf seine Weise gewiss ein Triumph, doch einer, für den Stoner stets nur ein wenig amüsierte Verachtung hegte, beinahe so, als wäre der Sieg durch Langeweile und Gleichgültigkeit errungen worden.

XV

UND DAS ZÄHLTE BALD ZU DEN LEGENDEN, die sich um seinen Namen zu ranken begannen, Legenden, die Jahr um Jahr ausgeschmückt und verfeinert wurden und sich wie Mythen von persönlicher Tatsache zu ritueller Wahrheit weiterentwickelten.

Er war Ende vierzig, sah aber um Jahre älter aus. Das in seiner Jugend dichte, unbändige Haar war nun fast völlig weiß, das Gesicht zerfurcht, und die Augen lagen tief in ihren Höhlen. Die Schwerhörigkeit, die in dem Sommer nach dem Ende seiner Affäre mit Katherine Driscoll begonnen hatte, wurde Jahr um Jahr schlimmer, weshalb er, wenn er jemandem zuhörte, den Kopf schief legte und sein Gegenüber so aufmerksam musterte, als sinnierte er über eine rätselhafte Spezies nach, die er nicht ganz einzuordnen wusste.

Diese Schwerhörigkeit war übrigens etwas eigenartig, denn obwohl er oft Mühe hatte, denjenigen zu verstehen, der unmittelbar vor ihm stand, konnte er manchmal eine am anderen Ende eines lärmenden Saales gemurmelte Unterhaltung in aller Deutlichkeit hören. Durch diesen Trick erfuhr er so auch nach und nach, dass man ihn an der Universität – um es mit einem in seiner Jugend geläufigen Wort zu benennen – für einen Kauz hielt.

Immer wieder konnte er die weidlich ausgeschmückte

Geschichte hören, wie er vor einer Schar Erstsemester Mittelenglisch unterrichtete, bis Lomax schließlich kapitulieren musste. »Und ratet mal, welches Seminar am besten abgeschnitten hat, als die Erstsemester des Jahrgangs siebenunddreißig die Grundprüfung Englisch abgelegt haben?«, fragte widerstrebend ein junger Dozent, der den Einführungskurs Englisch gab. »Natürlich die Mittelenglischmeute vom alten Stoner. Und wir strampeln uns immer noch mit Übungsheften und Handbüchern ab!«

Stoner musste zugeben, dass er in den Augen der jüngeren Dozenten und älteren Studenten – die offenbar kamen und gingen, noch ehe er mit ihren Gesichtern einen Namen verbinden konnte – zu einer beinahe mythischen Gestalt geworden war, mochte die Funktion dieser Gestalt auch noch so veränderlich und unterschiedlich sein.

Manchmal war er der Bösewicht. In einer Version, die zu erklären versuchte, wie es zu dieser langen Fehde zwischen ihm und Lomax kam, hatte er eine junge Doktorandin verführt und sitzen gelassen, für die Lomax eine lautere und ehrenwerte Liebe hegte. Manchmal war er der Narr: Einer anderen Version derselben Geschichte zufolge weigerte er sich, mit Lomax zu sprechen, weil Lomax einmal kein Empfehlungsschreiben für eine von Stoners Doktorandinnen ausgestellt hatte. Und manchmal war er der Held: In einer letzten, aber nicht allzu oft akzeptierten Version wurde er von Lomax gehasst und nicht befördert, weil er Lomax dabei ertappt hatte, wie dieser einer seiner Lieblingsstudentinnen eine Kopie der Prüfungsfragen für einen von Stoners Kursen gab.

Die Legende wurde auch von seinem Verhalten in den Seminaren genährt. Mit den Jahren wirkte er immer abwesender, zugleich aber hellwach. Vorlesungen und Gespräche begann er zögerlich und umständlich, vertiefte sich dann jedoch so rasch ins Thema, dass er nichts und niemanden mehr um sich her wahrzunehmen schien. Einmal war ein Treffen mehrerer Mitglieder des Universitätskuratoriums sowie des Präsidenten der Universität in jenem Konferenzzimmer anberaumt, in dem Stoner sein Seminar über den Einfluss des Lateinischen abhielt; man hatte ihn über dieses Treffen informiert, doch hatte er es wieder vergessen, weshalb er sein Seminar zur gewohnten Zeit am gewohnten Ort abhielt. Das Seminar war etwa zur Hälfte herum, als furchtsam an die Tür geklopft wurde. Stoner, der gerade eine wichtige Lateinpassage frei übersetzte, hörte nichts. Nach wenigen Augenblicken ging die Tür auf, und ein kleiner, rundlicher Mann mittleren Alters mit randloser Brille kam auf Zehenspitzen herein und tippte Stoner leicht auf die Schulter. Ohne aufzublicken, winkte Stoner ihn fort. Der Mann zog sich zurück, und man hörte ihn mit mehreren Personen vor der offenen Tür flüstern. Stoner ließ sich in seiner Übersetzung nicht beirren. Dann kamen vier Männer herein, angeführt vom Präsidenten der Universität, einem großen, gewichtigen Mann mit imposantem Brustkasten und kräftig rotem Gesicht; wie eine Abordnung marschierten sie zu Stoners Tisch und blieben davor stehen. Der Präsident runzelte die Stirn und räusperte sich laut. Ohne in seiner Übersetzung zu stocken oder innezuhalten, blickte Stoner auf und sprach dem Präsidenten und seiner Entourage die nächste Gedichtzeile mit sanfter Stimme direkt in die Gesichter: »Hinfort, hinfort, ihr verfluchten Hurensöhne Galliens!« Immer noch ohne zu stocken, richtete er danach den Blick wieder ins Buch und übersetzte weiter, während das Häuflein entsetzt rückwärtstaumelte, sich keuchend umdrehte und nach draußen floh.

Durch solche Vorfälle gestärkt, wuchs die Legende, bis Anekdoten jede noch so banale Aktivität Stoners umrankten, und sie wuchs, bis sie auch sein Leben außerhalb der Universität berührte. Schließlich schloss sie sogar Edith ein, die bei Universitätsanlässen so selten mit ihm gesehen wurde, dass man sie für eine beinahe mysteriöse Gestalt hielt, die wie ein Gespenst in der Fantasie der Leute spukte: Sie trank insgeheim aus obskurem Kummer; sie starb langsam an einer seltenen, doch stets tödlichen Krankheit; sie war eine unglaublich talentierte Künstlerin, die ihre Karriere aufgegeben hatte, um allein für Stoner da zu sein. Auf öffentlichen Veranstaltungen blitzte ihr Lächeln so rasch und nervös aus ihrem schmalen Gesicht auf, funkelten die Augen so hell und redete sie so schrill und unzusammenhängend, dass jedermann davon überzeugt war, der äußere Schein verberge eine andere Wirklichkeit, eine andere Person stecke hinter der Fassade, an die niemand glauben konnte.

Nach seiner Krankheit und infolge einer Gleichgültigkeit, die für ihn zur Lebensart wurde, begann William Stoner immer mehr Zeit in jenem Haus zu verbringen, das er sich vor so vielen Jahren mit seiner Frau gekauft hatte. Anfangs war Edith von seiner Anwesenheit so irritiert, dass sie sich stumm verhielt, beinahe als müsse sie über ein Rätsel nachdenken. Kaum war sie schließlich davon überzeugt, dass seine Anwesenheit Nachmittag um Nachmittag, Nacht um Nacht, Wochenende um Wochenende von Dauer sein würde, begann sie den alten Krieg mit neuem Schwung. Aus banalstem Anlass weinte sie verzweifelt und schlich durch die Räume, doch Stoner schaute sie nur teilnahmslos an und murmelte zerstreut einige Worte des Mitgefühls. Sie schloss sich in ihrem Zimmer ein und kam stundenlang nicht wieder zum Vorschein; Stoner kümmerte sich um die Mahlzeiten, die sie ansonsten zubereitet hätte, und schien, wenn sie schließlich hohlwangig und blass um die Augen wieder aus dem Zimmer kam, ihre Abwesenheit gar nicht bemerkt zu haben. Bei der geringsten Gelegenheit machte sie sich über ihn lustig, doch schien er sie kaum zu hören; sie verwünschte ihn lauthals, und er lauschte mit höflichem Interesse. War er in ein Buch vertieft, nutzte sie dies, um ins Wohnzimmer zu gehen und wie verrückt auf dem Klavier herumzuhämmern, auf dem sie ansonsten kaum noch spielte; und wenn er sich leise mit seiner Tochter unterhielt, fiel Edith wütend über einen von ihnen oder sie beide her. Doch Stoner kam all dies – ihre Wut, ihr Leid, das Geschrei und das hasserfüllte Schweigen – so vor, als widerführe es zwei anderen Menschen, für die er selbst bei bestem Willen nur ein recht flüchtiges Interesse aufbringen konnte.

Schließlich fand Edith sich müde und beinahe dankbar mit ihrer Niederlage ab. Die Wutanfälle verloren an Intensität, bis sie schließlich so flüchtig wurden wie Stoners Interesse an ihnen; und Ediths Schweigephasen führten zu Rückzügen in eine Privatsphäre, für die Stoner sich längst nicht mehr interessierte, statt zu Beleidigungsattacken gegen seine gleichmütige Haltung.

In ihrem vierzigsten Jahr war Edith Stoner noch ebenso schlank, wie sie es als junges Mädchen gewesen war, doch verriet ihre Haltung die Härte und Sprödigkeit einer unbeugsamen Haltung, die jede Bewegung aussehen ließ, als fände sie nur zögerlich und widerwillig statt. Die Gesichtsknochen traten deutlicher hervor, und die dünne, fahle Haut spannte sich wie über einen Rahmen, sodass selbst scharfe Falten straff gezogen wurden. Edith war sehr blass und trug so viel Puder und Make-up auf, dass es aussah, als schüfe sie ihre Gesichtszüge jeden Tag auf neutraler Maske neu. Nichts als Knochen schienen unter der trockenen, festen Haut ihrer Hände zu liegen, die sich unermüdlich bewegten, zwirbelten, pflückten oder sich zusammenballten.

Sie war stets verschlossen gewesen, wurde in ihren mittleren Jahren aber immer unnahbarer und abwesender. Nach einem kurzen Zwischenfall, der letzten Attacke auf Stoner, die mit verzweifelter Intensität geführt wurde, zog sie sich wie ein Gespenst in sich selbst und an einen Ort zurück, von dem sie nie wieder ganz hervorkommen sollte. Sie begann, mit sich selbst in jenem sanften, vernünftigen Ton zu reden, wie man ihn Kindern gegenüber anschlägt; und sie tat dies so offen und ohne alle Scham, als wäre es das Natürlichste auf der Welt. Von den diversen künstlerischen Bemühungen, mit denen sie sich während ihrer Ehe ab und an befasst hatte, entschied sie sich letztlich für die Bildhauerei, da diese sie am stärksten befriedigte. Meist modellierte sie mit Ton, arbeitete gelegentlich aber auch mit weichem Stein; Büsten, Figuren und Standbilder aller Art gab es über das ganze Haus verteilt. Edith war eine sehr moderne Künstlerin; die von ihr modellierten Büsten glichen minimal gestalteten Kugeln, die Figuren waren Tonklumpen mit angefügten Verlängerungen und die Standbilder beliebig zusammengestellte Kompositionen von Kuben, Kugeln und Stangen. Kam Stoner an ihrem Atelier vorbei – jenem Raum, der früher sein Arbeitszimmer gewesen war –, blieb er manchmal stehen und hörte ihr beim Arbeiten zu. Sie erteilte sich Anweisungen wie einem Kind: »Nun, das muss hier hin – aber nicht zu viel davon –, so, mitten in diese kleine Rille. Ach, guck, jetzt ist es abgefallen. War wohl nicht feucht genug, wie? Was soll's, das kriegen wir wieder hin. Nur ein bisschen mehr Wasser und – geht doch. Siehst du?«

Sie gewöhnte sich an, mit ihrem Mann und ihrer Tochter in der dritten Person zu reden, so als spräche sie mit jemand anderem. Zu Stoner sagte sie etwa: »Willy sollte jetzt lieber seinen Kaffee austrinken; es ist schon fast neun Uhr, und er will doch nicht zu spät zur Universität kommen.« Oder sie redete auf ihre Tochter ein: »Grace übt wirklich nicht oft genug. Mindestens eine Stunde Klavier am Tag, zwei wären besser. Was wird denn sonst nur aus deinem Talent? Eine Schande ist das, eine Schande.«

Stoner wusste nicht, was dieser Rückzug für Grace bedeutete. Auf ihre Weise gab sie sich ebenso distanziert und verschlossen wie ihre Mutter. Das Schweigen war ihr zur Gewohnheit geworden, und auch wenn sie für ihren Vater stets ein scheues, sanftes Lächeln übrig hatte, redete sie doch kaum ein Wort mit ihm. Im Sommer seiner Krankheit war sie, wenn sie sich unbeobachtet glaubte, in sein kleines Zimmer geschlichen, hatte sich zu ihm gesetzt und mit ihm aus dem Fenster gesehen, offenbar ganz zufrieden damit, nur bei ihm zu sein, aber selbst dann blieb sie schweigsam und wurde unruhig, wenn er versuchte, sie aus sich herauszulocken.

Im Sommer seiner Krankheit war sie zwölf Jahre alt, ein großgewachsenes, dünnes Mädchen mit sanftem Gesicht und weichem, eher blondem als rotem Haar. Im Herbst, während Ediths letzter heftiger Attacke auf ihren Mann, ihre Ehe, auf sie selbst und das, was sie geworden zu sein glaubte, verhielt sich Grace beinahe reglos, so als spürte sie, dass sie bei der geringsten Bewegung in einen Abgrund fallen könnte, aus dem sie es nie wieder herausschaffen würde. Als die Heftigkeit der Auseinandersetzungen nachließ, beschloss Edith mit der für sie typischen selbstgewissen Rücksichtslosigkeit, dass Grace sich nur so still verhielt, weil sie sich unglücklich fühlte, und dass sie sich unglücklich fühlte, weil sie bei ihren Klassenkameraden nicht besonders beliebt war. Die versiegende Energie ihres Angriffs auf Stoner übertrug sie nun auf einen Angriff, der sich gegen Grace' ›gesellschaftliches Leben‹ richtete. Wieder einmal fand sie ›Interesse‹ an etwas, zog ihrer Tochter knallige, modische Kleider an, die mit ihren Rüschen nur Grace' Magerkeit betonten, gab Partys, spielte Klavier und bestand mit strahlender Miene darauf, dass alle Kinder tanzten; außerdem forderte sie Grace unablässig auf, doch jeden anzulächeln, zu reden, zu scherzen und zu lachen.

Diese Attacke dauerte nicht einmal einen Monat, dann gab Edith ihren Feldzug auf und trat die lange, langsame Reise dorthin an, wohin auch immer sie ging. Die Wirkungen ihrer Attacke auf Grace standen jedoch in keinerlei Verhältnis zu ihrer Dauer.

Sobald ihre Mutter sie wieder in Ruhe ließ, verbrachte Grace nahezu die gesamte Freizeit allein auf ihrem Zimmer und hörte Musik aus jenem kleinen Radio, das ihr vom Vater zum zwölften Geburtstag geschenkt worden war. Reglos lag sie auf dem ungemachten Bett oder saß ebenso bewegungslos an ihrem Tisch und hörte den Klängen zu, die blechern aus dem verschnörkelten Lautsprecher des gedrungenen, hässlichen Geräts auf ihrem Nachttischchen drangen, als wären Stimmen, Musik und Gelächter alles, was von ihrer Identität geblieben war, und als würde selbst dies weit fort in einem Schweigen ausklingen, in dem es auf immer verloren ging.

Und sie wurde dick. Zwischen jenem Winter und ihrem dreizehnten Geburtstag nahm sie fast fünfzig Pfund zu, das Gesicht so trocken und aufgedunsen wie aufgequollener Teig; ihre Glieder wurden schwabbelig, träge und unbeholfen. Dabei aß sie kaum mehr als früher, entwickelte aber eine Vorliebe für Süßigkeiten und hatte stets eine Schachtel mit Bonbons auf ihrem Zimmer; es war, als hätte sich in ihr etwas gelockert, wäre weich und hoffnungslos geworden, als hätte sich eine letzte Gestaltlosigkeit in ihr gewehrt, hätte sich freigemacht und dann ihr Fleisch überredet, seiner dunklen, geheimen Existenz äußere Form zu verleihen.

Stoner beobachtete diese Verwandlung mit einer Trauer, die das gleichgültige Gesicht, das er der Welt zeigte, Lügen strafte. Er verbot sich den allzu leichten Luxus eines schlechten Gewissens, denn in Anbetracht seines eigenen Wesens und der Umstände seines Lebens mit Edith gab es nichts, was er hätte tun können. Dieses Wissen vervielfachte seine Trauer, wie es kein schlechtes Gewissen je vermocht hätte, und ließ die Liebe, die er für seine Tochter empfand, noch suchender, noch tiefer werden.

Sie gehörte, das wusste er – und hatte es, nahm er an, auch schon sehr früh gewusst –, zu jenen seltenen, stets liebenswerten Menschen mit einer delikaten moralischen Natur, die ständig genährt und umsorgt werden musste, damit sie sich erfüllen konnte. Obwohl seine Tochter der Welt fremd war, musste sie dort leben, wo sie sich nicht daheim fühlte; nach Zärtlichkeit und Ruhe verlangend, hatte sie mit Gleichgültigkeit, Herzlosigkeit und Lärm auszukommen. Sie war von einem Wesen, das an diesem ihm abwegigen, feindlichen Ort, an dem es zu leben hatte, nicht über die nötige Brutalität verfügte, sich gegen jene grausamen Kräfte wehren zu können, die sich ihm widersetzten, weshalb Grace sich bloß in eine Stille zurückzuziehen vermochte, in der alles einsam, klein und auf besänftigende Weise ruhig war.

Sie war siebzehn und machte in der ersten Hälfte ihres letzten Jahres an der Highschool eine weitere Verwandlung durch. Es war, als hätte sie für ihr Wesen ein Versteck gefunden und könnte sich nun endlich der Welt offenbaren. So rasch, wie sie zugenommen hatte, verlor sie das drei Jahre zuvor gewonnene Gewicht auch wieder, und für jene, die sie kannten, schien es eine fast magische Verwandlung zu sein, so als schlüpfte sie aus einem Kokon in eine Welt, für die sie wie geschaffen schien. Sie war beinahe schön; sie, die zu mager und dann plötzlich zu dick gewesen war, hatte nun eine zarte, gefällige Figur und bewegte sich mit leichter Anmut. Ihre Schönheit war von einer passiven, fast beschaulichen Art, das Gesicht nahezu ausdruckslos, eine Maske, aus der hellblaue Augen direkt hervorschauten, ohne Neugierde und ohne die Befürchtung, dass jemand tiefer in sie hineinblicken könnte; ihre Stimme war weich, ein wenig tonlos, doch redete sie nur selten.

Recht unvermittelt wurde sie – um es mit Edith zu sagen – ›populär‹. Oft klingelte das Telefon, und dann saß sie im Wohnzimmer, nickte ab und zu, antwortete leise und kurz; Autos fuhren an dämmrigen Nachmittagen vor und nahmen sie mit sich fort, anonym im Gelächter und Stimmengewirr. Manchmal stand Stoner am Fenster, sah die Automobile in Staubwolken davonjagen und spürte leichte Sorge, aber auch ein wenig Bewunderung; er hatte nie einen Wagen besessen und nie gelernt, einen zu fahren.

Und Edith war zufrieden. »Siehst du?«, erklärte sie in kühlem Triumph, als wären keine drei Jahre seit ihrer wilden Attacke auf Grace' Probleme mit der ›Popularität‹ vergangen. »Siehst du? Ich hatte recht. Sie hat nur einen kleinen Schubser gebraucht. Aber Willy fand das gar nicht gut. Oh, das habe ich ihm angesehen. Willy findet so etwas ja nie gut.«

Seit einer Reihe von Jahren hatte Stoner jeden Monat einige Dollar beiseitegelegt, damit Grace, wenn die Zeit gekommen war, von Columbia fort und auf ein College gehen konnte, vielleicht eines, das weiter entfernt lag, etwa an der Ostküste. Edith hatte über diese Pläne Bescheid gewusst und schien mit ihnen einverstanden gewesen zu sein, doch als es so weit war, wollte sie nichts mehr davon hören.

»O nein!«, sagte sie. »Das könnte ich nicht ertragen! Mein Baby! Wo sie sich doch im letzten Jahr so gut entwickelt hat! Ist jetzt so populär, so glücklich. Sie würde sich wieder anpassen müssen und – »Baby, Gracie, mein Baby«, sie hatte sich an ihre Tochter gewandt, »Gracie will eigentlich gar nicht weg von ihrer Mommy, nicht? Will sie doch nicht ganz allein lassen, oder?«

Grace sah ihre Mutter einen Moment still an, wandte sich dann leicht zu ihrem Vater um und schüttelte den Kopf. Zu ihrer Mutter sagte sie: »Wenn du möchtest, dass ich bleibe, dann bleibe ich natürlich.«

»Grace«, sagte Stoner. »Hör mir zu. Wenn du gehen willst, bitte, wenn du wirklich gehen willst …«

Sie sah ihn nicht wieder an. »Es ist egal«, sagte sie.

Ehe Stoner darauf antworten konnte, begann Edith sich auszumalen, wie sie das von Stoner gesparte Geld für eine neue Garderobe ausgeben würden, einer wirklich hübschen, vielleicht sogar für ein kleines Auto, damit Grace und ihre

Freundinnen … Und Grace lächelte ihr kleines, träges Lächeln, nickte und sagte dann und wann ein Wort, als würde es von ihr erwartet.

Damit war es abgemacht, und Stoner sollte nie erfahren, was Grace wirklich empfand, ob sie blieb, weil sie es wollte, weil ihre Mutter es wünschte oder weil sie eine große Gleichgültigkeit gegen ihr eigenes Schicksal empfand. Im Herbst ging sie an die Universität von Missouri, wo sie mindestens zwei Jahre studieren würde. Wenn sie wollte, konnte sie ihr Studium dann außerhalb von Missouri beenden. Stoner sagte sich, dass es so besser war, besser für Grace, besser, das Gefängnis, dessen sie sich kaum bewusst zu sein schien, noch weitere zwei Jahre zu ertragen, statt erneut auf die Folterbank von Ediths hilflosem Willen gespannt zu werden.

Also änderte sich nichts. Grace bekam ihre Garderobe, lehnte den kleinen Wagen ab, den Edith ihr schenken wollte, und begann als Erstsemester an der Universität von Missouri. Das Telefon klingelte weiterhin, dieselben Gesichter (zumindest schienen sie dieselben zu sein) tauchten lachend und lärmend an der Haustür auf, und dieselben Automobile jagten in die Dämmerung davon. Grace blieb noch öfter fort als während ihrer Zeit auf der Highschool, und Edith freute sich über das, was sie für die wachsende Beliebtheit ihrer Tochter hielt. »Sie ist ganz die Mutter«, sagte sie. »Die war vor ihrer Heirat *sehr* populär. All diese Jungen … Papa war deswegen richtig wütend, insgeheim aber auch sehr stolz, das habe ich ihm angemerkt.«

»Ja, Edith«, sagte Stoner sanft und spürte, wie sich ihm das Herz zusammenzog.

Es war ein schwieriges Semester für Stoner, da es ihm diesmal oblag, die universitätsweiten Zwischenprüfungen in

Anglistik zu leiten, und ihn zugleich zwei besonders schwierige Doktorarbeiten beschäftigten, die ihm beide in außerordentlichem Maße zusätzliche Lektüre abverlangten, weshalb er häufiger von zu Hause fortblieb, als es in den letzten Jahren seine Gewohnheit gewesen war.

Gegen Ende November kam er eines Abends später als gewöhnlich nach Hause. Das Licht im Wohnzimmer war aus und das Haus still, weshalb er annahm, dass Grace und Edith bereits schliefen. Er brachte einige Papiere in sein kleines Hinterzimmer, da er im Bett noch lesen wollte, und ging dann in die Küche, um sich ein Sandwich zu machen und ein Glas Milch zu trinken. Gerade hatte er das Brot geschnitten und die Kühlschranktür geöffnet, als er einen durchdringenden, messerscharfen, in die Länge gezogenen Schrei hörte, der von unten zu kommen schien. Er rannte ins Wohnzimmer, als er, offenbar aus Ediths Atelier, einen zweiten Schrei hörte, diesmal kurz und in seiner Heftigkeit regelrecht wütend. Rasch durchquerte er das Zimmer und riss die Tür auf.

Edith lag lang ausgestreckt auf dem Boden, als wäre sie hingefallen; die Augen blickten wild, und der Mund stand offen, bereit, den nächsten Schrei auszustoßen. Am anderen Ende saß Grace in einem gepolsterten Sessel, die Beine übereinandergeschlagen, und blickte gelassen auf ihre Mutter. Eine einzige Lampe brannte, Ediths Werktischlampe, und tauchte den Raum in harsches Licht und tiefe Schatten.

»Was ist los?«, fragte Stoner. »Was ist passiert?«

Als wäre ihr Kopf nur auf einem lockeren Drehgestell befestigt, wandte Edith sich mit leerem Blick zu ihm um und klagte in seltsam zänkischem Ton: »Ach, Willy. Ach, Willy«, um ihn dabei unverwandt anzusehen und kaum merklich mit dem Kopf zu wackeln.

Er wandte sich Grace zu, die unverändert ruhig wirkte und ihm im Plauderton eröffnete: »Ich bin schwanger, Vater.«

Wieder ertönte der Schrei, durchdringend und unfassbar wütend; sie drehten sich beide zu Edith um, die von einem zum anderen schaute, die Augen über dem schreienden Mund abweisend und kühl. Stoner ging durch das Zimmer, beugte sich zu ihr hinab und half ihr auf; sie hing in seinen Armen; er musste sie stützen.

»Edith!«, sagte er in scharfem Ton. »Sei still!«

Sie erstarrte und entzog sich ihm. Auf zitternden Beinen ging sie zu Grace, die sich nicht gerührt hatte.

»Du!«, fauchte sie. »O mein Gott. Oh, Gracie. Wie konntest du nur … O mein Gott. Wie dein Vater. Das Blut deines Vaters. Ja, Dreck, Abschaum …«

»Edith!«, fuhr Stoner sie noch ein wenig schärfer an, ging zu ihr, legte die Hände fest auf ihre Oberarme und wandte sie von Grace ab. »Ab ins Bad mit dir, und spritz dir etwas kaltes Wasser ins Gesicht. Dann gehst du auf dein Zimmer und legst dich hin.«

»Ach, Willy«, flehte Edith. »Mein eigenes, kleines Baby. Ganz meins. Wie konnte das passieren. Wie konnte sie …«

»Nun geh«, sagte Stoner. »Ich werde gleich nach dir sehen.«

Sie taumelte aus dem Zimmer. Stoner schaute ihr nach und regte sich erst wieder, als er im Bad das Wasser laufen hörte. Dann drehte er sich zu Grace um, die ihn unverwandt aus ihrem Sessel ansah. Er lächelte kurz, ging zu Ediths Werktisch, nahm sich den Stuhl und stellte ihn vor Grace' Sessel, damit er mit ihr reden konnte, ohne auf sie herabblicken zu müssen.

»Nun«, sagte er, »warum hast du mir nichts davon erzählt?«

Sie betrachtete ihn mit einem leisen, sanften Lächeln. »Was gibt es da viel zu erzählen?«, sagte sie. »Ich bin schwanger.«

»Bist du sicher?«

Sie nickte. »Ich war beim Arzt und weiß es erst seit heute Nachmittag.«

»Tja«, sagte er und tätschelte unbeholfen ihre Hand. »Du musst dir keine Sorgen machen. Es wird schon alles werden.«

»Ja«, sagte sie.

Behutsam fragte er: »Willst du mir verraten, wer der Vater ist?«

»Ein Student«, antwortete sie. »Von der Universität.«

»Willst du es mir lieber nicht sagen?«

»Ach was«, sagte sie. »Darauf kommt es nicht an. Er heißt Frye. Ed Frye. Ist im zweiten Semester. Ich glaube, er war letztes Jahr in deinem Grundkurs.«

»Ich kann mich nicht an ihn erinnern«, sagte Stoner. »Überhaupt nicht.«

»Tut mir leid, Vater«, sagte Grace. »Es war dumm von mir. Er war ein wenig angetrunken, und wir haben … nicht aufgepasst.«

Stoner wandte den Blick von ihr ab und sah zu Boden.

»Tut mir leid, Vater. Jetzt habe ich dich schockiert, oder?«

»Nein«, erwiderte Stoner. »Höchstens überrascht. Wir haben in den letzten Jahren nicht viel voneinander erfahren, nicht?«

Sie sah fort und antwortete beklommen: »Nun …, nein, ich glaube nicht.«

»Liebst du ihn, Grace? Diesen Jungen …«

»Ach was«, sagte sie. »Eigentlich kenne ich ihn kaum.«

Er nickte. »Und jetzt?«

»Ich weiß nicht«, sagte sie. »Aber das ist auch unwichtig. Ich will dir nicht zur Last fallen.«

Eine Zeit lang saßen sie da, ohne zu reden. Schließlich sagte Stoner: »Mach dir keine Sorgen. Es wird schon werden. Wozu du dich auch entschließt und was du auch tun willst, es wird alles gut.«

»Ja«, sagte Grace und erhob sich aus ihrem Sessel. Dann sah sie ihren Vater an. »Du und ich, wir können jetzt reden.«

»Ja«, sagte Stoner. »Wir können reden.«

Sie verließ das Atelier, und Stoner wartete, bis er hörte, wie sie oben die Schlafzimmertür zuzog. Ehe er dann auf sein eigenes Zimmer ging, huschte er noch leise nach oben und öffnete die Tür zu Ediths Schlafzimmer. Sie schlief fest und lag angezogen auf dem Bett, die Nachttischlampe leuchtete ihr grell ins Gesicht. Stoner knipste das Licht aus und ging nach unten.

Beim Frühstück am nächsten Morgen war Edith beinahe gut gelaunt. Nichts verwies auf ihren hysterischen Anfall vom Vorabend, und sie redete, als wäre die Zukunft ein hypothetisches Problem, das sich lösen ließe. Nachdem sie den Namen des Jungen erfahren hatte, verkündete sie strahlend: »Nun, also. Findest du, wir sollten mit seinen Eltern Kontakt aufnehmen? Oder wäre es besser, erst mit dem Jungen zu reden? Warte mal – jetzt ist die letzte Woche im November. Sagen wir zwei Wochen. In der Zeit könnten wir alle Vorbereitungen treffen, vielleicht sogar für eine kleine kirchliche Hochzeit. Grace, was macht dein Freund? Wie heißt er noch mal?«

»Edith«, sagte Stoner. »Warte. Du setzt viel zu viel voraus. Vielleicht wollen Grace und dieser junge Mann ja gar nicht heiraten. Lass uns mit unserer Tochter darüber reden.«

»Was gibt es da zu reden? Natürlich wollen die beiden heiraten. Schließlich sind sie … sind sie … Gracie, *sag* es deinem Vater. Erkläre es ihm.«

Grace sagte zu ihm gewandt: »Es ist nicht weiter wichtig, Vater. Es ist wirklich nicht weiter wichtig.«

Und Stoner begriff, dass es wirklich unwichtig war. Grace' Augen blickten an ihm vorbei in eine Ferne, die sie nicht sehen konnte und an die sie ohne alle Neugier dachte. Er verstummte und ließ Frau und Tochter Pläne machen.

Es wurde beschlossen, dass man Grace' ›jungen Mann‹, wie Edith ihn nannte, als wäre sein Name irgendwie verboten, ins Haus einladen wolle, damit Edith mit ihm ›reden‹ könne. Sie plante den Nachmittag, als wäre es eine Szene in einem Theaterstück, zu dem Abgänge, Auftritte und sogar einige Zeilen Dialog gehörten. Stoner würde sich gleich entschuldigen, Grace noch einige Augenblicke bleiben und dann ebenfalls gehen, sodass Edith sich allein mit dem jungen Mann unterhalten konnte. Eine halbe Stunde später sollte Stoner zurückkehren, danach Grace, bis dahin dürften alle nötigen Vereinbarungen getroffen worden sein.

Und alles lief genau so ab, wie Edith es geplant hatte. Später fragte sich Stoner verwundert, was der junge Edward Frye wohl gedacht haben mochte, als er furchtsam an die Tür klopfte und in einen Raum mit all seinen Todfeinden gelassen wurde. Er war ein großgewachsener, gut gebauter junger Mann mit irgendwie verwischten, leicht verdrießlichen Zügen, der vor Furcht und Verlegenheit wie betäubt schien und niemandem ins Gesicht sehen wollte. Als Stoner aus dem Raum ging, hockte er zusammengesunken in einem Sessel, die Unterarme auf den Knien, den Blick zu Boden gerichtet; und als er eine halbe Stunde später zurückkam, saß der junge Mann in genau derselben Haltung da, so als hätte er sich unter dem Kanonendonner von Ediths vogelhafter Fröhlichkeit nicht ein einziges Mal geregt.

Alles war geregelt. In einem hohen, künstlich klingenden Ton, doch mit aufrichtig erfreuter Stimme informierte ihn Edith, dass ›Grace' junger Mann‹ aus St. Louis stamme, einer guten Familie angehöre, der Vater ein Börsenmakler, der seinerzeit vielleicht sogar mit ihrem eigenen Vater Geschäfte gemacht hatte, zumindest aber mit der Bank ihres Vaters, und dass die jungen Leute sich entschieden hatten zu heiraten, ›sobald wie möglich, ganz zwanglos‹, dass sie beide ihr Studium aufgeben würden, zumindest für ein, zwei Jahre, dass sie in St. Louis wohnen wollten, »ein Tapetenwechsel, ein neuer Anfang«, und dass sie, auch wenn sie das Semester nicht zu Ende machen konnten, bis zu den Semesterferien warten und am Nachmittag des ersten Ferientages heiraten wollten, einem Freitag. Und war es nicht alles ganz wunderbar, ehrlich – was auch immer.

*

Die Hochzeit fand im unaufgeräumten Büro eines Friedensrichters statt. William und Edith waren Trauzeugen; die Frau des Richters, eine zauselige, grauhaarige Frau mit ewigem Stirnrunzeln, machte sich während der Zeremonie in der Küche zu schaffen und kam erst gegen Ende heraus, um als Zeugin die Papiere zu unterschreiben. Es war ein kalter, trostloser Nachmittag, das Datum der 12. Dezember 1941.

Fünf Tage vor der Heirat hatten die Japaner Pearl Harbor angegriffen, und William Stoner verfolgte die Hochzeit mit gemischten, nie zuvor empfundenen Gefühlen. Wie so viele, die jene Zeit durchlebten, fühlte er sich regelrecht betäubt, auch wenn er wusste, dass diese Empfindung sich aus tiefen, intensiven Emotionen zusammensetzte, die er sich unmöglich eingestehen konnte, da er nicht mit ihnen zu leben gewusst hätte. Er spürte die Wucht der öffentlichen Tragödie, spürte einen so durchdringenden Schrecken und Schmerz, dass persönliche Tragödien und Missgeschicke gleichsam auf eine andere Ebene gerückt und durch die ungeheuerlichen Dimensionen, in denen sie stattfanden, zugleich verstärkt wurden, so wie ein einsames Grab noch eindringlicher wirkt, wenn es mitten in einer großen Wüste liegt. Mit einem beinahe unpersönlichen Bedauern verfolgte er daher das traurige kleine Ritual der Eheschließung und war seltsam gerührt von der passiven, gleichgültigen Schönheit, die er im Gesicht seiner Tochter sah, und von der mürrischen Verzweiflung auf dem Gesicht des jungen Mannes.

Nach der Zeremonie stiegen die beiden jungen Leute bedrückt in Fryes kleinen Sportwagen, um nach St. Louis zu fahren, wo sie leben wollten und sich einem zweiten Elternpaar zu stellen hatten. Stoner sah sie vom Haus fortfahren und konnte sich seine Tochter dabei nur als jenes kleine Mädchen vergegenwärtigen, das einmal in einem fernen Zimmer neben ihm gesessen und ihn in andächtigem Entzücken angesehen hatte, ein liebenswertes Kind, das schon vor Langem gestorben war.

Zwei Monate nach der Heirat meldete sich Edward Frye zur Armee, und Grace beschloss, bis zur Geburt des Kindes in St. Louis zu bleiben. Keine sechs Monate später lag Frye tot auf dem Strand einer kleinen Insel im Pazifik, einer von vielen Rekruten, die man in dem verzweifelten Versuch ausgesandt hatte, den Vormarsch der Japaner aufzuhalten. Im Juni 1942 wurde Grace' Kind geboren; es war ein Junge, und sie benannte ihn nach dem Vater, den er nie gesehen hatte und niemals lieben würde.

Obwohl Edith, die im Juni nach St. Louis fuhr, um bei der Geburt ›auszuhelfen‹, ihre Tochter zur Rückkehr nach Columbia zu bewegen versuchte, wollte Grace nicht kommen; sie besaß eine kleine Wohnung, durch Fryes Rente ein kleines Einkommen, neue Schwiegereltern, und sie schien glücklich zu sein.

»Irgendwie verändert«, sagte Edith gedankenverloren zu Stoner. »Überhaupt nicht wie unsere kleine Gracie. Sie hat eine Menge durchgemacht, und ich schätze, sie will daran nicht mehr erinnert werden … Sie lässt dich lieb grüßen.«

XVI

DIE KRIEGSJAHRE FLOGEN VORBEI, und Stoner überstand sie, wie er einen peitschenden, unerträglichen Sturm überstanden haben würde, den Kopf gesenkt, die Kiefer zusammengepresst, die Gedanken einzig auf den nächsten Schritt gerichtet und den nächsten und den nächsten. Trotz stoischer Duldsamkeit und sturen Voranschreitens über Tage und Wochen hinweg war er jedoch ein zuinnerst zerrissener Mann. Ein Teil von ihm schreckte in instinktivem Entsetzen vor der täglichen Sinnlosigkeit zurück, dem Übermaß an Zerstörung und Tod, mit dem Herz und Verstand unerbittlich konfrontiert wurden; wieder einmal sah er den Fachbereich dezimiert, sah junge Männer die Seminarräume verlassen, sah den gequälten Blick in den Gesichtern jener, die blieben, und sah in ihren Augen den langsamen Tod des Herzens, den bitteren Verschleiß von Mitgefühl und Fürsorge.

Ein anderer Teil von ihm aber fühlte sich von ebenjenem Inferno außerordentlich angezogen, vor dem er zugleich zurückschreckte. Er entdeckte in sich eine Fähigkeit zur Gewalt, von der er bislang nichts geahnt hatte: Er sehnte sich danach, dabei zu sein, sehnte sich nach dem Geschmack des Todes, der galligen Freude des Zerstörens, dem Geruch des Blutes. Er empfand Scham und Stolz, vor allem aber eine bittere Enttäuschung über sich selbst sowie über die Zeiten und Umstände, die ihn möglich machten.

Woche um Woche, Monat um Monat zogen die Namen der Toten an ihm vorbei. Manchmal waren es bloß Namen, an die er sich wie aus ferner Vergangenheit erinnerte, manchmal konnte er ein Gesicht damit verbinden, manchmal eine Stimme, ein Wort.

Trotz allem hörte er nicht auf zu unterrichten und zu studieren, obwohl es ihm manchmal vorkam, als krümmte er den Rücken vergebens gegen den peitschenden Sturm und wölbte die Hände gänzlich unnötig um sein letztes armselig flackerndes Streichholz.

Manchmal kehrte Grace nach Columbia zurück, um ihre Eltern zu besuchen. Beim ersten Mal brachte sie ihren kaum einjährigen Sohn mit, doch schien dessen Gegenwart Edith merkwürdig zu beunruhigen, weshalb Grace ihn während der nächsten Besuche bei ihren Schwiegereltern in St. Louis ließ. Stoner hätte den Enkel gern öfter gesehen, verschwieg aber seinen Wunsch, da er begriff, dass Grace' Fortzug aus Columbia – vielleicht sogar ihre Schwangerschaft – in Wahrheit die Flucht aus einem Gefängnis gewesen war, in das sie nun aus untilgbarer Freundlichkeit und sanfter Gutherzigkeit zurückkehrte.

Obwohl Edith nichts dergleichen vermutete oder es nicht zugeben wollte, hatte Grace, wie Stoner wusste, mit stiller Beharrlichkeit zu trinken begonnen. Zum ersten Mal fiel ihm dies im Sommer nach Kriegsende auf. Grace kam einige Tage zu Besuch und wirkte ungewöhnlich mitgenommen; die Augen umschattet, das Gesicht angespannt und blass. Eines Abends ging Edith nach dem Essen früh zu Bett; Grace und Stoner saßen noch in der Küche und tranken Kaffee. Stoner wollte mit seiner Tochter reden, aber Grace wirkte ruhelos und gereizt. Viele Minuten saßen sie schweigend zusammen, bis Grace ihm schließlich einen inständigen Blick zuwarf, mit den Schultern zuckte und laut seufzte.

»Hör mal«, sagte sie, »hast du vielleicht einen Schnaps im Haus?«

»Nein«, sagte er. »Tut mir leid. Im Schrank könnte noch eine Flasche Sherry sein, aber …«

»Ich brauche unbedingt was zu trinken. Macht es dir etwas aus, wenn ich im Drugstore anrufe, um mir eine Flasche bringen zu lassen?«

»Natürlich nicht«, sagte Stoner. »Nur haben deine Mutter und ich gewöhnlich kein …«

Aber sie war schon aufgestanden und ins Wohnzimmer gegangen, blätterte im Telefonbuch und begann hektisch zu wählen. Als sie in die Küche zurückkam, ging sie an den Schrank, holte die halbvolle Flasche Sherry heraus, nahm sich ein Glas vom Abtropfbrett und füllte es fast bis zum Rand mit dem hellbraunen Wein. Noch im Stehen leerte sie das Glas, wischte sich über die Lippen und schauderte. »Er ist sauer geworden«, sagte sie. »Und ich hasse Sherry.«

Sie trug Flasche und Glas zum Tisch, setzte sich, stellte beides akkurat vor sich hin, goss sich das Glas halbvoll und blickte ihren Vater mit einem seltsamen, verstohlenen Lächeln an.

»Ich trinke ein wenig mehr, als gut für mich ist«, sagte sie. »Armer Vater. Das hast du nicht gewusst, wie?«

»Nein«, sagte er.

»Jede Woche sage ich mir, nächste Woche trinke ich nicht so viel, aber ich trinke immer ein bisschen mehr. Ich weiß nicht, warum.«

»Bist du unglücklich?«, fragte Stoner.

»Nein«, erwiderte sie. »Ich glaube sogar, ich bin glücklich. Zumindest fast glücklich. Das ist es nicht. Es ist …« Sie ließ den Satz unbeendet.

Als sie den Sherry ausgetrunken hatte, kam der Lieferjunge vom Drugstore mit ihrem Whisky. Sie brachte die Flasche in die Küche, öffnete sie mit routinierten Bewegungen und goss sich einen kräftigen Schuss ins Sherryglas.

Sie blieben auf, bis das erste Grau über die Fenster kroch. Grace nahm immer wieder einen kleinen Schluck, und je weiter die Nacht voranschritt, desto mehr glätteten sich die Falten in ihrem Gesicht; sie wurde ruhiger und jünger, und die beiden redeten miteinander wie schon seit Jahren nicht mehr.

»Ich glaube«, erzählte sie, »ich glaube, ich bin absichtlich schwanger geworden, auch wenn ich es damals nicht begriffen habe; ich fürchte, ich habe nicht einmal gewusst, wie sehr ich unbedingt von hier fort wollte. Dabei wusste ich weiß Gott genug, um nicht schwanger zu werden, wenn ich es nicht gewollt hätte. All die Jungen in der Highschool und« – sie musterte ihren Vater mit einem schiefen Lächeln – »du und Mama, ihr habt nichts davon gewusst, oder?«

»Ich glaube nicht«, sagte er.

»Mama wollte, dass ich beliebt bin, und – na ja, ich war durchaus beliebt. Es war nicht weiter wichtig, überhaupt nicht wichtig.«

»Ich habe gewusst, wie unglücklich du warst«, brachte Stoner mit Mühe über die Lippen, »aber nicht geahnt … nicht gewusst …«

»Ich glaube, ich auch nicht«, sagte sie. »Wie denn auch? Armer Ed. Er ist bei alldem am schlechtesten weggekommen. Weißt du, ich habe ihn benutzt. Na ja, er war durchaus der Vater, aber ich habe ihn trotzdem benutzt. Ein netter Junge, und er hat sich immer so geschämt – er konnte es einfach nicht ertragen. Deshalb hat er sich auch sechs Monate früher zur Armee gemeldet, als er eigentlich musste, bloß um wegzukommen. Ich fürchte, ich habe ihn auf dem Gewissen; er war so ein lieber Junge, dabei haben wir uns nicht einmal besonders gemocht.«

Sie unterhielten sich bis zum Morgengrauen, als wären sie alte Freunde. Und Stoner sah ein, dass sie, ganz, wie sie behauptet hatte, in ihrer Verzweiflung beinahe glücklich war; sie würde ihr Leben ruhig zu Ende leben, würde ein wenig mehr trinken, Jahr um Jahr, und sich gegen das Nichts betäuben, zu dem ihr Leben geworden war. Er war froh, dass sie wenigstens das hatte, dankbar dafür, dass sie trinken konnte.

*

Die Jahre, die unmittelbar auf das Ende des Zweiten Weltkriegs folgten, waren seine besten Jahre an der Universität und in mancher Hinsicht die glücklichsten Jahre seines Lebens. Die Kriegsveteranen kehrten zurück und veränderten das Leben auf dem Campus, brachten eine Qualität mit, die es vorher nicht gegeben hatte, eine Intensität und einen Trubel, die zu einer wahrhaften Verwandlung führten. Er arbeitete wie nie zuvor; die ihm eigenartig erwachsen scheinenden Studenten waren ungeheuer ernst und verachteten alles Triviale. Mode oder Brauch interessierten sie nicht, und sie gingen ihre Studien an, wie Stoner es sich einmal von seinen Studenten erträumt hatte – als wäre ihr Studium das Leben selbst und nicht Mittel zum Zweck. Er wusste, nach diesen wenigen Jahren würde das Unterrichten nie wieder dasselbe sein, und er überließ sich einem glückseligen Zustand der Erschöpfung, von dem er hoffte, er möge niemals enden. An die Vergangenheit oder Zukunft, an deren Enttäuschungen und Freuden dachte er nur selten, da er all seine Energie auf jenen Teil seiner Arbeit konzentrierte, den er im Augenblick gerade leisten konnte, und hoffte, sich nun endgültig allein über sein Tun zu definieren.

Während dieser Jahre wurde er nur selten von seiner Hingabe an die Arbeit abgelenkt. Wenn seine Tochter nach Columbia zu Besuch kam, als wanderte sie ziellos von einem Zimmer zum anderen, empfand er manchmal ein Gefühl von Verlust, das er kaum zu ertragen vermochte. Mit fünfundzwanzig sah sie zehn Jahre älter aus und trank mit dem tiefsitzenden Selbstzweifel eines Menschen, der bar aller Hoffnung ist; außerdem wurde deutlich, dass sie ihr Kind mehr und mehr den Großeltern in St. Louis überließ.

Nur einmal hörte er etwas über Katherine Driscoll. Zu Beginn des Frühjahrs 1949 erhielt er vom Verlag einer großen Universität an der Ostküste ein Rundschreiben, das die Publikation von Katherines Buch mitteilte und einige Informationen über die Autorin gab. Sie lehrte an einem angesehenen College für Geisteswissenschaften in Massachusetts und war unverheiratet. So rasch wie nur möglich besorgte er sich ein Exemplar. Als er es in Händen hielt, schienen seine Finger ein Eigenleben zu entwickeln und begannen so heftig zu zittern, dass er das Buch kaum aufschlagen konnte. Er blätterte die ersten Seiten um und las die Widmung: »Für W. S.«

Sein Blick verschwamm, und einen Moment lang saß er da, ohne sich zu rühren. Dann schüttelte er den Kopf, widmete sich wieder dem Buch und legte es erst wieder hin, als er es zu Ende gelesen hatte.

Es war so gut, wie er es vermutet hatte, ein anmutiger Stil, die Leidenschaft getragen von einem kühlen Ton und klaren Einsichten. Er begriff, dass es Katherine selbst war, die er in dem erkannte, was er las, und es erstaunte ihn, wie deutlich er sie sogar jetzt noch sah. Plötzlich war ihm, als sei sie nebenan und er habe sie gerade erst verlassen; die Hände kribbelten, als hätten sie Katherine noch eben berührt. Da brach sich das so lang aufgestaute Verlustgefühl Bahn, überflutete ihn, und er ließ sich mitreißen, verlor alle Beherrschung. Er wollte nicht gerettet werden. Dann lächelte er liebevoll wie über eine Erinnerung, und ihm kam der Gedanke, dass er auf die sechzig zuging, weshalb er eigentlich über solche Leidenschaften erhaben sein sollte, über eine solche Liebe.

Doch er wusste, er war es nicht und würde es nie sein. Jenseits von Taubheit, Verlust und Gleichgültigkeit gab es sie, diese Leidenschaft, stark und ungeschmälert, und sie war immer da gewesen. In seiner Jugend hatte er sie verschwenderisch und gedankenlos weitergegeben, hatte sie dem Wissen zugewandt, das ihm – vor wie vielen Jahren nun? – von Archer Sloane offenbart worden war; er hatte sie Edith gegeben in jenen ersten närrischen Tagen seiner Verliebtheit und Ehe, und er hatte sie Katherine geschenkt, als wäre sie nie zuvor gegeben worden. Auf die eine oder andere Weise hatte er sie jedem Augenblick seines Lebens gegeben und sie vielleicht am reichlichsten gegeben, wenn ihm dies gar nicht bewusst gewesen war. Diese Leidenschaft war weder eine des Verstandes noch des Fleisches, sondern vielmehr eine Kraft, die beides umschloss, als wären sie zusammen nichts anderes als der Stoff, aus dem die Liebe ist, ihre ganz spezifische Substanz. Angesichts einer Frau, eines Gedichts sagte sie einfach: Sieh her! Ich lebe.

Er hielt sich selbst nicht für alt. Wenn er morgens beim Rasieren manchmal sein Bild im Spiegel sah, fühlte er sich uneins mit dem Gesicht, das seinen Blick überrascht aus klaren Augen in grotesker Maske erwiderte; es war, als trüge er aus schleierhaftem Grund eine ungeheuerliche Larve, als könnte er, wenn er nur wollte, die buschigen weißen Brauen abstreifen, das zerzauste weiße Haar, die um spitze Knochen zusammengesunkene Haut und die tiefen Falten, die Alter vorgaukelten.

Doch wusste er, dass ihm sein Alter nicht vorgegaukelt wurde. Er sah, wie krank die Welt und sein Land in den Jahren nach dem großen Krieg waren; er sah, wie Hass und Misstrauen zu einer Art Irrsinn wurden, der wie eine Pest über das Land hinwegfegte; er sah junge Männer erneut in den Krieg ziehen, sah sie wie im Nachklang eines Albtraums begierig sinnlosem Untergang entgegenmarschieren. Und er empfand Mitleid und Trauer, die so alt waren, so sehr Teil seiner Zeit, dass er selbst davon schon beinahe unberührt schien.

Die Jahre verflogen, und er spürte sie kaum vergehen. Im Frühjahr 1954 war er dreiundsechzig Jahre alt, als ihm plötzlich aufging, dass er höchstens noch vier Jahre an der Universität lehren konnte. Er versuchte, sich die Zeit danach vorzustellen, scheiterte aber und wollte es eigentlich auch nicht.

Im Herbst dieses Jahres erhielt er eine Notiz aus Gordon Finchs Sekretariat, in der er gebeten wurde, bei Gelegenheit doch einmal vorbeizuschauen. Er hatte viel zu tun, und es dauerte mehrere Tage, ehe er einen freien Nachmittag fand.

Jedes Mal, wenn er Gordon Finch sah, merkte Stoner, wie

es ihn ein wenig überraschte, dass sein Freund fast nicht gealtert zu sein schien. Er war nur ein Jahr jünger, wirkte aber kaum älter als fünfzig und strahlte eine gleichsam puttohafte Gesundheit aus; er ging mit federndem Schritt und zog sich seit einigen Jahren recht salopp an, bunte Hemden mit farblich dazu unpassenden Jacken.

An dem Nachmittag, an dem Stoner ihn aufsuchte, wirkte er verlegen. Eine Weile unterhielten sie sich über nichts Bestimmtes; Finch erkundigte sich nach Ediths Gesundheit und erwähnte, seine eigene Frau, Caroline, habe erst gestern gemeint, sie müssten einmal wieder alle zusammenkommen. Dann sagte er: »Mein Gott, wie die Zeit verfliegt!«

Stoner nickte.

Finch seufzte abrupt. »Nun«, sagte er. »Ich fürchte, wir müssen drüber reden. Nächstes Jahr wirst du fünfundsechzig, und ich denke, da sollten wir ein paar konkrete Pläne machen.«

Stoner schüttelte den Kopf. »Jetzt noch nicht. Ich habe natürlich vor, von der Zweijahresregelung Gebrauch zu machen.«

»Das habe ich mir gedacht«, sagte Finch und lehnte sich in seinem Sessel zurück. »Ich nicht. Ich muss noch drei Jahre, und dann bin ich draußen. Manchmal denke ich an all das, was ich verpasst habe, die Orte, an denen ich nie gewesen bin – ach, verdammt, Bill, das Leben ist zu kurz. Warum hörst du nicht auch auf? Denk an die viele Zeit …«

»Ich wüsste nicht, was ich damit anfangen sollte«, sagte Stoner. »Das habe ich nie gewusst.«

»Ach, verdammt«, sagte Finch, »heutzutage ist fünfundsechzig noch ziemlich jung. Man hat Zeit, Neues zu lernen, das …«

»Lomax steckt dahinter, richtig? Er setzt dich unter Druck.«

Finch grinste. »Natürlich. Was hast du denn erwartet?«

Stoner schwieg einen Moment, dann sagte er: »Erzähl ihm, dass ich nicht mir dir darüber reden wollte. Erzähl ihm, ich sei auf meine alten Tage so grantig und zänkisch geworden, dass du nichts bei mir erreichen konntest, dass er es schon selbst machen muss.«

Finch lachte und schüttelte den Kopf. »Bei Gott, das werde ich. Vielleicht werdet ihr beiden alten Esel nach all den Jahren doch noch ein wenig nachgeben.«

Allerdings fand ihr Treffen nicht gleich statt, und als es dann so weit war – in der Mitte des zweiten Semesters – nahm es einen anderen Verlauf, als Stoner erwartet hatte. Wieder einmal wurde er gebeten, sich im Büro des Dekans einzufinden; eine Zeit wurde genannt, Dringlichkeit angemahnt.

Stoner kam wenige Minuten zu spät. Lomax war bereits da und saß steif vor Finchs Tisch; neben ihm stand ein leerer Sessel. Stoner ging langsam durch das Zimmer, setzte sich und drehte sich zu Lomax um, der unverwandt vor sich hin starrte, eine Augenbraue verächtlich hochgezogen.

Finch sah sie beide mehrere Augenblicke lang an, ein leises Lächeln im Gesicht.

»Nun«, sagte er, »wir wissen, weshalb wir hier zusammengekommen sind. Es geht um Professor Stoners Emeritierung.« Er fasste die Vorschriften zusammen – freiwilliger Rückzug in den Ruhestand war mit fünfundsechzig möglich; Stoner könnte dann, sofern gewünscht, entweder zum Ende des laufenden akademischen Jahres oder zum Ende einer der beiden Semester des folgenden Jahres ausscheiden. Oder er konnte, falls der Fachbereichsvorsitzende, der Dekan des Colleges und er selbst zustimmten, die Pensionierung bis zu seinem siebenundsechzigsten Jahr aufschieben, dann aber sei sie obligatorisch. Sofern ihm nicht eine außerordentliche Professur angetragen werden würde, woraufhin …«

»Eine höchst unwahrscheinliche Option – ich denke, darauf können wir uns einigen«, kommentierte Lomax trocken.

Stoner nickte Finch zu. »Höchst unwahrscheinlich.«

»Offen gesagt fände ich es«, wandte Lomax sich an Finch, »im besten Interesse des Fachbereichs und des Colleges, wenn Professor Stoner die Gelegenheit nutzte, sobald wie möglich in den Ruhestand zu gehen. Es gibt da gewisse curriculare und personelle Änderungen, die ich seit Längerem plane und die durch Stoners Rückzug möglich würden.«

Stoner sagte zu Finch: »Ich habe nicht die Absicht, früher als unbedingt nötig in den Ruhestand zu gehen, nur um einer Laune von Professor Lomax nachzukommen.«

Finch wandte sich an Lomax, der sagte: »Ich bin mir sicher, dass es da manches gibt, was Professor Stoner noch nicht bedacht hat. So fände er im Ruhestand die Muße, all das niederzuschreiben, wozu« – er legte eine dezente Pause ein – »ihm sein aufopferungsvoller Unterricht bislang keine Zeit gelassen hat. Es diente der akademischen Welt gewiss zur Erbauung, wenn die Früchte seiner langen Erfahrung …«

Stoner unterbrach ihn: »Ich habe nicht vor, zu diesem Zeitpunkt meines Lebens eine literarische Karriere zu beginnen.«

Ohne sich in seinem Sessel zu bewegen, schien Lomax sich vor Finch zu verbeugen. »Unser Kollege ist sicher nur zu bescheiden. Mich selbst zwingen die Vorschriften in zwei

Jahren, den Vorsitz des Fachbereichs abzugeben. Und ich habe durchaus vor, meine verbleibenden Jahre sinnvoll zu nutzen, ja ich freue mich sogar auf die Zeit der Muße.«

Stoner sagte: »Ich hoffe doch, mindestens bis zu diesem feierlichen Augenblick Mitglied des Fachbereichs zu bleiben.«

Lomax blieb einen Moment stumm. Dann sagte er nachdenklich zu Finch: »Während der vergangenen Jahre ist mir mehrfach der Gedanke gekommen, dass Professor Stoners Bemühungen zum Wohl der Universität vielleicht nur in unzureichendem Maße gewürdigt wurden, weshalb ich finde, dass eine Beförderung zum ordentlichen Professor ein passender Abschluss seiner Karriere an dieser Universität wäre. Ein feierliches Dinner aus gegebenem Anlass – eine passende Zeremonie. Das sollte höchst erfreulich sein. Zwar ist es bereits ein wenig spät im Jahr, und die meisten Beförderungen wurden schon ausgesprochen, doch bin ich mir sicher, dass sich eine Beförderung, wenn ich denn darauf beharrte, für das nächste Jahr arrangieren ließe, eine Beförderung zu Ehren einer vielversprechenden Emeritierung.«

Mit einem Mal kam ihm das Spiel, das er mit Lomax getrieben und auf seltsame Weise auch genossen hatte, belanglos und gemein vor. Eine allgemeine Mattigkeit erfasste ihn, als er Lomax direkt anschaute und müde sagte: »Ich dachte, nach all diesen Jahren würden Sie mich besser kennen, Holly. Mich hat es noch nie im Mindesten gekümmert, was Sie meinen, mir ›geben‹ zu können, oder was Sie glauben für mich ›tun‹ zu können.« Er hielt inne, da er doch müder war, als er geglaubt hatte. Dann fuhr er mit einiger Anstrengung fort: »Darum geht es nicht, ist es noch nie gegangen. Sie sind ein guter Mensch, denke ich, jedenfalls ein guter Dozent, andererseits aber sind Sie auch ein ignoranter Dreckskerl.« Wieder schwieg er kurz. »Ich weiß nicht, was Sie sich erhofft haben, aber ich gehe nicht in den Ruhestand – nicht am Ende dieses Jahres und nicht am Ende des nächsten Jahres.« Er erhob sich langsam und blieb einen Moment stehen, um seine Kraft zu sammeln. »Wenn die Herren mich nun bitte entschuldigen wollen, ich bin ein wenig müde. Ich überlasse es Ihnen zu besprechen, was Sie noch zu besprechen haben.«

Er wusste, dass die Sache damit noch nicht ausgestanden war, aber das scherte ihn nicht. Als Lomax auf der letzten allgemeinen Fachbereichskonferenz des Jahres ankündigte, dass Professor William Stoner Ende nächsten Jahres in den Ruhestand gehen würde, erhob er sich und informierte die Fakultät, dass Professor Lomax sich irre, da er sich erst zwei Jahre nach dem von Lomax genannten Zeitpunkt von der Universität zurückziehen werde. Zu Beginn des Herbstsemesters lud der neue Präsident der Universität Stoner zum Nachmittagstee zu sich nach Hause ein und ließ sich weidlich über seine Dienstjahre aus, über die wohlverdiente Ruhe und die Dankbarkeit, die sie alle für ihn empfanden; Stoner gab sich so verschroben, wie er nur konnte, nannte den Präsidenten einen ›jungen Mann‹ und tat, als hörte er schlecht, sodass der junge Mann ihn zuletzt auf die versöhnlichste Weise, die ihm nur irgend möglich war, anschrie.

Seine Anstrengungen aber, so bescheiden sie auch waren, ermüdeten ihn stärker, als er erwartet hatte, weshalb er zur Weihnachtszeit ziemlich erschöpft war. Er sagte sich, dass er tatsächlich alt wurde und dass er es langsam angehen musste, wenn er auch im verbleibenden akademischen Jahr gute

Arbeit leisten wollte. Während der zehn Tage Weihnachtsferien ruhte er sich aus, als könnte er wieder Energie tanken, und als er für die letzten Semesterwochen zurückkehrte, ging er seine Aufgaben mit einer Kraft und einem Elan an, die ihn selbst überraschten. Die Frage seiner Emeritierung schien sich vorerst erledigt zu haben, und er machte sich nicht die Mühe, noch länger daran zu denken.

Ende Februar überkam ihn erneut eine große Mattigkeit, die er nicht abzuschütteln vermochte; er verbrachte viel Zeit zu Hause und erledigte einen Großteil seiner schriftlichen Arbeiten auf dem Ruhebett in seinem kleinen Hinterzimmer. Im März begann er einen dumpfen, unspezifischen Schmerz in Armen und Beinen zu spüren, sagte sich, dass er müde war und es ihm gewiss besser gehen werde, wenn die warmen Frühlingstage anfingen, dass er nur Ruhe brauchte. Im April konzentrierte sich der Schmerz auf den Unterleib; manchmal ließ Stoner ein Seminar ausfallen, und ihm fiel auf, dass es ihn enorme Kraft kostete, nur von einem Seminarraum zum anderen zu gehen. Anfang Mai wurde der Schmerz so heftig, dass er ihn nicht länger als lästige Bagatelle abtun konnte. Er ließ sich einen Termin bei einem Arzt am Universitätskrankenhaus geben.

Tests und Untersuchungen wurden gemacht sowie Fragen gestellt, deren Bedeutung Stoner vage erahnte. Man verschrieb ihm eine spezielle Diät, Tabletten gegen den Schmerz und sagte, er solle am Beginn der nächsten Woche wieder zur Sprechstunde kommen, da dann die Testergebnisse vorlägen. Er fühlte sich besser, doch die Mattigkeit blieb.

Sein Arzt war ein junger Mann namens Jamison, der Stoner erzählt hatte, dass er nur einige Jahre an der Universitätsklinik arbeite, um dann eine eigene Praxis aufzumachen. Er hatte ein rosiges, rundes Gesicht, trug eine randlose Brille und bewegte sich mit einer nervösen Unbeholfenheit, der Stoner vertraute.

Stoner kam einige Minuten zu früh zu seinem Termin, doch sagte man ihm am Empfang, dass er gleich durchgehen könne. Also ging er über den langen, schmalen Krankenhausflur zu der kleinen Kabine, in der Jamison sein Büro hatte.

Der Arzt wartete auf ihn, und Stoner sah, dass er dies schon seit einer Weile tat. Aktenblätter, Röntgenaufnahmen und Notizen lagen akkurat geordnet auf dem Tisch. Jamison stand auf, lächelte abrupt und wies nervös mit ausgestreckter Hand auf einen Stuhl vor seinem Tisch.

»Professor Stoner«, sagte er. »Setzen Sie sich doch. Setzen Sie sich.«

Stoner setzte sich.

Jamison betrachtete stirnrunzelnd die Anordnung auf seinem Tisch, strich ein Blatt Papier glatt und nahm dann Platz. »Nun«, sagte er, »es gibt da offensichtlich eine Art Blockade im unteren Darmtrakt, so viel ist klar. Auf dem Röntgenbild ist kaum etwas zu sehen, aber das muss nichts bedeuten. Na ja, ein kleiner Schatten, aber das hat nicht unbedingt etwas zu sagen.« Er drehte sich mit dem Stuhl um, heftete eine Röntgenaufnahme in einen Rahmen, knipste ein Licht an und deutete unbestimmt auf das Bild. Stoner sah hin, konnte aber nichts erkennen. Jamison machte das Licht wieder aus, drehte sich erneut zum Schreibtisch um und fuhr ganz geschäftsmäßig fort: »Ihre Blutwerte sind ziemlich niedrig, doch scheint es keine Entzündung zu geben; die Blutsenkung liegt unter normal, und der Blutdruck ist zu niedrig. Es gibt eine innere Geschwulst, die mir nicht gefällt, und

Sie haben deutlich an Gewicht verloren – tja, bei diesen Symptomen und dem, was ich daraus folgere« – er wies auf den Schreibtisch –, »würde ich sagen, dass uns nur eines zu tun bleibt.« Mit starrem Lächeln und bemühter Leutseligkeit sagte er: »Wir müssen Sie aufmachen und nachsehen, was da los ist.«

Stoner nickte. »Also ist es Krebs.«

»Nun«, sagte Jamison, »das ist ein sehr mächtiges Wort und kann ziemlich viel bedeuten. Ich bin mir eigentlich sicher, dass Sie da einen Tumor haben, aber – na ja, mit Bestimmtheit können wir das nur sagen, wenn wir nachsehen.«

»Wie lange habe ich ihn schon?«

»Ach, das lässt sich schwer beantworten, aber dem Gefühl nach – nun, die Geschwulst ist recht groß, also dürfte sie schon eine Weile da sein.«

Stoner schwieg einen Moment, dann fragte er: »Was schätzen Sie, wie lange bleibt mir noch?«

Wie in Gedanken erwiderte Jamison: »Ach, nun hören Sie auf, Mr Stoner.« Er versuchte zu lachen. »Wir sollten nicht gleich vom Schlimmsten ausgehen. Es gibt immer noch Hoffnung – zum Beispiel die, dass es nur ein Geschwür ist, ein gutartiges, verstehen Sie? Oder – es könnte alles Mögliche sein. Sicher wissen wir das erst, wenn wir …«

»Ja«, sagte Stoner. »Wann wollen Sie operieren?«

»So rasch wie möglich«, sagte Jamison erleichtert. »Innerhalb der nächsten zwei, drei Tage.«

»So bald?«, sagte Stoner beinahe zerstreut. Dann blickte er Jamison fest an. »Lassen Sie mich Ihnen einige Fragen stellen, Doktor. Und ich möchte Sie bitten, mir ehrlich zu antworten.«

Jamison nickte.

»Wenn es nur ein Geschwür ist – ein gutartiges, wie Sie es nennen –, würden einige Wochen dann einen großen Unterschied ausmachen?«

»Na ja«, erwiderte Jamison zögerlich, »da wären die Schmerzen, aber ansonsten – nein, einen *großen* Unterschied würde das wohl nicht machen, denke ich.«

»Gut«, antwortete Stoner. »Und wenn es so schlimm ist, wie Sie befürchten – würden einige Wochen *dann* einen großen Unterschied bedeuten?«

Nach langem Schweigen sagte Jamison beinahe verbittert: »Nein, ich schätze nicht.«

»Dann«, folgerte Stoner, »warte ich einige Wochen. Es gibt da ein paar Dinge, die ich ins Reine bringen muss – Arbeit, die ich zu erledigen habe.«

»Ich muss Ihnen davon abraten, verstehen Sie?«, sagte Jamison. »Ich muss Ihnen wirklich davon abraten.«

»Natürlich«, erwiderte Stoner. »Und Doktor – Sie werden doch mit niemandem darüber reden, nicht wahr?«

»Nein«, sagte Jamison und setzte ein wenig warmherziger hinzu, »natürlich nicht.« Er schlug einige kleine Änderungen in der Diät vor, zu der er ihm letztens geraten hatte, verschrieb noch ein paar Tabletten und legte einen Termin für die Krankenhausaufnahme fest.

Stoner empfand überhaupt nichts; ihm war, als hätte der Arzt nur von einem kleinen Übel berichtet, einem Hindernis, das er irgendwie überwinden musste, um tun zu können, was er zu tun hatte. Er dachte daran, dass es für einen Vorfall dieser Art recht spät im Jahr war; Lomax würde Mühe haben, einen Ersatz zu finden.

Die in der Praxis eingenommene Tablette machte ihn ein wenig benommen, doch fand er das Gefühl eigenartig angenehm. Sein Zeitgefühl war gestört; er sah sich auf dem Parkett des langen, ebenerdigen Flurs von Jesse Hall stehen. Ein leises Summen drang ihm wie fernes Flügelsirren ans Ohr, und im schattigen Korridor schien ein unbestimmtes Licht mal stärker, mal schwächer zu glimmen und wie der eigene Herzschlag zu pulsieren; seine Haut, mit der er jede seiner Bewegungen verstärkt wahrzunehmen meinte, begann zu prickeln, als er übertrieben umsichtig einen Schritt ins Gemenge von Licht und Dunkelheit tat.

Er stand an der Treppe, die in den ersten Stock führte; die Stufen waren aus Marmor und wiesen genau in der Mitte jeweils eine leichte Vertiefung auf, glatt getreten in Jahrzehnten von auf und ab eilenden Schritten. Die Treppe war noch fast neu gewesen, als er – vor wie vielen Jahren? – zum ersten Mal hier gestanden und so wie jetzt hinaufgeschaut hatte, um sich zu fragen, wohin sie führen mochte. Er dachte an die Zeit, an ihr beharrliches Vergehen, setzte behutsam einen Fuß in die erste glatte Vertiefung und verlagerte sein Gewicht.

Dann stand er in Gordon Finchs Vorzimmer. Die junge Frau sagte: »Dekan Finch wollte gerade gehen …« Er nickte zerstreut, lächelte sie an und betrat Finchs Büro.

»Gordon«, begrüßte er ihn herzlich, das Lächeln noch im Gesicht. »Ich werde dich nicht lange aufhalten.«

Reflexartig erwiderte Finch das Lächeln, doch sahen seine Augen müde aus. »Sicher, Bill, setz dich.«

»Ich werde dich nicht lange aufhalten«, sagte er noch einmal und spürte, wie sich in seiner Stimme eine seltsame Autorität bemerkbar machte. »Nur muss ich dir mitteilen, dass ich meine Meinung geändert habe – was die Emeritierung angeht, meine ich. Ich weiß, das ist lästig, und es tut mir leid, dass ich so spät Bescheid gebe, aber – nun ja, ich glaube, so ist es für alle am besten. Ich höre mit dem Ende des Semesters auf.«

Finchs Gesicht schwebte vor ihm, rund vor Erstaunen. »Was zum Teufel …«, sagte er. »Hat dir jemand die Daumenschrauben angesetzt?«

»Nein, nichts dergleichen«, sagte Stoner. »Das ist allein meine Entscheidung. Ich habe nur festgestellt, dass es da *doch* einige Dinge gibt, die ich gern noch tun würde. Außerdem«, setzte er dann hinzu, »brauche ich ein wenig Ruhe.«

Finch war verärgert, und Stoner wusste, dass er allen Grund dazu hatte. Er glaubte sich eine weitere Entschuldigung murmeln zu hören, und spürte, dass ihm sein dümmliches Lächeln immer noch im Gesicht klebte.

»Nun ja«, sagte Finch, »ich denke, es ist nicht zu spät. Gleich morgen kümmere ich mich um den Papierkram. Du weißt über Jahreseinkommen, Versicherung und so weiter sicher Bescheid, oder?«

»Natürlich«, sagte Stoner. »Ich habe es mir angesehen. Alles in Ordnung.«

Finch schaute auf seine Uhr. »Ich bin ein bisschen spät dran, Bill. Komm in ein, zwei Tagen vorbei, und wir klären die Details. In der Zwischenzeit – nun, ich denke, Lomax sollte Bescheid wissen. Ich rufe ihn heute Abend noch an.« Er grinste. »Ich fürchte, es wird dir gelingen, ihn glücklich zu machen.«

»Ja«, sagte Stoner. »Das fürchte ich auch.«

In den zwei Wochen, die ihm bis zur Einlieferung ins Krankenhaus blieben, gab es viel zu erledigen, doch war er davon überzeugt, es schaffen zu können. Für die nächsten beiden Tage sagte er seine Seminare ab und bat alle Studenten, die er bei ihrer unabhängigen Recherche, ihren Arbeiten und

Dissertationen betreuen sollte, in seine Sprechstunde. Er schrieb detaillierte Anweisungen, wie sie ihre Aufgaben ohne ihn zu Ende bringen konnten, und hinterließ einen Durchschlag dieser Instruktionen in Lomax' Brieffach. Er tröstete alle, die in Panik gerieten, weil sie sich von ihm im Stich gelassen glaubten, und beruhigte jene, die Angst davor hatten, sich einem anderen Professor anzuvertrauen. Er fand heraus, dass die Tabletten nicht nur den Schmerz linderten, sondern auch sein Denkvermögen trübten, weshalb er sie tagsüber, wenn er mit den Studenten redete, und abends, wenn er sich durch die Flut halbfertiger Aufsätze, Thesenpapiere und Dissertationen arbeitete, nur dann nahm, wenn der Schmerz so heftig wurde, dass er ihn von der Arbeit ablenkte.

Zwei Tage nachdem er seine Absicht verkündet hatte, in den Ruhestand gehen zu wollen, erhielt er mitten am Nachmittag, als er bis über beide Ohren in Arbeit steckte, einen Anruf von Gordon Finch.

»Bill? Gordon hier. Hör mal – es gibt da ein kleines Problem, über das wir reden sollten.«

»Ja?«, fragte er ungeduldig.

»Es geht um Lomax. Es will ihm nicht in den Kopf, dass du diese Entscheidung aus eigenen Gründen gefällt hast.«

»Das macht nichts«, sagte Stoner. »Soll er denken, was er will.«

»Warte – das ist noch nicht alles. Er plant, das feierliche Dinner mit allem Brimborium zu veranstalten. Er sagt, er hätte sein Wort gegeben.«

»Hör mal, Gordon, ich habe gerade sehr viel zu tun. Kannst du ihn nicht irgendwie davon abbringen?«

»Ich habe es versucht, aber es läuft über den Fachbereich. Wenn du willst, dass ich ihn zu mir bestelle, werde ich das tun, aber dann musst du auch da sein, denn wenn er so wie jetzt ist, kann ich nicht mit ihm reden.«

»Na schön. Und wann soll dieser Unsinn stattfinden?«

Gordon Finch schwieg. »Freitag in einer Woche. Am letzten Unterrichtstag, direkt vor Beginn der Examenswoche.«

»Also gut«, sagte Stoner müde. »Bis dahin sollte ich meine Sachen erledigt haben, und es dürfte leichter sein, dem Essen zuzustimmen, als jetzt dagegen vorzugehen. Lassen wir den Abend einfach auf uns zukommen.«

»Das solltest du auch noch wissen: Er möchte, dass ich deine Emeritierung bekanntgebe, obwohl sie offiziell erst ab nächstem Jahr gilt.«

Stoner spürte ein Lachen in sich aufsteigen. »Ach, was soll's«, sagte er. »Auch das geht in Ordnung.«

Die ganze Woche arbeitete er ohne Zeitgefühl. Von acht Uhr morgens bis zehn Uhr abends arbeitete er bis zum Freitag durch, las eine letzte Seite, machte eine letzte Notiz und lehnte sich dann in seinem Sessel zurück. Das Licht der Schreibtischlampe leuchtete ihm in die Augen, und einen Moment lang wusste er nicht, wo er war. Er blickte sich um und sah, dass er in seinem Büro saß. Die Regale quollen mit wahllos eingestellten Büchern über, in den Ecken türmten sich Papierstapel, und sein chaotischer Aktenschrank stand weit offen. Ich sollte hier ein bisschen aufräumen, dachte er, ich sollte meine Angelegenheiten in Ordnung bringen.

»Nächste Woche«, sagte er sich. »Nächste Woche.«

Er fragte sich, ob er es bis nach Hause schaffen würde. Selbst das Atmen fiel ihm schwer. Er konzentrierte sich, dachte nur an seine Arme und Beine, zwang sie, zu reagieren, stand auf und ließ nicht zu, dass er schwankte. Er knipste die Schreibtischlampe aus und blieb stehen, bis er das Mondlicht durch die Fenster fallen sah. Dann setzte er einen Fuß vor den anderen und ging über die dunklen Flure nach draußen, durch die stillen Straßen nach Hause.

Die Lichter brannten, Edith war noch auf. Er raffte seine letzte Kraft zusammen, stieg die Eingangsstufen hinauf und ging ins Wohnzimmer. Dann spürte er, weiter konnte er nicht, er schaffte es gerade noch bis zum Sofa und setzte sich. Nach einer Pause fühlte er sich stark genug, in seine Westentasche nach dem Röhrchen mit den Tabletten zu greifen. Er schob sich eine in den Mund und schluckte sie ohne Wasser, dann nahm er noch eine. Sie schmeckten bitter, aber er fand ihre Bitterkeit beinahe angenehm.

Ihm wurde bewusst, dass Edith im Zimmer auf und ab ging, von einer Stelle zur anderen; und er konnte nur hoffen, dass sie nicht mit ihm geredet hatte. Als der Schmerz nachließ und er sich wieder ein wenig kräftiger fühlte, wurde ihm klar, dass sie kein Wort gesagt hatte; ihr Gesicht war zur Maske erstarrt, der Mund verkniffen, und sie ging mit steifen, ärgerlichen Schritten.

Er wollte mit ihr reden, entschied aber, dass er seiner Stimme nicht trauen konnte. Verwundert fragte er sich, warum sie sich ärgerte; sie hatte schon lange nicht mehr so aufgebracht ausgesehen.

Schließlich blieb sie stehen und wandte sich zu ihm um, die Hände zu Fäusten geballt, die Arme hingen herab. »Und? Hast du mir nichts zu sagen?«

Er räusperte sich und konzentrierte seinen Blick. »Tut mir leid, Edith.« Die Stimme klang leise, aber kräftig. »Ich fürchte, ich bin ein bisschen müde.«

»Du hättest mir überhaupt nichts gesagt, oder? Rücksichtslos. Findest du nicht, dass ich das Recht habe, Bescheid zu wissen?«

Einen Moment lang war er verwirrt. Dann nickte er. Wäre er kräftiger gewesen, wäre er jetzt wütend geworden. »Wie hast du es herausgefunden?«

»Das ist doch jetzt egal. Ich schätze, alle wissen es, nur ich nicht. Ach, Willy, also wirklich.«

»Tut mir leid, Edith, ehrlich. Ich wollte nicht, dass du dir Sorgen machst, und es dir deshalb erst nächste Woche sagen, kurz vor dem Eingriff. Es ist ja nichts Schlimmes, du musst dich deshalb nicht beunruhigen.«

»Nichts Schlimmes?« Sie lachte verbittert. »Man sagt, du hast Krebs. Weißt du nicht, was das bedeutet?«

Er fühlte sich plötzlich schwerelos und musste an sich halten, um sich nicht an etwas festzuklammern. »Edith«, sagte er mit einer Stimme wie von weit her, »lass uns morgen darüber reden. Bitte. Ich bin sehr müde.«

Einen Moment lang sah sie ihn an. »Brauchst du Hilfe, um in dein Zimmer zu kommen?«, fragte sie mürrisch. »Du siehst nicht so aus, als würdest du es allein schaffen.«

»Es geht schon«, sagte er.

Doch kurz bevor sie das Zimmer verließ, wünschte er sich, er hätte sich helfen lassen – nicht nur, weil er sich schwächer als vermutet fühlte.

Samstag und Sonntag ruhte er sich aus, und Montag konnte er wieder seine Seminare halten. Er ging früh nach Hause, legte sich aufs Wohnzimmersofa und betrachtete interessiert die Decke, als es klingelte. Er setzte sich auf und wollte schon zur Tür gehen, als die Tür geöffnet wurde und Gordon Finch hereinkam. Sein Gesicht war blass, die Hände zitterten.

»Komm rein, Gordon«, sagte Stoner.

»Mein Gott, Bill«, sagte Finch. »Warum hast du mir nichts gesagt?«

Stoner lachte kurz auf. »Offenbar hätte ich es ebenso gut in der Zeitung annoncieren können«, sagte er. »Und ich dachte, ich könnte es in aller Stille angehen, ohne jemanden aufzuregen.«

»Ich weiß, aber – mein Gott, wenn ich das gewusst hätte.«

»Kein Grund, sich aufzuregen. Noch steht nichts fest – es ist bloß eine Operation. Ein explorativer Eingriff, heißt es, glaube ich. Wie hast du davon erfahren?«

»Jamison«, sagte Finch. »Er ist auch mein Arzt. Er sagte, es verstoße zwar gegen seine Berufsethik, meinte aber, ich sollte es wissen. Und er hat recht, Bill.«

»Ich weiß«, erwiderte Stoner. »Ist ja auch egal. Hat es sich denn schon rumgesprochen?«

Finch schüttelte den Kopf. »Noch nicht.«

»Dann erzähle es auch nicht weiter. Bitte.«

»Sicher«, antwortete Finch. »Und was dieses Dinner am Freitag angeht – du musst das nicht mitmachen, das weißt du.«

»Ich will aber«, sagte Stoner und grinste. »Schätze, ich bin Lomax was schuldig.«

Die Andeutung eines Lächelns huschte über Finchs Gesicht. »Du bist wirklich ein zänkischer alter Esel geworden, findest du nicht?«

»Ich fürchte, das stimmt«, sagte Stoner.

*

Das Dinner fand in einem kleinen Speisesaal im Haus des Studentenwerks statt. Im letzten Augenblick hatte Edith entschieden, den Abend nicht durchstehen zu können, also ging er allein. Er brach früh auf und schlenderte gemächlich über den Campus, als ginge er an einem Frühlingsnachmittag spazieren. Es war noch niemand dort, womit er gerechnet hatte, und er bat den Kellner, die Platzkarte seiner Frau zu entfernen und den Tisch so herzurichten, dass kein freier Platz übrig blieb. Dann setzte er sich und wartete auf die Ankunft der Gäste.

Der Saal füllte sich rasch; Mitglieder der Fakultät, die seit Jahren nicht mit Stoner geredet hatten, winkten ihm zu, und er nickte. Finch sagte wenig, behielt Stoner aber besorgt im Auge; der neue, noch junge Präsident, dessen Namen Stoner sich einfach nicht merken konnte, sagte etwas in leicht respektvollem Ton.

Das Essen wurde von jungen Studenten in weißer Livree serviert, von denen Stoner einige kannte, weshalb er ihnen zunickte und sich mit ihnen unterhielt. Die Gäste blickten zunächst bekümmert auf ihre Teller und begannen zu essen. Dann übertönte das fröhliche Klirren von Besteck und Porzellan die Gespräche, die sich langsam entspannten, und Stoner wusste, dass man seine Anwesenheit fast vergessen hatte, weshalb er ein wenig in seinem Essen herumstochern konnte, ein paar Anstandsbissen nahm und sich dann umschaute. Wenn er die Augen zusammenkniff, konnte er keine Gesichter erkennen, er sah nur wie in einem Rahmen Farben und verschwommene Konturen, die von einem zum nächsten Moment Muster gebändigter Bewegung bildeten. Es war ein erfreulicher Anblick, und wenn er seine Aufmerksamkeit in ganz bestimmter Weise darauf lenkte, spürte er keinen Schmerz.

Plötzlich war es still, und er schüttelte den Kopf, als würde er aus einem Traum aufschrecken. Fast am Ende des langen Tisches hatte sich Lomax erhoben und klopfte mit dem Messer ans Wasserglas. Ein attraktiver Kopf, sinnierte Stoner, immer noch attraktiv. Die Jahre hatten das lange, schmale Gesicht noch schmaler werden lassen, und die Falten glichen eher Verweisen auf eine gewachsene Sensibilität als Andeutungen des Alters. Das Lächeln war wie immer sardonisch vertraut und die feste Stimme so wohlklingend wie eh und je.

Er redete; Stoner verstand nur Satzfetzen, als drängte die Stimme, die sie hervorbrachte, aus der Stille herauf, um dann wieder in ihrem Ursprung auszuklingen. »… die langen Jahre aufopferungsvoller Tätigkeit … wohlverdiente Ruhe von den Mühen … von Kollegen geschätzt …« Er hörte die Ironie und wusste, dass Lomax nach all den Jahren auf seine Weise zu ihm redete.

Ein kurzer Applaus brandete auf und riss ihn aus seinen Träumereien. Neben ihm erhob sich Gordon Finch und begann zu reden. Obwohl Stoner ihn ansah und die Ohren spitzte, verstand er nicht, was Finch sagte: Gordons Lippen bewegten sich, er schaute starr vor sich hin, Applaus, er setzte sich. Ihm gegenüber erhob sich dann der Präsident und redete in einem Ton, der von Schmeichelei zu Drohung schwankte, von Scherz zu Trauer, von Kummer zu Freude. Er sagte, er hoffe, Stoners Ruhestand würde ein Anfang und kein Ende sein; er wisse, dass seine Abwesenheit die Universität ärmer mache, wisse, dass Tradition wichtig sei, aber die Notwendigkeit zu Veränderungen bestünde, und er redete von der Dankbarkeit in den Herzen all seiner Studenten, mit der sie gewiss noch viele Jahre an ihn denken würden. Stoner konnte sich keinen Reim auf das machen, was er sagte, doch als der Präsident endete, brach im Saal Applaus

aus; die Gesichter lächelten. Kaum ließ der Beifall nach, rief jemand mit dünner Stimme aus der Menge: »Eine Rede!« Jemand anderes stimmte in den Ruf ein, und noch der eine oder andere murmelte die Aufforderung.

Finch flüsterte ihm ins Ohr: »Soll ich dich entschuldigen?«

»Nein«, sagte Stoner. »Ist schon in Ordnung.«

Er stand auf und merkte, dass er nichts zu sagen wusste. Also schwieg er lange, blickte von Gesicht zu Gesicht und hörte dann seine tonlose Stimme sagen: »Ich habe gelehrt …« Er fing noch einmal an. »Fast vierzig Jahre habe ich an dieser Universität gelehrt. Ich weiß nicht, was ich gemacht hätte, wenn ich kein Professor geworden wäre. Wenn ich nicht gelehrt hätte, dann hätte ich …« Er verstummte, als ob ihn etwas ablenkte. Dann schloss er mit großer Bestimmtheit: »Ich möchte Ihnen allen dafür danken, dass ich hier lehren durfte.«

Er setzte sich. Es gab Applaus und freundliches Gelächter. Die Sitzordnung löste sich auf, die Leute verteilten sich im Saal. Stoner merkte, dass man ihm die Hand schüttelte, er spürte, wie er lächelte und zu allem nickte, was ihm gesagt wurde. Der Präsident drückte seine Hand, strahlte ihn freundlich an, sagte, er müsse mal vorbeikommen, nachmittags, wann immer, blickte auf die Uhr und eilte davon. Der Saal begann sich zu leeren, und Stoner stand allein dort, wo er sich von seinem Platz erhoben hatte, und sammelte nun alle Kraft, um nach draußen zu gehen. Er wartete, bis er sich bereit fühlte, dann trat er um den Tisch herum und ging aus dem Saal, vorbei an kleinen Menschentrauben, aus denen heraus man ihn so neugierig anstarrte, als wäre er bereits ein Fremder. Lomax stand in einer dieser Gruppen, drehte sich aber nicht um, als Stoner vorbeiging, und Stoner fühlte, wie dankbar er war, dass sie nach all dieser Zeit nicht miteinander reden mussten.

*

Am nächsten Tag ging er ins Krankenhaus und ruhte sich aus; die Operation war für Montag früh angesetzt. Bis dahin schlief er viel und interessierte sich nicht besonders für das, was mit ihm passieren sollte. Am Montagvormittag gab ihm dann jemand eine Spritze in den Arm; und er war bloß halb bei Bewusstsein, als er durch die Flure in einen seltsamen Raum geschoben wurde, der nur aus Licht und hoher Decke zu bestehen schien. Er sah, wie sich etwas auf sein Gesicht senkte, und er schloss die Augen.

Als er wieder wach wurde, war ihm übel, der Kopf tat ihm weh, und in seinem Unterleib spürte er einen neuen, heftigen, aber nicht unangenehmen Schmerz. Er übergab sich, fühlte sich besser und ließ die Hand über den dicken Verband wandern, der seine Körpermitte bedeckte. Dann schlief er ein, wachte nachts auf, trank ein Glas Wasser und schlief bis zum Morgen.

Als er erneut wach wurde, stand Jamison an seinem Bett, die Finger an seinem linken Handgelenk.

»Nun«, sagte Jamison, »wie fühlen wir uns heute Morgen?«

»Ganz gut, glaube ich.« Seine Kehle war trocken, er streckte eine Hand aus, und Jamison reichte ihm ein Glas Wasser. Er trank, schaute Jamison an und wartete.

»Also«, begann Jamison schließlich unbehaglich. »Wir haben den Tumor. Ein mächtiger Brocken. In ein, zwei Tagen werden Sie sich deutlich besser fühlen.«

»Kann ich dann gehen?«, fragte Stoner.

»In zwei, drei Tagen können Sie aufstehen und herumlaufen«, sagte Jamison. »Allerdings wäre es praktischer, wenn Sie noch eine Weile blieben. Wir konnten nicht … alles entfernen. Wir wollen es deshalb mit einer Bestrahlung versuchen. Natürlich könnten Sie jedes Mal herkommen, aber …«

»Nein«, sagte Stoner und ließ den Kopf aufs Kissen sinken. Er war wieder müde. »Ich glaube«, sagte er, »ich will so bald wie möglich nach Hause.«

XVII

»ACH, WILLY«, SAGTE SIE. – »Du wirst von innen ganz aufgefressen.«

Er lag auf dem Ruhebett im kleinen Hinterzimmer und starrte aus dem offenen Fenster; es war spät am Nachmittag, und die Sonne, die langsam hinterm Horizont versank, färbte die Unterseite eines langgezogenen Wolkenbandes, das sich im Westen über Baumwipfeln und Hausdächern erstreckte, glutrot. Eine Fliege summte gegen das Glas, und in der windstillen Luft hing der beißende Geruch von Abfall, der im Garten nebenan verbrannt wurde.

»Was?«, fragte Stoner zerstreut und drehte sich zu seiner Frau um.

»Von innen«, sagte Edith. »Der Arzt sagt, es hätte sich schon überall ausgebreitet. Ach, Willy, armer Willy.«

»Ja«, sagte Stoner, konnte aber kein rechtes Interesse aufbringen. »Mach dir keine Sorgen. Am besten denkst du gar nicht dran.«

Sie gab keine Antwort, also wandte er sich wieder dem offenen Fenster zu und sah den Himmel dunkel werden, bis bloß noch eine ferne Wolke einen matten purpurnen Streifen zeigte.

Seit etwas mehr als einer Woche war er wieder zu Hause und gerade erst am Nachmittag von einem Besuch im Krankenhaus zurückgekommen, wo er sich dem unterzogen hatte, was von Jamison mit bemühtem Lächeln eine ›Behandlung‹ genannt worden war. Jamison hatte gestaunt, wie schnell der Einschnitt verheilte, und gesagt, dass er die Konstitution eines Vierzigjährigen besitze, um dann abrupt zu verstummen. Stoner hatte zugelassen, dass man ihn abtastete und befingerte, hatte sich auf ein Bett schnallen lassen und stillgehalten, während eine riesige Maschine lautlos über ihm schwebte. Es war eine Torheit, das wusste er, doch beklagte er sich nicht; das wäre unhöflich gewesen. Was er über sich ergehen ließ, war schließlich kaum der Rede wert, wenn es ihnen half, sie von all dem Wissen abzulenken, dem sie sich irgendwann doch zu stellen hatten.

Er wusste, nach und nach würde das kleine Zimmer, in dem er nun lag und aus dem Fenster sah, seine ganze Welt werden; schon jetzt konnte er undeutlich einen ersten Schmerz fühlen, der sich wie ein alter Freund aus großer Ferne zurückmeldete. Und Stoner bezweifelte, dass man ihn auffordern würde, wieder ins Krankenhaus zu kommen; er hatte an diesem Nachmittag eine gewisse Endgültigkeit aus Jamisons Stimme herausgehört; außerdem hatte der Arzt ihm ein paar Tabletten für den Fall mitgegeben, dass er ein ›Unbehagen‹ verspüren sollte.

»Du könntest Grace schreiben«, hörte er sich zu Edith sagen. »Sie hat uns schon lange nicht mehr besucht.«

Als er sich umwandte, sah er, wie Edith gedankenverloren nickte; ihr Blick war seinem gefolgt, und sie hatte ruhig aus dem Fenster in die zunehmende Dunkelheit geschaut.

Er fühlte, wie er während der nächsten Wochen schwächer wurde, langsam erst, dann schneller. Der Schmerz kehrte mit einer Heftigkeit zurück, die er nicht erwartet hatte;

also nahm er seine Tabletten und spürte, dass der Schmerz sich wieder ins Dunkel zurückzog wie ein scheues Tier.

Grace kam, und er merkte, wie wenig sie einander trotz allem zu sagen hatten. Sie war eine Weile nicht in St. Louis gewesen und hatte erst tags zuvor bei ihrer Rückkehr Ediths Brief vorgefunden. Grace sah mitgenommen und angespannt aus, unter ihren Augen lagen dunkle Schatten, und Stoner wünschte sich, er könnte irgendwie ihren Kummer lindern, wusste aber, dass dies nicht in seiner Macht stand.

»Du siehst gut aus, Daddy«, sagte sie. »Richtig gut. Bestimmt bist du bald wieder auf dem Damm.«

»Natürlich«, antwortete er und lächelte sie an. »Wie geht's dem kleinen Ed? Und wie ist es dir ergangen?«

Sie sagte, dass es ihr gut gehe und dass es dem jungen Ed gut gehe, dass er nächsten Herbst auf die Junior-Highschool komme. Er sah sie verwirrt an. »Junior High?«, fragte er und begriff dann, dass es stimmen musste. »Natürlich«, sagte er, »ich habe ganz vergessen, wie groß er schon ist.«

»Er lebt meist bei seinen – bei Mr und Mrs Frye«, sagte sie. »So ist es für ihn am besten.« Sie sagte noch etwas, doch schweifte er ab. Immer häufiger fand er es schwierig, sich zu konzentrieren, und er wusste nie, wohin seine Gedanken wanderten; manchmal hörte er sich Worte sprechen und wusste nicht, woher sie kamen.

»Armer Daddy«, sagte Grace, und das brachte ihn in die Gegenwart zurück. »Armer Daddy, das Leben war für dich nicht einfach, oder?«

Einen Moment dachte er nach und erwiderte dann: »Nein, aber ich glaube, das hätte ich auch nicht gewollt.«

»Mama und ich – wir beide waren bestimmt eine Enttäuschung für dich, nicht?«

Er hob eine Hand, als versuchte er, sie zu berühren. »Oh, nein«, sagte er mit matter Inbrunst. »Du darfst nicht …« Er wollte mehr sagen, wollte erklären, konnte aber nicht weitersprechen. Er schloss die Augen und spürte, wie sich sein Geist befreite. Bilder strömten auf ihn ein und wandelten sich wie auf einer Leinwand. Er sah Edith, wie sie an jenem ersten Abend im Haus der Claremonts gewesen war – das blaue Kleid, die schlanken Finger, das blasse, zarte, sanft lächelnde Gesicht und die hellen Augen, die jedem Moment so freudig entgegensahen, als berge er eine süße Überraschung. »Deine Mutter …«, sagte er. »Sie war nicht immer …« Sie war nicht immer, wie sie gewesen ist; und er fand jetzt, dass er in der Frau, die sie geworden war, das Mädchen sehen konnte, das sie einmal gewesen war, fand, er hatte es schon immer sehen können.

»Du warst ein schönes Kind«, hörte er sich sagen und wusste einen Moment lang nicht, zu wem er redete. Licht schwamm vor seinen Augen, nahm Form an und wurde zum Gesicht seiner Tochter, von Falten gezeichnet, ernst, sorgenvoll. Wieder schloss er die Augen. »Im Arbeitszimmer. Erinnerst du dich? Du hast bei mir gesessen, während ich gearbeitet habe. Du warst so still, und das Licht … das Licht …« Das Licht der Schreibtischlampe (er konnte es jetzt sehen) fiel auf ihr aufmerksames kleines Gesicht, das sich in kindlichem Eifer über ein Buch oder Bild beugte, sodass sich die zarte Haut hell vor den Schatten des Zimmers abhob. »Natürlich«, sagte er und sah auf das heutige Gesicht des Kindes. »Natürlich«, sagte er noch einmal, »warst du immer da.«

»Ruhig jetzt«, sagte sie leise. »Du musst dich ausruhen.«

Und das war ihr Abschied. Am nächsten Tag kam sie, um ihm zu sagen, dass sie für einige Tage nach St. Louis zurück müsse, und sagte noch etwas mit tonloser, beherrschter Stimme, was er nicht verstand, das Gesicht verhärmt, die Augen feucht und rot. Ihre Blicke begegneten sich; sie musterte ihn lange, beinahe ungläubig, dann wandte sie sich ab. Er wusste, dass er sie nicht wiedersehen würde.

Er hatte keine Lust zu sterben, doch gab es nach Grace' Abfahrt Augenblicke, in denen er es kaum mehr erwarten konnte, so wie man vielleicht dem Moment des Aufbruchs zu einer Reise entgegensieht, die man nicht besonders gern antritt. Und wie jeder Reisende glaubte er, noch viel zu tun zu haben, ehe er aufbrechen könne, nur wusste er nicht, was das sein sollte.

Er war so schwach geworden, dass er nicht mehr gehen konnte, und so verbrachte er seine Tage und Nächte in dem winzigen Hinterzimmer. Edith holte ihm die Bücher, um die er bat, und legte sie so auf einen Tisch neben seinem schmalen Bett, dass er sich nicht anstrengen musste, wenn er danach griff.

Auch wenn er nur wenig darin las, fand er die Nähe der Bücher tröstlich, und er bat Edith, die Vorhänge vor allen Fenstern aufzuziehen. Er wollte auch nicht, dass sie wieder zugezogen wurden, selbst dann nicht, wenn die warme Nachmittagssonne schräg ins Zimmer fiel.

Manchmal kam Edith, setzte sich zu ihm aufs Bett, und sie unterhielten sich. Sie unterhielten sich über Belangloses – über Leute, die sie nur flüchtig kannten, über ein neues Gebäude, das auf dem Campus errichtet, ein altes, das abgerissen werden sollte, doch schien es unwichtig, was sie sagten. Eine neue Ruhe breitete sich zwischen ihnen aus, eine Stille, die wie der Beginn einer Verliebtheit war, und beinahe ohne nachzudenken wusste Stoner, warum sie gekommen war.

Sie hatten sich das Leid vergeben, das sie einander zugefügt hatten, und betrachteten selbstversunken, was aus ihrem gemeinsamen Leben hätte werden können.

Beinahe ohne Bedauern sah er sie jetzt an, und im sanften Licht des späten Nachmittags wirkte ihr Gesicht jung und faltenfrei. Wäre ich stärker gewesen, dachte er, hätte ich mehr gewusst, hätte ich mehr begriffen. Und schließlich, mitleidlos, setzte er hinzu: Hätte ich sie nur mehr geliebt. Als müsste sie eine weite Entfernung zurücklegen, schob sich seine Hand über das Laken, das ihn bedeckte, und griff nach ihren Fingern. Sie rührte sich nicht, und nach einer Weile fiel er in eine Art Schlaf.

Trotz der Schmerzmittel, die er nahm, meinte er noch klar denken zu können, und dafür war er dankbar. Doch war ihm auch, als lenkte seine Gedanken ein anderer als der eigene Wille, führte sie auf Wege, die er nicht verstand; Zeit verging, nur, er fühlte sie nicht vergehen.

Gordon Finch besuchte ihn fast jeden Tag. Stoner konnte die Abfolge dieser Besuche in der Erinnerung allerdings nicht klar zuordnen; manchmal redete er mit Gordon, wenn der nicht da war, und dann überraschte ihn die eigene Stimme im leeren Zimmer; manchmal hielt er mitten in einem Gespräch inne und blinzelte, als wäre ihm Gordons Gegenwart erst jetzt bewusst geworden. Einmal, als Gordon auf Zehenspitzen ins Zimmer kam, drehte er sich irgendwie überrascht zu ihm um und fragte: »Wo ist Dave?« Kaum sah er das panische Entsetzen in Gordons Gesicht, schüttelte er matt den Kopf und sagte: »Tut mir leid, Gordon. Ich war fast eingeschlafen und hatte an Dave Masters gedacht – hin und wieder sage ich, was ich denke, ohne es zu wissen. Das liegt an den Tabletten, die ich nehmen muss.«

Gordon lächelte, nickte und machte einen Scherz, doch wusste Stoner, dass sich Gordon Finch in diesem Moment auf eine Weise zurückgezogen hatte, die eine Rückkehr unmöglich machte. Ihm tat es leid, dass ihm diese Frage zu Dave Masters entschlüpft war, diesem aufsässigen, von ihnen beiden geliebten Jungen, dessen Geist sie seit so vielen Jahren in einer Freundschaft zusammenhielt, deren Tiefe sie nie ganz ausgelotet hatten.

Gordon sagte, dass ihn seine Kollegen grüßen ließen, und berichtete unzusammenhängend von Universitätsangelegenheiten, die ihn interessieren mochten, doch war sein Blick ruhelos, und ein nervöses Lächeln huschte über sein Gesicht.

Edith kam ins Zimmer, und Gordon Finch erhob sich schwerfällig, um sie vor lauter Erleichterung über diese Störung herzlich und überschwänglich zu begrüßen.

»Edith«, sagte er, »Komm, setz dich hierher.«

Edith schüttelte den Kopf und sah Stoner blinzelnd an.

»Der alte Bill sieht viel besser aus«, sagte Finch. »Ehrlich, ich finde, er sieht viel besser aus als letzte Woche.«

»Ach, Gordon«, erwiderte sie. »Er sieht schrecklich aus. Der arme Willy. Er wird nicht mehr lange bei uns sein.«

Gordon wurde blass und wich einen Schritt zurück, als wäre er geschlagen worden. »Mein Gott, Edith!«

»Nicht mehr lange«, wiederholte Edith und starrte bedrückt ihren Gatten an, der leise lächelte. »Was soll ich nur machen, Gordon? Was fange ich nur ohne ihn an?«

Er schloss die Augen, und sie verschwanden; er hörte Gordon flüstern und vernahm ihre Schritte, als sie sich entfernten.

Erstaunlich fand er, wie einfach es war. Er hatte Gordon sagen wollen, wie einfach es war, hatte ihm sagen wollen, dass es ihm nichts ausmachte, darüber zu reden oder daran zu denken, doch war er nicht dazu gekommen. Und jetzt schien es eigentlich nicht mehr wichtig zu sein; er hörte sie in der Küche reden, Gordons tiefe, drängende, Ediths zänkische, abgehackte Stimme. Worüber unterhielten sie sich nur?

... Der Schmerz kam so unvermittelt, so überwältigend, dass er davon völlig überrascht wurde und beinahe laut aufgeschrien hätte. Er zwang seine Hände auf dem Laken, sich zu entspannen, und lenkte sie in stetiger Bewegung hinüber zum Nachtschränkchen. Dann nahm er mehrere Tabletten, steckte sie sich in den Mund und schluckte etwas Wasser. Kalter Schweiß trat ihm auf die Stirn, und er blieb reglos liegen, bis der Schmerz nachließ.

Wieder hörte er Stimmen, schlug aber nicht die Augen auf. War es Gordon? Seine Hörfähigkeit schien sich aus ihm abzulösen, schien wie eine Wolke über ihm zu schweben und jeden noch so zarten Ton zu übertragen, nur konnte er zwischen den Wörtern nicht unterscheiden.

Die Stimme – gehörte sie Gordon? – sagte etwas über sein Leben. Und obwohl er die Wörter nicht verstehen konnte, sich nicht einmal sicher war, dass sie wirklich ausgesprochen wurden, fiel sein eigener Verstand mit dem Ingrimm eines verletzten Tieres über diese Frage her. Unbarmherzig betrachtete er sein Leben, wie es anderen erscheinen musste.

Sachlich, nüchtern sinnierte er, dass man sein Leben für gescheitert halten würde. Er hatte Freundschaft gewollt und freundschaftliche Nähe, die ihn im Schoß der menschlichen Gemeinschaft hielt; und er hatte zwei Freunde gehabt, der eine war sinnlos gestorben, ehe er ihn richtig kennenlernen konnte, der andere zog sich jetzt so weit in die Riege der Lebenden zurück, dass ... Er hatte die Einzigartigkeit, die stille, verbindende Leidenschaft der Ehe gewollt; auch die hatte er gehabt und nicht gewusst, was er damit anfangen sollte, also war sie gestorben. Er hatte Liebe gewollt, und er hatte Liebe erfahren, sie aber aufgegeben, hatte sie ins Chaos des bloß Möglichen ziehen lassen. Katherine, dachte er. »Katherine.«

Er hatte ein Lehrer sein wollen und war einer geworden, doch wusste er, hatte es immer gewusst, dass er über weite Strecken seines Lebens nur ein mittelmäßiger Lehrer gewesen war. Er hatte von einer Art Integrität geträumt, einer Art allumfassenden Reinheit, aber Kompromisse und die grellen Zerstreuungen des Trivialen gefunden. Er hatte Weisheit erstrebt und am Ende langer Jahre Unwissenheit erlangt. Und was noch?, dachte er. Was noch?

Was hast du denn erwartet, fragte er sich.

Er schlug die Augen auf. Es war dunkel. Dann sah er den Himmel draußen, das dunkle Blauschwarz des Weltalls und einen schwachen, wolkenverhangenen Schimmer Mondlicht. Es muss sehr spät sein, dachte er, dabei schienen Gordon und Edith doch erst vor einem Augenblick in hellem Nachmittagslicht neben ihm gestanden zu haben. Oder war das länger her? Er konnte es nicht sagen.

Er hatte gewusst, dass der Verstand nachließ, wenn der Körper schwächer wurde, trotzdem war er nicht darauf gefasst gewesen, dass es so schnell gehen würde. Das Fleisch ist stark, dachte er, stärker als wir glauben. Es will immer weiterleben.

Er hörte Stimmen, sah Lichter und spürte den Schmerz kommen und gehen. Ediths Gesicht schwebte über ihm; er merkte, dass er lächelte. Manchmal hörte er seine Stimme und meinte, vernünftig zu reden, konnte sich aber nicht sicher sein. Er fühlte Ediths Hände, fühlte, wie sie ihn umdrehte, ihn wusch. Sie hat ihr Kind wieder, dachte er; endlich hat sie ihr Kind, um das sie sich kümmern kann. Er wünschte, er könnte mir ihr reden; er merkte, dass er etwas zu sagen hatte.

Was hast du denn erwartet?, dachte er.

Etwas drückte schwer auf seine Lider. Er spürte, wie sie zitterten, dann gelang es ihm, sie zu öffnen. Es war das Licht, das er gefühlt hatte, das helle Sonnenlicht des Nachmittags. Er blinzelte und betrachtete gleichmütig den blauen Himmel, den leuchtenden Rand der Sonne, den er durchs Fenster schimmern sah. Er entschied, dass dies nicht real war, und bewegte eine Hand. Mit der Bewegung spürte er, wie ihn eine seltsame Kraft durchströmte, die aus der Luft zu ihm zu kommen schien. Er atmete tief ein; da war kein Schmerz.

Mit jedem Atemzug schien diese Kraft zu wachsen; seine Haut kribbelte; er konnte auf seinem Gesicht das hauchzarte Gewicht von Licht und Schatten fühlen. Er richtete sich auf, bis er halb saß, mit dem Rücken an die Wand gelehnt, an der sein Bett stand. Nun konnte er nach draußen sehen.

Er spürte, dass er aus langem Schlaf erwachte, und fühlte sich erholt. Es war Ende Frühling oder Anfang Sommer – eher Anfang Sommer nach dem zu urteilen, was er sah. Auf den Blättern der großen Ulme in seinem Hof lag ein satter Schimmer, und der Schatten, den der Baum warf, war von einer frischen Kühle, wie er sie schon einmal gespürt hatte. Eine Dichte lag in der Luft, eine Schwere, die sich über die süßen Düfte von Rasen, Blatt und Blume legte, sie mischte und in der Schwebe hielt. Wieder atmete er tief ein, hörte das Rasseln und spürte, wie sich die Süße des Sommers in seinen Lungen sammelte.

Und ebenso spürte er mit diesem Atemzug, wie sich tief in ihm etwas verschob, eine Verlagerung, die etwas anhielt und seinen Kopf fixierte, weshalb er ihn nicht bewegen konnte. Dann ging es vorbei, und er dachte: So ist das also.

Ihm kam der Gedanke, dass er Edith rufen sollte, wusste aber, dass er sie nicht rufen würde. Die Sterbenden sind egoistisch, dachte er, wie Kinder. Sie wollen ihre Zeit für sich.

Erneut holte er Luft, doch war da jetzt etwas in ihm anders, etwas, das er nicht benennen konnte. Er spürte, dass er auf etwas wartete, auf eine Einsicht, nur schien er alle Zeit der Welt zu haben.

Er hörte fernes Lachen und wandte den Kopf. Eine Gruppe Studenten überquerte den Rasen auf dem Hinterhof, eilte irgendwo hin. Es waren drei Paare, er sah sie deutlich, die Mädchen langbeinig und anmutig in ihren leichten Sommerkleidern, und die Jungen beäugten sie mit freudigem, verwirrtem Staunen. Sie liefen leichten Schrittes über das Gras, berührten es kaum, hinterließen keine Spuren. Er sah ihnen nach, bis sie verschwanden, dorthin gingen, wo er ihnen mit seinen Blicken nicht mehr folgen konnte, und noch lange, nachdem sie verschwunden waren, hörte er den Klang ihres Lachens von weit her herüberdringen, ahnungslos in der Stille des Sommernachmittags.

Was hast du denn erwartet?, dachte er wieder.

Eine Art Freude überkam ihn, kam wie auf einer Sommerbrise. Undeutlich erinnerte er sich, ans Scheitern gedacht zu haben – als wäre das wichtig. Jetzt fand er solche Gedanken kleinlich, fand sie unwürdig angesichts dessen, was sein Leben gewesen war. Undeutliche Gestalten sammelten sich am Rand seines Bewusstseins; er konnte sie nicht sehen, wusste aber, dass sie dort waren, dass sie ihre Kräfte für eine

Art Fassbarkeit sammelten, die er weder sehen noch hören konnte. Er näherte sich ihnen, das wusste er, doch bestand kein Grund zur Eile. Wenn er wollte, konnte er sie ignorieren; er hatte alle Zeit der Welt.

Eine Sanftheit umgab ihn, eine Mattigkeit legte sich auf seine Glieder, und ein Gefühl der eigenen Identität überkam ihn mit plötzlicher Kraft; er fühlte seine Macht. Er war er selbst, und er wusste, was er gewesen war.

Er wandte den Kopf. Auf seinem Nachtschränkchen stapelten sich Bücher, die er schon lange nicht mehr angerührt hatte. Einen Moment lang ließ er die Hand darüber wandern, staunte über seine mageren Finger und bewunderte die diffizile Verbindung ihrer Gelenke, als er die Finger krümmte. Er fühlte, welche Kraft sie besaßen, und ließ sie einen Band aus dem Durcheinander ziehen. Es war sein eigenes Buch, das er suchte, und als er es in Händen hielt, lächelte er angesichts des vertrauten roten Einbandes, der seit so vielen Jahren schon verblasst und abgegriffen war.

Es kam kaum mehr darauf an, dass das Buch vergessen war und keinem Zweck mehr diente, und die Frage, was es zu irgendeiner Zeit genützt haben mochte, schien ihm beinahe trivial. Er hing auch nicht der Illusion an, dass er sich dort finden würde, in den vergilbenden Seiten; und doch, das wusste er, ein kleiner Teil von ihm, den er nicht leugnen konnte, *war* dort und würde es bleiben.

Er schlug das Buch auf, und als er es tat, war es nicht länger seins. Er ließ die Finger darin blättern und fühlte ein Kribbeln, als wären die Seiten lebendig. Das Kribbeln breitete sich von den Fingern aus und durchdrang Fleisch und Knochen; bis in alle Details war er sich dessen bewusst, während er darauf wartete, dass es ihn ganz umschloss, dass die alte Erregung, der Angst so ähnlich, ihn ebendort hielt, wo er lag. Das Sonnenlicht wanderte übers Fenster und fiel auf die Seiten, aber er konnte nicht lesen, was da geschrieben stand.

Die Finger lockerten den Griff, und das Buch, das sie gehalten hatten, rutschte langsam und dann immer rascher über den reglosen Leib und fiel in die Stille des Zimmers.